Das Leben

Deutsch als Fremdsprache

Kurs- und Übungsbuch

A1

Hermann Funk
Christina Kuhn
Laura Nielsen
Rita von Eggeling

 Alle **Zusatzmaterialien** online verfügbar
unter cornelsen.de/webcodes. **Code: howoyu**

 Dieses Buch als E-Book nutzen:
Use this book as an e-book:
mein.cornelsen.de
jtcj-o9-gyen

Cornelsen

IMPRESSUM

Das Leben

Deutsch als Fremdsprache
Kurs- und Übungsbuch A1

Herausgegeben von Hermann Funk und Christina Kuhn
Im Auftrag des Verlages erarbeitet von Hermann Funk, Christina Kuhn, Laura Nielsen, Rita von Eggeling

Übungen: Verena Korinth, Helena Stock, Tanja Schwarzmeier, Miriam Tornero Pérez
Phonetik: Robert Skoczek
Aufgaben zum Plateau „Nicos Weg": Rita von Eggeling, Christina Kuhn sowie Dorothea Spaniel-Weise und Antonia Daza
Aufgaben zum Plateau Literatur: Tanja Schwarzmeier

Beratende Mitwirkung: Alvaro Camú, Santiago de Chile; Gerardo Carvalho und das Team des Werther-Instituts, Brasilien; Chan Wei Meng, Singapur; Karin Ende, Warschau; Nicole Hawner, Nancy; Bernd Schneider, Belgrad; Elena Schneider, Freiburg; Ralf Weißer, Prag

In Zusammenarbeit mit der Redaktion: Dagmar Garve, Albert Biel, Karin Wagenblatt, Meike Wilken, Bettina Wolvers
Redaktionsleitung: Gertrud Deutz

Umschlaggestaltung: Rosendahl Berlin, Agentur für Markendesign

Umschlagfoto: Daniel Meyer, Hamburg

Layoutkonzept: Rosendahl Berlin, Agentur für Markendesign
Technische Umsetzung:
    Umschlag, Seiten 1, 3–11, 16–17, 28–29, 40–41, 52–53, 70–71, 82–83, 94–95, 106–107, 124–125, 136–137, 148–149, 160–161, 178–179, 190–191, 202–203, 214–215: Rosendahl Berlin, Agentur für Markendesign
    Übrige Seiten: werkstatt für gebrauchsgrafik, Berlin
Illustrationen: Christoph Grundmann, Wilm Lindenblatt (S. 29, 44)
Audios: Clarity Studio, Berlin
Lieder: Samuel Reißen
Videos: I LIKE VISUALS, Berlin

www.cornelsen.de

Die Webseiten Dritter, deren Internetadressen in diesem Lehrwerk angegeben sind, wurden teilweise von Cornelsen mit fiktiven Inhalten zur Veranschaulichung und/oder Illustration von Aufgabenstellungen und Inhalten erstellt. Alle anderen Webseiten wurden vor Drucklegung sorgfältig geprüft. Der Verlag übernimmt keine Gewähr für die Aktualität und den Inhalt dieser Seiten oder solcher, die mit ihnen verlinkt sind.

1. Auflage, 2 Druck 2022

© 2020 Cornelsen Verlag GmbH, Berlin

Druck und Bindung: Livonia Print, Riga

ISBN: 978-3-06-122089-1 (Kurs- und Übungsbuch)
ISBN: 978-3-06-122106-5 (E-Book)

PEFC zertifiziert
Dieses Produkt stammt aus nachhaltig bewirtschafteten Wäldern und kontrollierten Quellen.
www.pefc.de
PEFC/12-31-006

Das Leben

Die selbstverständliche Art, Deutsch zu lernen

Liebe Deutschlernende, liebe Deutschlehrende,

das Lehrwerk **Das Leben** richtet sich an Erwachsene, die im In- und Ausland ohne Vorkenntnisse Deutsch lernen. Es führt in drei Gesamtbänden bzw. sechs Teilbänden zur Niveaustufe B1 und setzt die Anforderungen des erweiterten Gemeinsamen europäischen Referenzrahmens um.

Das Leben verbindet das Kurs- und Übungsbuch mit dem multimedialen Lehr- und Lernangebot in der PagePlayer-App. Alle Audios und Videos sowie die zusätzlichen Texte, erweiterten Aufgaben und interaktiven Übungen lassen sich auf dem Smartphone oder Tablet direkt abrufen.

Das Kurs- und Übungsbuch enthält 16 Einheiten und vier Plateaus. Jede Einheit besteht aus sechs Seiten für gemeinsames Lernen im Kurs und sechs Seiten Übungen zum Wiederholen und Festigen – im Kurs oder zuhause. Zusätzliche interaktive Übungen über die PagePlayer App ermöglichen eine weitere Vertiefung des Gelernten.

Auf jede vierte Einheit folgt ein Plateau, das optional bearbeitet werden kann. Die erfolgreiche Video-Novela „Nicos Weg" der Deutschen Welle begleitet hier die Lernenden mit abwechslungsreichen Aufgaben und Übungen. Daran schließt sich eine spielerische Wiederholung und Erweiterung des Gelernten an. Eine dritte Doppelseite führt die Lernenden behutsam an Literatur heran.

Der Wortschatz von **Das Leben** bezieht die Frequenzliste des DUDEN-Korpus mit ein und trainiert gezielt die häufigsten Wörter der deutschen Sprache.

Mit seinem großen Aufgaben- und Übungsangebot bereitet **Das Leben** optimal auf alle A1-Prüfungen vor.

Wir wünschen Ihnen viel Spaß und Erfolg beim Lernen und Lehren mit **Das Leben**!

Ihr Autorenteam

Blick ins Buch

Die Magazinseite

Im Kursbuch beginnt jede Einheit mit einer Magazinseite. Das Layout der Magazinseiten orientiert sich an den alltäglichen Sehgewohnheiten. Wiederkehrende Elemente ermöglichen einen klaren Überblick. Texte und Abbildungen geben einen authentischen Einblick in die Themen der Einheiten, motivieren zum entdeckenden Lernen und führen in Wortschatz und Strukturen ein. Audios 🔊, Videos ▶ und weitere Inhalte der PagePlayer-App ⇥ sind mit Symbolen gekennzeichnet (s. Übersicht unten). Die Inhalte können im Kursraum projiziert und/oder von Lernenden auf Smartphones oder Tablets jederzeit abgerufen werden.

Titel der Einheit

Nummer der Einheit

Lernziele

Aufgaben und Übungen

Das Kursbuch

In den Einheiten des Kursbuchs sind alle Aufgaben und Übungen in Sequenzen angeordnet. Sie bereiten die Lernenden Schritt für Schritt auf die Zielaufgaben 🚩 vor. Übungen zur Automatisierung 🏋 und Phonetik trainieren sprachliche Flüssigkeit und Aussprache. Neu sind Aufgaben, die mit Hilfe der PagePlayer-App ⇥ erweitert werden. Sie unterstützen die Kursrauminteraktion oder ermöglichen Partnerarbeit. Die ODER-Aufgaben dienen der Differenzierung und bieten den Lernenden individuelle Wahlmöglichkeiten. Die Videoclips ▶ bieten einen authentischen Einblick in alltägliche Situationen. Die landeskundlichen Informationen, die Übungen zur Sprachmittlung und Mehrsprachigkeit regen zum Sprach- und Kulturvergleich an und aktivieren sinnvoll die Kenntnisse der Lernenden in allen vorgelernten Sprachen.

Aufgabenerweiterung mit der PagePlayer-App

Sequenztitel

Zielaufgabe

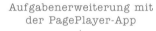

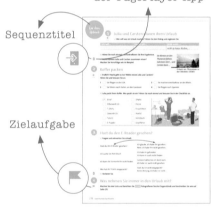

Das Übungsbuch

Der Übungsteil folgt in Inhalt und Aufbau den Sequenzen aus dem Kursbuch. Das Übungsangebot dient der selbstständigen Wiederholung und Vertiefung von Wortschatz und Strukturen. Hier steht den Lernenden analog und digital über die PagePlayer-App ein reichhaltiges Übungsangebot zur Verfügung. Neben Übungen zum Leseverstehen, zum angeleiteten Schreiben, zur Aussprache und zum Hörverstehen 🔊 trainieren die Lernenden im Videokaraoke ▶ das flüssige Sprechen als Teilnehmende an echten Dialogsituationen.

Video-karaoke

interaktive Übungen

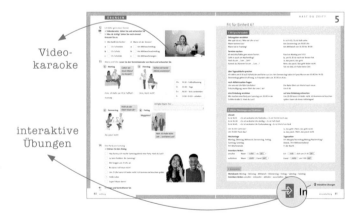

Wiederkehrende Symbole

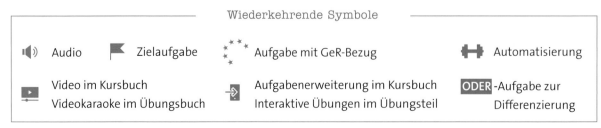

🔊 Audio	🚩 Zielaufgabe	✦ Aufgabe mit GeR-Bezug	🏋 Automatisierung
▶ Video im Kursbuch Videokaraoke im Übungsbuch	⇥ Aufgabenerweiterung im Kursbuch Interaktive Übungen im Übungsteil		ODER -Aufgabe zur Differenzierung

Die Plateaus

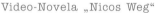

Video-Novela „Nicos Weg"

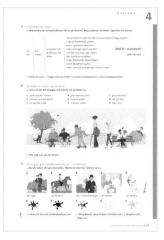

Wörter-Spiele-Training

Literatur

Die vier Plateaus halten ein abwechslungsreiches Lernangebot bereit. Auf jeweils einer Doppelseite laden Aufgaben und Übungen zu „Nicos Weg", der Video-Novela zum Deutschlernen der Deutschen Welle, vertiefende Übungen und Spiele sowie literarische Texte zum Ausprobieren der deutschen Sprache, zum Wiederholen und Weiterlernen ein.

Das Videokonzept

Videoclip im Kursbuch

Videokaraoke im Übungsbuch

Video-Novela „Nicos Weg"

Videoclips im Kursbuch und Videokaraoke in allen Übungsbucheinheiten motivieren mit lebensnahen Situationen und visueller Unterstützung zum Deutschlernen. Die Begegnung mit Nico und seinen Freunden in der Video-Novela „Nicos Weg" der Deutschen Welle weckt die Neugier der Lernenden. Die Aufgaben und Übungen der Video-Doppelseite laden zum Mitmachen ein.

Mit der PagePlayer-App, die Sie kostenlos in Ihrem App-Store herunterladen können, haben Sie die Möglichkeit, alle Audios, Videos und weitere Zusatzmaterialien auf Ihr Smartphone oder Tablet zu laden. So sind alle Inhalte überall und jederzeit offline griffbereit.

Alternativ finden Sie diese als Stream und/oder Download im Webcodeportal unter **www.cornelsen.de/codes**

die PagePlayer-App

Inhalt

14

Voll im Trend   S. 190

Sprachhandlungen: über Kleidung, Farben und
Größen sprechen; über Kleidung im Beruf sprechen;
Gefallen und Missfallen ausdrücken; Kleidung kaufen

Themen und Texte: Magazinartikel; Modefragen; im
Modegeschäft

Wortfelder: Kleidung; Farben

Grammatik: Adjektive vor Nomen mit unbestimmtem
Artikel; *dies-*

Aussprache: Satzakzent

Jahreszeiten und Feste   S. 202

Sprachhandlungen: ein Fest beschreiben und planen;
einen Wetterbericht verstehen; über das Wetter sprechen;
etwas vergleichen; Smalltalk

Themen und Texte: Sommerfeste in Deutschland;
Interviews; Wetterbericht; Jahreszeiten; Smalltalkthemen

Wortfelder: Temperaturen; Jahreszeiten; Monate

Grammatik: Komparativ

Aussprache: die Endung *-er; -ig, -ch* und *-sch* Wortende

15

16

Ab in den Urlaub!   S. 214

Sprachhandlungen: über Urlaubsaktivitäten sprechen;
über Reiseziele sprechen; einen Urlaub planen; eine
Postkarte schreiben

Themen und Texte: Magazinartikel; Reisejournal;
Smalltalk; Postkarte

Wortfelder: Urlaub und Aktivitäten

Grammatik: Modalverb *wollen*; Präpositionen mit
Akkusativ; Personalpronomen im Akkusativ

Aussprache: *a, e, i, o, u*

Plateau 4   S. 226

Anhang

HIER LERNEN SIE:

- internationale Wörter
- sich begrüßen und vorstellen
- Deutsch und andere Sprachen vergleichen
- Namen buchstabieren
- Sprache im Kurs

Natur

Transport

das Opernhaus

das Deutsche Museum

Grüße aus München

das Oktoberfest

der Englische Garten

Hamburg

die Alster

die Elbphilharmonie

der Hamburger Hafen

Gruß aus Salzburg

das Matterhorn

der Wintersport

Grüezi aus der Schweiz

W. A. Mozart

die Mozartkugel

das Taschenmesser

Schokolade und Milch

Technik

Ankommen, sehen, leben

Musik

Schokolade

Sport

1 **Fotos und Wörter**
 a) Was kennen Sie?
 b) Ordnen Sie zu.

2 **Internationale Wörter**
 a) Hören Sie, zeigen Sie und sprechen Sie nach. *(1.02)*
 b) Wie heißen die Wörter in Ihrer Sprache?
 c) Sammeln Sie weitere Wörter.

3 **Musik, Natur, ...** *(1.03)*
 Was hören Sie?
 🔴 Das ist ...

4 **Was ist das? Wo ist das?**
 Fragen und antworten Sie.
 🔴 Was ist das?
 💬 Das Matterhorn.

 🔴 Wo ist das?
 💬 In der Schweiz.

1 Das Alphabet

🔊 1.04 a) Hören und lesen Sie.

Aa, Bb, Cc, Dd, Ee, Ff, Gg, Hh, Ii, Jj, Kk, Ll, Mm, Nn, Oo, Pp, Qq, Rr, Ss, Tt, Uu, Vv, Ww, Xx, Yy, Zz
Ää, Öö, Üü und ß – das ABC ist komplett.

🔊 1.05 b) Hören und sprechen Sie. Erst langsam, dann schnell.

⇥ c) Lesen Sie, hören Sie und sprechen Sie nach.

⇥ d) Ä, Ö und Ü in anderen Sprachen. Was hören Sie?

2 Städte in D-A-CH

🔊 1.06 a) Hören und schreiben Sie die Städte. *Berlin, …*

b) Hören Sie noch einmal und markieren Sie den Wortakzent wie im Beispiel.

c) In Deutschland, in Österreich oder in der Schweiz? Arbeiten Sie mit der Karte hinten im Buch.

Wo ist Luzern?   *In der Schweiz.*

d) Drei Städte in D-A-CH. Buchstabieren Sie. Ihr Partner / Ihre Partnerin schreibt. Kontrollieren Sie mit der Karte.

3 Guten Tag, Herr …

🔊 1.07 a) Hören Sie das Telefongespräch. Lesen Sie dann.

💬 Optonet AG. **Luise Beerwald**, guten Tag.

⚫ Guten Tag, **Frau Beerwald**. Hier ist **Paul Schmidt**. Ist denn Herr Schade da?

💬 Guten Tag, **Herr** …

⚫ **Schmidt**. S-C-H-M-I-D-T.

💬 Danke, **Herr Schmidt**. Moment, bitte …

b) Sprechen Sie den Dialog mit Ihren Namen.

Frau Beerwald und Herr Schmidt telefonieren

4 Namen schreiben

🔊 1.08 a) Hören und lesen Sie.

Mein Name ist Jakob Maier.

Maier? Wie schreibt man das?

Maier mit A I, M-A-I-E-R.

Mein Name ist
Annabelle Wang

⇥ b) Was hören Sie? Wählen Sie aus.

c) Und Sie? Buchstabieren Sie Ihren Namen. Ihr Partner / Ihre Partnerin schreibt.

1 Fragen und Antworten

Der Deutschkurs

1.09

a) Hören und lesen Sie.

1 💬 Wie heißt das auf Deutsch?   💬 Keine Ahnung.

2 💬 Kannst du das bitte buchstabieren?   💬 V-E-R-B, das Verb.

3 💬 Können Sie das bitte an die Tafel schreiben?   💬 Na klar, gerne.

4 💬 Kannst du das bitte wiederholen?   💬 Ja, gerne.

b) Hören Sie noch einmal. Lesen Sie laut.

2 Fragen und Bitten

a) Lesen Sie. Markieren Sie die Fragen aus 1 wie im Beispiel.

Redemittel

Fragen und Bitten

Wie heißt das auf Deutsch?
Was heißt … auf Deutsch?
Entschuldigung, kannst du das bitte buchstabieren?
Ich verstehe das nicht. Kannst du das bitte wiederholen?
Können Sie das bitte an die Tafel schreiben?
Können Sie das bitte buchstabieren?
Wie schreibt man das?

Na klar, gerne.

Ja, gerne.

Keine Ahnung.

L-U-Z-E-R-N, Luzern.

Das Buch.

b) Ordnen Sie die Fragen und Antworten zu.

c) Fragen und antworten Sie im Kurs.

3 Im Kurs

Lehrer oder Lerner? Wer sagt was?

1 Wie heißt das auf Deutsch?   *Lerner*
2 Können Sie das bitte buchstabieren?   *Lerner*
3 Ich habe eine Frage.   *Lerner*
4 Sprechen Sie bitte langsam.   *Lerner*
5 Können Sie das bitte an die Tafel schreiben?   *Lerner*
6 Lesen Sie den Text.   *Lehrer*
7 Können Sie das bitte wiederholen?   *Lerner*
8 Ich verstehe das nicht.   *Lerner*
9 Ordnen Sie die Wörter zu.   *Lehrer*

4 Der Kursraum

a) Wörter im Kursraum. Was kennen Sie?

Die Uhr. *Die Tür.*

die Tafel
der Stuhl
der Tisch
der Stift
der Marker
der Laptop
das Buch
das Heft
die Uhr
die Tür
das Plakat
der Bleistift
der Stuhl
der Laptop
die Tasche
das Buch
der Textmarker
der Kuli
das Handy
das Brötchen
der Tisch
das Heft
der Kaffee

b) Ordnen Sie die Gegenstände zu. Vergleichen Sie.

lesen	hören	schreiben	Pause machen
das Buch	der Laptop	der Kuli	das Brötchen
das Heft	die Uhr	der Bleistift	der Kaffee
das Plakat		der textmarker	das Handy
die Tafel			

5 Gegenstände im Kursraum

Fragen und antworten Sie.

Wie heißt das auf Deutsch?

Der Radiergummi.

Wie heißt ...?

1 Sprache im Kurs

a) Lesen Sie die Arbeitsanweisungen und ordnen Sie die Bilder zu.

Lesen Sie laut.

Ergänzen Sie.

Ordnen Sie zu.

Fragen und antworten Sie.

Musik, Natur, ... Was hören Sie?

Buchstabieren Sie Ihren Namen.

Markieren Sie die Fragen aus 1.

D Sprechen Sie den Dialog mit Ihren Namen.

A

B

C

D

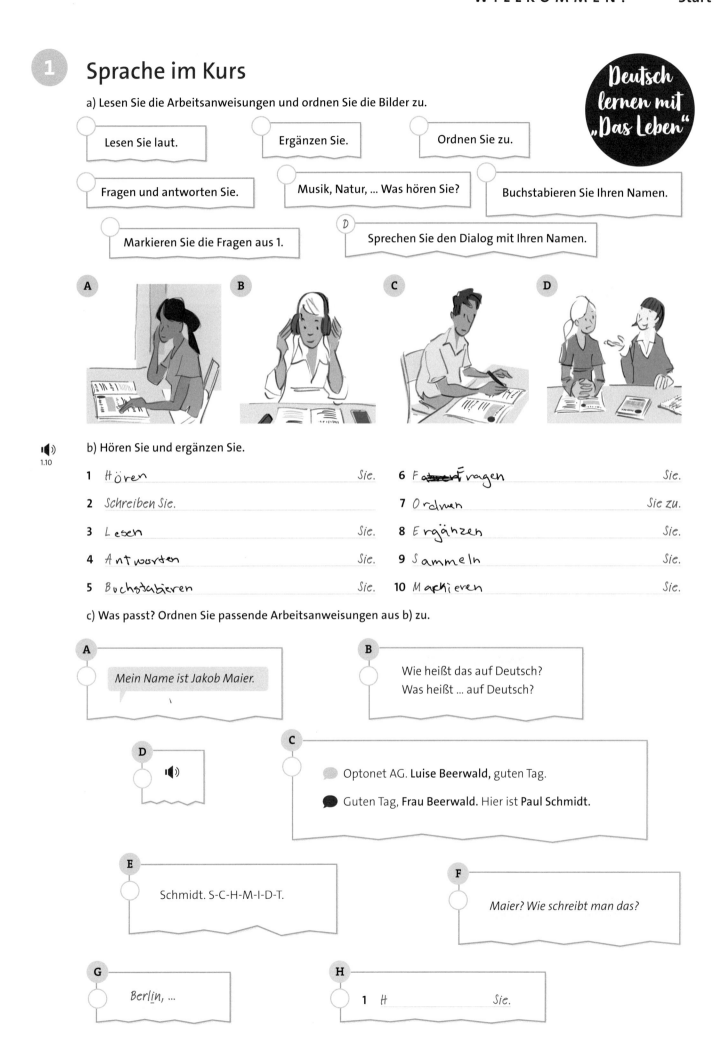

Deutsch lernen mit „Das Leben"

b) Hören Sie und ergänzen Sie.

1.10

1 Hören _____ Sie.

2 Schreiben Sie. _____

3 Lesen _____ Sie.

4 Antworten _____ Sie.

5 Buchstabieren _____ Sie.

6 ~~Fatard~~ Fragen _____ Sie.

7 Ordnen _____ Sie zu.

8 Ergänzen _____ Sie.

9 Sammeln _____ Sie.

10 Markieren _____ Sie.

c) Was passt? Ordnen Sie passende Arbeitsanweisungen aus b) zu.

A *Mein Name ist Jakob Maier.*

B Wie heißt das auf Deutsch?
Was heißt ... auf Deutsch?

D 🔊

C Optonet AG. **Luise Beerwald**, guten Tag.

Guten Tag, **Frau Beerwald**. Hier ist **Paul Schmidt**.

E Schmidt. S-C-H-M-I-D-T.

F *Maier? Wie schreibt man das?*

G *Berlin, ...*

H 1 H _____ Sie.

HIER LERNEN SIE:
- sich und andere vorstellen
- sagen, woher man kommt
- sagen, welche Sprachen man spricht

1 Sich vorstellen
a) Lesen Sie und sammeln Sie.
b) Und Sie? Wie heißen Sie?

2 Mariana stellt sich vor
Lesen Sie und antworten Sie.
💬 *Hallo, ich heiße ...*

3 Überschriften helfen. Wo sind die Personen?
Was machen sie?

4 Länder und Sprachen
a) Lesen Sie den Artikel. Sammeln Sie Länder und Sprachen.
b) Ergänzen Sie Ihre/andere Länder und Sprachen.
c) Name, Land, Stadt, Sprache? Fragen und antworten Sie im Kurs.

5 Andere vorstellen
a) Mariana, Marco, Reza oder Titima? Wählen Sie eine Person. Sehen Sie das Video und lesen Sie die Texte. Sammeln Sie Informationen.
b) Stellen Sie die Person vor.
💬 *Das ist ...*

Hallo, ich heiße Mariana. Ich komme aus Brasilien, aus Rio. Und wie heißt du?

Ich bin Marco. Ich komme aus Genf. Ich spreche Italienisch, Französisch und Englisch.

Mein Name ist Titima und ich bin aus Bangkok.

Ich bin Reza. Ich komme aus dem Iran, aus Isfahan.

SOMMERKURS IN LEIPZIG

Viele Länder. Viele Sprachen.

Viele Studierende sind im Sommer in Leipzig. Sie lernen Deutsch. Der Kurs ist international. Marco Pensini kommt aus der Schweiz, aus Genf. Er spricht Italienisch, Französisch und
5 Englisch. Mariana Bolacio Muniz kommt aus Brasilien, aus Rio de Janeiro. Sie spricht Portugiesisch, Spanisch und Deutsch. Reza Zadeh kommt aus dem Iran, aus Isfahan. Er spricht Farsi, Englisch und Deutsch. Titima Luang ist
10 aus Thailand. Sie spricht Thai und lernt Englisch und Deutsch.

✂ S. 16, 4c ✕

Redemittel: sich begrüßen und sich vorstellen

Begrüßung

Hallo. – Guten Tag.

Name/Wer?

Ich heiße … – Ich bin … – Mein Name ist …

Wie heißt du? – Wie heißen Sie?

Woher?

Ich wohne jetzt in … – Ich lebe in … – Ich komme aus … – Ich bin aus …

Woher kommst du? – Woher kommen Sie? – Und du? – Und Sie?

1 Sich vorstellen

a) Hören und lesen Sie.

🔊 1.11

💬 Hallo, ich bin **Francis**. Heißt du **Mariana**?

⚫ Nein, ich heiße **Zoe**. Ich komme aus **Auckland**, das ist in **Neuseeland**. Woher kommst du?

💬 Ich komme aus **Kamerun** und wohne in **Leipzig**.

⚫ Cool! Welche Sprachen sprichst du?

💬 Ich spreche **Kamtok, Französisch, Englisch** und **Deutsch**. Und du? Sprichst du auch **Französisch**?

⚫ Ja. Und **Englisch**. Und ich lerne **Deutsch**.

Zoe und Francis

b) Sprechen Sie den Dialog mit Ihren Informationen.

2 Länder und Sprachen

a) Wo spricht man ...? Recherchieren Sie die Ländernamen.

> Spanisch • Japanisch • Indonesisch • Englisch • Niederländisch • Chinesisch •
>
> Kamtok • Vietnamesisch • Russisch • Italienisch • Arabisch • Norwegisch

🔊 1.12

b) Hören Sie und markieren Sie den Wortakzent in a) wie im Beispiel.

c) Hören Sie noch einmal und sprechen Sie nach.

3 Nachbarländer von Deutschland

a) Sammeln Sie. Arbeiten Sie mit der Karte hinten im Buch.

🔊 1.13

b) Woher kommen die Personen? Hören Sie und ordnen Sie zu.

A Louis   B Andrea   C Thijs   D Agnieszka   E Magnus   F Verena

(B) Tschechien (D) Polen (E) Dänemark (F) die Schweiz (A) Frankreich (C) die Niederlande

B   E   C

c) Fragen und antworten Sie.

> *Woher kommt Thijs?*
>
> *Thijs kommt aus den Niederlanden.*

Minimemo

Ländernamen mit Artikel

der Iran – aus dem Iran   die USA – aus den USA

die Schweiz – aus der Schweiz   die Türkei – aus der Türkei

d) Welche Nachbarländer fehlen? Vergleichen Sie mit a).

4 Ich komme aus Brasilien

3

a) Ergänzen Sie.

Ich komme aus Brasilien und wohne in Rio de Janeiro.

Mariana

Marco

Ich komme aus der Schweiz und wohne in Genf.

Wo wohnt Mariana? Rio de Janeiro   .   **Wo** wohnt Marco? Genf   .

Woher kommt sie? Brasilien   .   **Woher** kommt er? die Schweiz   .

b) Und Sie? Woher kommen Sie? Wo wohnen Sie? Sprechen Sie schnell.

5 Die Anmeldung

a) Ergänzen Sie die Informationen für Marco.

Sommerkurs in Leipzig	
Name: _____	Vorname: *Marco*
Land: _____	
Stadt: *Genf*	
Sprache(n): _____	
Kurs: (X) Deutsch A1.1	( ) Deutsch A1.2

Sommerkurs in Leipzig	
Name: _____	Vorname: _____
Land: _____	
Stadt: _____	
Sprache(n): _____	
Kurs: ( ) Deutsch A1.1	( ) Deutsch A1.2

b) Ergänzen Sie Ihre Informationen in a).

6 Ein Land, viele Sprachen

a) Welches Land ist das? Die Porträts helfen.

Ich heiße Karim Dubois und komme aus Genève. Auf Deutsch heißt die Stadt Genf, auf Englisch Geneva. Ich spreche Französisch und lerne Deutsch.

Ich heiße Dorli Jaeger und wohne in Bern. Ich spreche Deutsch und Italienisch, und ich lerne Englisch.

Ich heiße Enrico Batteli. Ich komme aus Lugano und wohne in Zürich. Ich spreche Italienisch, Deutsch, Französisch und Englisch.

1.14

b) Welche Sprachen hören Sie? Sammeln Sie.

c) Welche Sprachen spricht man in Ihrem Land? Vergleichen Sie.

1 Woher kommen Sie?

16.1-16.3

a) Markieren Sie die Verben auf den S. 16–19.

> Ich komme aus Lugano.

b) Ergänzen Sie die Tabelle.

Grammatik

	wohnen	kommen	leben	lernen	heißen	sprechen
ich	wohne	komme	lebe	lerne	heiße	spreche
du	wohnst	kommst	lebe	lernst	heißt	sprichst
er/sie/es	wohnt	kommt	lebt	lernt	heißt	spricht
wir	wohnen	kommen	lebt	lernen	heißen	sprechen
ihr	wohnt	kommt	lebt	lernt	heißt	sprecht
sie/Sie	wohnen	kommen	leben	lernen	heißen	sprechen

1.15

c) Hören Sie und ordnen Sie zu: Luba und Costa (LC) oder Paula und Antonio (PA)?

1 (LC) Sie kommen aus Bulgarien.

2 (PA) Sie wohnen in Berlin.

3 (LC) Sie lernen Deutsch.

4 (PA) Sie kommen aus Spanien.

5 (LC) Sie leben in der Schweiz.

6 (PA) Sie sprechen Englisch.

d) Vergleichen Sie.

> Paula und Antonio leben in …

2 Sprachschatten

1.16

Hören Sie und spielen Sie den Dialog.

Wir leben in Österreich.
Aha, in Österreich.

Wir wohnen in Graz.
Oh, in Graz.

Wir kommen aus der Türkei.
Aha, aus der Türkei.

Wir sprechen Türkisch und Englisch.
Oh, Türkisch und Englisch.

Wir lernen Deutsch.
Oh, Deutsch.

3 Würfelspiel

Würfeln Sie mit zwei Würfeln und sprechen Sie schnell.

1 ich
2 du
3 er/sie
4 wir
5 ihr
6 sie/Sie

1 kommen aus
2 wohnen in
3 leben in
4 sprechen
5 lernen
6 heißen

Beispiel:
→ ihr + wohnen in → Ihr wohnt in Leipzig.

Profile

 Fragen und antworten Sie. Arbeiten Sie zu zweit.

 Caitlin
Ages 16
From: California

Englisch und lernt Deutsch
und ein bisschen spanisch

 Satzakzent

 1.17 a) Hören Sie und markieren Sie den Satzakzent wie im Beispiel.

1 lernen – wir lernen – Wir lernen Französisch.

2 wohnen – du wohnst – Du wohnst in Genf.

3 kommen – er kommt – Er kommt aus dem Iran.

4 leben – sie lebt – Sie lebt in Thailand.

5 sprechen – sie sprechen – Sie sprechen Englisch und Deutsch.

b) Sprechen Sie die Sätze nach.

wieso?   *-wann?*
wie?   *was?*
wer?   *warum?*
womit?   *wo?*
weshalb?   *wofür?*

 # Wo wohnst du?

2, 3 a) Lesen Sie und vergleichen Sie.

	Position 1	Position 2	
	Ich	(wohne)	in Leipzig.
Satzfrage	(Wohnst)	du	in Leipzig?
W-Frage	Wo	(wohnst)	du?

Grammatik

b) Sammeln Sie W-Fragen und Satzfragen in der Einheit.

c) Wo steht das Verb? Ergänzen Sie die Regel.

Regel: **1** In W-Fragen steht das Verb auf Position ___2___ .

2 In Satzfragen steht das Verb auf Position ___1___ .

 # Wer bist du?

 Partnerinterview. Fragen und notieren Sie. **ODER** Schreiben Sie einen Ich-Text.

Wie heißt du?

Wo ...?

Welche Sprachen sprichst du?

Woher ...?

Sprichst du ...?

Kommst du aus ...?

Ich heiße ...

Ich wohne ...

Name:

Land:

Wohnort:

Sprachen:

1 Der Sommerkurs

a) Lesen Sie den Magazinartikel auf S. 17 noch einmal und markieren Sie die Fehler.

Mariana kommt aus <u>Genf</u>.
Sie spricht Deutsch, <u>Farsi</u> und
<u>Englisch</u>.

Reza kommt aus <u>Rio</u>.
Er spricht <u>Portugiesisch</u>,
Englisch und <u>Spanisch</u>.

Marco kommt aus <u>Österreich</u>.
Er spricht <u>Spanisch</u>, Französisch
und Englisch.

Mariana kommt aus Rio
(Brasilien). Sie spricht Portugesisch,

b) Korrigieren Sie die Sätze. *Spanisch,*
und Deutsch.

Reza kommt aus dem Iran.
Er spricht
Farsi, Englisch,
und Deutsch

Marco kommt aus der
Schweiz. Er spricht
Italienisch, Französich
und Englisch

Mariana kommt aus ...

2 Reza, Marco und Titima. **Sehen Sie das Video und ergänzen Sie die Steckbriefe.**

▶ 1.01

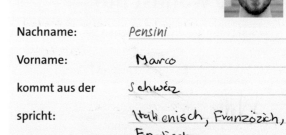

Nachname:	*Pensini*
Vorname:	*Marco*
kommt aus der	*Schwez*
spricht:	*Italienisch, Französich, Englisch*
lernt:	*Deutsch*

Nachname:	*Zadeh*
Vorname:	*Reza*
kommt aus dem	*Iran*
spricht:	*Farsi, Englisch, Deutsch*
lernt:	

Nachname:	*Luang*
Vorname:	*Titima*
kommt aus	*Thailand*
spricht:	*Thai*
lernt:	*Englisch und Deutsch*

3 Hallo, ich bin ... Videokaraoke. **Sehen Sie und antworten Sie.**

1.02

Grüezi, ich bin Marco.

4 Ländernamen

🔊 1.18 a) **Hören Sie und markieren Sie den Wortakzent wie im Beispiel.**

Spanien • Japan • Indonesien • die Niederlande • China • Kamerun • Russland • Italien • Norwegen • Vietnam

🔊 1.19 b) **Hören Sie noch einmal und sprechen Sie die Ländernamen.**

5 Woher kommst du?

a) **Lesen Sie und ordnen Sie den Dialog.**

◯ 💬 Aus Dänemark, aus Kopenhagen. Und du? Kommst du aus Frankreich?

◯ 💬 Ich lerne auch Deutsch.

◯ 💬 Hi Lina, ich bin Villads.

◯ 💬 Nein, ich komme aus der Schweiz, aus Fribourg. Sprichst du Französisch?

◯ 💬 Villads? Woher kommst du?

① 💬 Hallo, ich heiße Lina. Und wie heißt du?

◯ 💬 Ja. Ich spreche Französisch, Englisch und Dänisch. Ich lerne jetzt Deutsch.

🔊 1.20 b) **Hören und kontrollieren Sie.**

6 Kreuzworträtsel. **Lösen Sie das Rätsel.**

1 In Frankreich ▮▮ und Luxemburg ▬ spricht man …

2 Verena kommt aus der ✚ und wohnt in Basel.

3 In Thailand ▬▬ spricht man …

4 Mariana kommt aus Rio de Janeiro. Das ist in 🇧🇷.

5 Louis lebt in Brünn. Er kommt aus ◥.

6 Agnieszka kommt aus Polen ▬. Sie spricht …

7 Thijs wohnt in Rotterdam. Er kommt aus den ▬.

8 In Neuseeland 🇳🇿 spricht man …

9 Im ▬ spricht man Farsi.

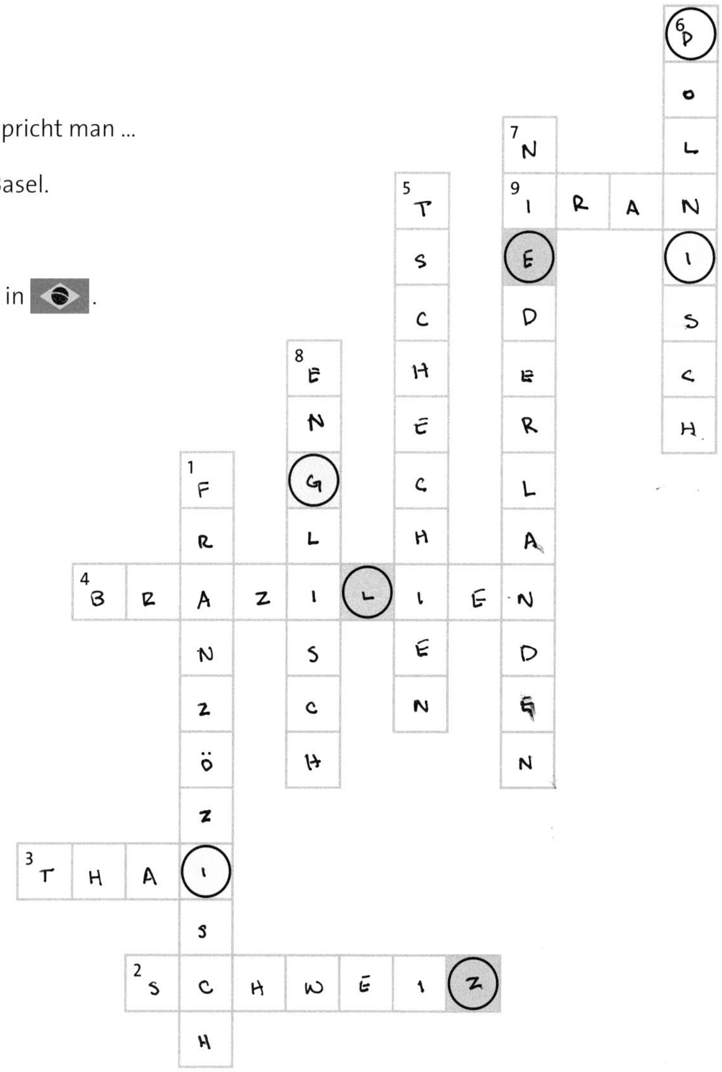

Wie heißt die Stadt?

Lösung: Ⓛ Ⓔ Ⓘ Ⓟ Ⓩ Ⓘ Ⓖ

Tipp: Die Stadt ist in Deutschland.

Crossword grid answers:
6 P O L N I S C H
7 N
5 T I R A N
9 I
E
D
8 E H E
N E R
G C L
1 F H A
BRAZILIEN
R L E
A S N
N C E D
Ö H N
Z
3 THAI
S
2 SCHWEIZ
H

7 Länder und Sprachen. **Was passt zusammen? Verbinden Sie.**

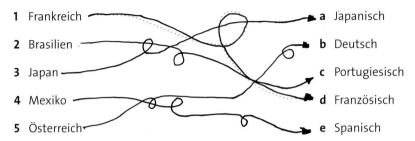

1 Frankreich   a Japanisch

2 Brasilien   b Deutsch

3 Japan   c Portugiesisch

4 Mexiko   d Französisch

5 Österreich   e Spanisch

8 Gülay kommt aus ... und wohnt in ...

a) Schreiben Sie Sätze wie im Beispiel.

1 Gülay: die Türkei, Deutschland *Gülay kommt aus der Türkei und lebt in* *Deutschland.*	**4** Ahmed: der Iran, Tschechien *Ahmed kommt aus den Iran und lebt* *in Tschechien*
2 Alba: Dänemark, die Niederlande *Alba kommt aus Dänemark und lebt in* *die Niederlande*	**5** Peter: die USA, Italien *Peter kommt aus der USA und lebt* *in Italien*
3 Tim: die Schweiz, Polen *Tim kommt aus der Schweiz und lebt in* *Polen.*	**6** Julien: Frankreich, Indonesien *Peter kommt aus Frankreich und lebt* *in Indonesien*

b) *Wo* oder *woher*? **Lesen Sie die Antworten und schreiben Sie Fragen.**

1 _____   Tien kommt aus Vietnam.

_____   Er wohnt in Moskau.

2 _____   Yuto kommt aus Japan.

_____   Er wohnt in Madrid.

3 _____   Sven kommt aus Norwegen.

_____   Er wohnt in Amsterdam.

9 Was heißt ...? **Ergänzen Sie wie im Beispiel.**

1 Name, Vorname: *Mein Name ist ... Wie heißt du? / Wie heißen Sie?*
2 Land: *Deutschland, Frankreich, ... Woher*
3 Stadt: *Berlin, Madrid, ... Wo*
4 Sprachen: *Englisch, Italienisch, ... Welche*

Was heißt „Name, Vorname"?

Mein Name ist Mia Böll. Wie heißt du?

Reza Zadeh. Alles klar!

★10 Internationale Wörter

a) Wortwolke. Welche Wörter kennen Sie? Lesen Sie und ordnen Sie zu.

Computer ✓
Museum ✓
✓TennisFußball✓
Volleyball✓
✓Auto Bus Taxi Kaffee✓
✓Konzerte Radio Musik Cola Appetit ✓
✓Pizza @ Döner✓
Theater ✓
Hamburger✓
Podcast ✓

Technik	Transport	Kultur	Restaurant	Sport
Computer	Taxi	Musik	Döner	Fußball
Radio	Bus	Museum	Tee	Tennis
	Auto	Theater	Cola	Volleyball
		Konzert	Kaffee	
		Podcast	Pizza	
		Hamburger	Appetit	

b) Lesen Sie den Artikel. Welche Wörter kennen Sie? Markieren Sie.

Verstehen Sie Deutsch?

Verstehen Sie die Wörter *Restaurant* und *Sport*? Die Wörter sind international. *Sport* und *Computer* sind Englisch. *Restaurant* und *Appetit* sind Französisch. Trinken Sie *Kaffee*? *Kaffee* ist Arabisch.

c) Wie heißen die Wörter aus a) und b) in Ihrer Sprache? Ergänzen Sie.

Wörter aus dem Text	Meine Sprache
Restaurant	

11 Welche Sprachen sprichst du?

🔊 1.21

a) Hören Sie den Dialog und sammeln Sie.

Sprachen
Laura
Maria
Finn

b) Lesen Sie und markieren Sie die Verben.

💬 Hey Finn!

💬 Hallo Laura. Das ist Maria.

💬 Hallo Maria. Woher kommst du?

💬 Ich komme aus Spanien, aus Toledo. Ich wohne jetzt in Wien.

💬 Ah, wir auch. Finn lernt Deutsch und ich lerne Schwedisch.

💬 Schön! Kommst du aus Schweden, Finn?

💬 Ja. Und du? Welche Sprachen sprichst du?

💬 Ich spreche Spanisch, Englisch und Deutsch.

💬 Toll!

c) Lesen Sie den Dialog aus b) noch einmal. Ergänzen Sie die Verben.

	wohnen	kommen	sprechen	lernen
ich	wohne	komme	spreche	lerne
du	wohnst	kommst	sprichst	lernst
er/es/sie	wohnt	kommt	spricht	lernt
sie/Sie	wohnen	kommen	sprechen	lernen

d) Maria oder Finn? Wählen Sie eine Person. Schreiben Sie einen Text.   *Maria/Finn kommt aus ...*

12 *Heißen* und *wohnen*. **Ordnen Sie zu.**

er/es/sie heißt • sie/Sie heißen • du heißt • wir heißen • ~~ich heiße~~ • ihr heißt

wir wohnen • ich wohne • er/es/sie wohnt • sie/Sie wohnen • du wohnst • ihr wohnt

	heißen	wohnen
1. Person Singular	*ich heiße*	*ich wohne*
2. Person Singular	*du heißt*	*du wohnst*
3. Person Singular	*er/es/sie heißt*	*er/es/sie wohnt*
1. Person Plural	*wir heißen*	*wir wohnen*
2. Person Plural	*ihr heißt*	*ihr wohnt*
3. Person Plural	*sie/Sie heißen*	*sie/Sie wohnen*

13 Fragen

a) **Lesen Sie die Antworten und schreiben Sie die Fragen.**

1 *Lernt er ...* _____ Ja, er lernt Deutsch und Englisch.

2 _____ Martina wohnt in Konstanz.

3 _____ Sie kommen aus Helsinki, aus Finnland.

4 _____ Nein, Nour spricht Arabisch.

b) **W-Frage oder Satzfrage? Lesen Sie die Fragen und Antworten in a) noch einmal und kreuzen Sie an.**

1 ( ) W-Frage ( ) Satzfrage

2 ( ) W-Frage ( ) Satzfrage

3 ( ) W-Frage ( ) Satzfrage

4 ( ) W-Frage ( ) Satzfrage

14 Neue Freunde

a) **Ergänzen Sie *wie, welche, wo* oder *woher*.**

1 _____ heißen Sie?   a Wir wohnen in Leipzig.

2 _____ wohnt Carla?   b Ich heiße Robert Müller.

3 _____ Sprachen lernt er?   c Sie kommt aus Florenz, aus Italien.

4 _____ wohnt ihr?   d Ich spreche Französisch und Englisch.

5 _____ kommt Laura?   e Carla wohnt in Wien.

6 _____ Sprachen sprechen Sie?   f Er lernt Chinesisch und Japanisch.

b) **Fragen und Antworten. Verbinden Sie in a).**

c) **Schreiben Sie die Fragen aus a) als Satzfragen.**

1 *Heißen Sie Robert Müller?*

Fit für Einheit 2?

1 Mit Sprache handeln

sich und andere vorstellen

Wie heißt du? / Wie heißen Sie?	Ich heiße Francis.
	Ich bin Marco.
	Mein Name ist Titima Luang.
Wer ist das?	Das ist Mariana.

sagen, woher man kommt

Woher kommst du?	Ich komme aus Genf. / Aus Genf.
Wo ist das?	Genf ist in der Schweiz.
Und woher kommen Sie?	Ich bin aus Bangkok, aus Thailand.
Wo wohnen Laura und Finn?	Sie wohnen in Wien.
Wo lebt Magnus?	Er lebt in Kopenhagen.

sagen, welche Sprachen man spricht

Welche Sprachen sprichst du? / Welche Sprachen sprechen Sie?	Ich spreche Farsi und Englisch. Und ich lerne Deutsch.

2 Wörter, Wendungen und Strukturen

Personalpronomen im Nominativ

Sprichst du Deutsch? – Ja, ich spreche Deutsch und Englisch.
Woher kommt Magnus? – Er kommt aus Dänemark.
Wohnt Mariana in Berlin? – Nein, sie lebt in Leipzig.
Lernt ihr Deutsch? – Ja, wir lernen Deutsch in Leipzig.
Wie heißen Sie? – Ich heiße Titima Luang.

Verben

sprechen
kommen
wohnen/leben
lernen
heißen

Fragesätze *woher* und *wo*

Woher kommen Sie?	Aus den USA. / Ich komme aus den USA.
Wo wohnen/leben Sie?	In Genf. / Ich wohne in Genf.

Präpositionen *in* und *aus*

Ich komme aus dem Iran, aus Isfahan.
Ich bin aus Neuseeland, aus Auckland.
Ich wohne/lebe in Leipzig.

W-Frage

Wo wohnst du?	In Leipzig. / Ich wohne in Leipzig.

Satzfrage

Wohnst du in Leipzig?	Ja, ich wohne in Leipzig. Nein, ich wohne in München.

3 Aussprache

Wortakzent: Spanisch – Niederländisch – Chinesisch – Russisch – Norwegisch
Satzakzent: Wir lernen Französisch. Er kommt aus dem Iran.

→ Interaktive Übungen

HIER LERNEN SIE:

- Adressen lesen und nennen
- Telefonnummern nennen
- nach dem Namen fragen
- nachfragen
- Zahlen und zählen

die Klingel

das Paket

DHL PAKET UND PÄCKCHEN DEUTSCHLAND + EU *DHL*

Absender / Expéditeur
Stefanie Hoffmann

Berliner Straße 45

20355 Hamburg
Postleitzahl Ort

Deutschland / Allemagne

Empfänger / Destinataire
Lena Möller

Tel. (nur bei EU-Versand oder Sperrgut)

Marktstraße 4
Straße und Hausnummer (deutschlandweit kein Postfach)

69123 Heidelberg
Postleitzahl Ort

Deutschland
Bestimmungsland / Pays de destination

die Adresse

Viel Arbeit und wenig Zeit!

So ist das: Wenig Zeit, viele Adressen, Briefe, Pakete ... und große Hunde! Martin Schütz (42) ist Zusteller. Er sagt: „Meine Arbeit ist Tempo, Stress und auch Sport. Ich mag meine Arbeit. Aber die Hunde mag ich nicht!"

Möller oder Müller? Mayer, Meier oder Meyer? Schmidt, Schmitt, Schmied oder Schmitz? Das sind deutsche Familiennamen. Martin sagt: „Namen und Adressen sind ein Problem für Zusteller."

VORSICHT!

**Mein Haus!
Mein Garten!
Meine Familie!**

der Hund

1 **Pakete, Hunde, Stress.** Lesen Sie den Magazin-artikel und sammeln Sie Wörter zum Beruf Zusteller.

2 **Möller oder Müller?** Wer bekommt das Paket? Lesen Sie den Comic und kontrollieren Sie mit dem Video.
1.03

3 Spielen Sie den Dialog.

1 Der Brief, das Paket, die Postkarte

a) Wer bekommt den Brief? Wer schreibt den Brief? Lesen und antworten Sie.

b) *der, das, die?* Ergänzen Sie die Artikel. Die Wortliste auf S. 278 hilft.

Absender:
Lena Möller
Hamburger Straße 4
69123 Heidelberg

HIER BRIEFMARKE

Robert Schneider
Erlenstraße 21
50679 Köln

der Brief

der ~~Robert~~ Lena
Vorname

die ~~Erlenstraße~~ Hamburger Straße
Straße

die ~~50679~~ 69123
Postleitzahl (PLZ)

der Nachname ~~Schneider~~ Möller

die Hausnummer ~~4~~ 21

die Stadt ~~Heidelberg~~ Köln

Lerntipp 1

Lernen Sie Nomen immer mit Artikel.

2 Das Paket – die Pakete

11, 12

a) Vergleichen Sie. Ergänzen Sie die Tabelle und die Regel.

der Briefkasten

das Paket

die Postkarte

Grammatik

Singular	Plural	Singular	Plural	Singular	Plural
der Vorname	die Vornamen	das Paket	die Pakete	die Straße	die Straßen
der Hund	die Hunde	das Problem	die Probleme	die Adresse	die Adressen
der Briefkasten	die Briefkästen	das Handy	die Handys	die Hausnummer	die Hausnummern

Regel: Der Artikel im Plural ist immer ___die___.

b) Nomen im Plural in Start und in Einheit 1. Notieren Sie die Singularform mit Artikel. Kontrollieren Sie mit der Wortliste auf S. 278.

Lerntipp 2

Singular und Plural immer zusammen lernen.

die Namen • die Fragen • die Antworten • die Sprachen • die Partner • die Länder • die Städte • die Computer • die Bücher

der Name – die Namen

1 Zahlen verstehen

1.22

a) Hören und lesen Sie.

b) Lesen Sie die Zahlen laut. Erst langsam, dann schnell.

Die Zahlen auf Deutsch

0	null	✓10	zehn	✓20	zwanzig	30	dreißig		
✓1	eins	11	elf	✓21	einundzwanzig	40	vierzig		
2	zwei	✓12	zwölf	22	zweiundzwanzig	50	fünfzig		
✓3	drei	13	dreizehn	23	dreiundzwanzig	60	sechzig		
4	vier	14	vierzehn	✓24	vierundzwanzig	70	siebzig		
5	fünf	✓15	fünfzehn	25	fünfundzwanzig	80	achtzig	120	einhundertzwanzig
6	sechs	16	sechzehn	26	sechsundzwanzig	90	neunzig	200	zweihundert
7	sieben	✓17	siebzehn	27	siebenundzwanzig	100	einhundert	300	dreihundert
✓8	acht	18	achtzehn	28	achtundzwanzig	101	einhunderteins	400	vierhundert
9	neun	19	neunzehn	29	neunundzwanzig	110	einhundertzehn	1000	tausend (eintausend)

1.23
c) Sie hören zehn Zahlen. Markieren Sie in b).

1.24
d) Ergänzen Sie die Zahlen und hören Sie zur Kontrolle.

dreißig, vierzig, *fünf* zig, sechzig, siebzig, *acht* zig, *neun* zig, hundert

e) Ihr Partner / Ihre Partnerin diktiert acht Zahlen. Schreiben und vergleichen Sie.

2 Zahlen international

Vergleichen Sie.

Englisch	Türkisch	Französisch	Deutsch
twentyfour	yirmi dört	vingtquatre	vierundzwanzig

3 Telefonieren

Diktieren Sie Ihre Handynummer oder Telefonnummer.
Ihr Partner / Ihre Partnerin tippt und ruft an.

4 Nachrichten am Telefon

1.25

Hören Sie und schreiben Sie die Telefonnummern.

1 _____

2 _____

3 _____

4 _____

5 Straßen und Postleitzahlen in Deutschland

Schreiben Sie eine Adresse wie im Beispiel. Fragen Sie dann Ihren Partner / Ihre Partnerin.

💬 Wie ist denn der Name?   💬 Michael Kaufmann.
💬 Wie heißt denn die Straße?   💬 Heidelberger Straße.
💬 Wie ist die Postleitzahl?   💬 70376.

Michael Kaufmann
Heidelberger Straße 25
70376 Stuttgart

Lerntipp 3

denn macht Fragen
freundlicher.

1 Der Fußballverein Borussia Dortmund (BVB)

a) Lesen Sie den Magazinartikel. Ordnen Sie Namen und Ländernamen zu und vergleichen Sie.

Mannschaft der Woche

Borussia Dortmund

Profi-Fußball ist international. Borussia Dortmund ist eine typische Profimannschaft: Der Torwart Roman Bürki kommt aus der Schweiz, aus Müsingen. Das ist ein Dorf bei Bern. Mahmoud Dahoud kommt aus Syrien, aus Amude. Der Trainer Lucien Favre kommt auch aus der Schweiz. Seine Muttersprache ist Französisch. Er spricht auch Deutsch. Lukasz Piszczek kommt aus Polen und Paco Alcacer aus Spanien, aus Torrent. Es gibt auch Spieler aus Belgien, Argentinien und Frankreich. Viele Spieler lernen Deutsch. Im Training sprechen sie oft Englisch. Nur Marco Reuss kommt aus Dortmund. Er ist seit 2011 Nationalspieler. Er sagt: „Der BvB ist meine Heimat."

Lukasz Piszczek

Marco Reus

Paco Alcacer

Roman Bürki

Lucien Favre

Mahmoud Dahoud

b) Der BVB heute. Woher kommen die Spieler? Recherchieren Sie: *www.bvb.de*

2 Die Top-Familiennamen in Deutschland

1.26

a) Hören Sie und lesen Sie die Namen laut.

1 Schmidt (Schmitt)
2 Meyer (Maier, Meier)
3 Müller
4 Schneider
5 Fischer
6 Weber
7 Wagner
8 Becker (Bäcker)
9 Schulz
10 Hoffmann
11 Schäfer
12 Koch
13 Bauer

b) Müller, Fischer: Deutsche Namen sind oft Berufe. Finden Sie mehr Berufe in der Liste. Das Wörterbuch hilft.

c) Müller in vielen Sprachen. Welche Sprachen erkennen Sie?

Müller, Mylläri, Molinero, Meunier

In Spanien / In China /
In der Region … heißen viele Menschen …

d) Und bei Ihnen? Woher kommen die Namen in Ihrem Land? Vergleichen Sie.

3 Namen im Kurs verstehen

🔊 1.27

a) Hören und lesen Sie den Dialog.

💬 Guten Morgen und herzlich willkommen. Mein Name ist Jan Rösler. Ich bin Ihr Lehrer. Und wie heißen Sie?

💬 Valeska Skoczek.

💬 Valeska … Äh, Entschuldigung. Können Sie das bitte buchstabieren?

💬 Ja klar, V A L E S K A S K O C Z E K.

💬 Ach so, danke! Und Sie?

b) Andere Namen. Variieren Sie den Dialog.

4 Möller oder Müller?

🔊 1.28

Was hören Sie? Kreuzen Sie an.

1 (X) Frau Müller   ◯ Frau Möller   **4** ◯ Herr Kübler   ◯ Herr Kiebler

2 ◯ Herr Rösler   ◯ Herr Rosler   **5** ◯ Frau Ferster   ◯ Frau Förster

3 ◯ Frau Kramer   ◯ Frau Krämer   **6** ◯ Frau Kühn   ◯ Frau Kuhn

5 Nachfragen

Sammeln Sie Sätze und Wendungen in Start und in Einheit 2. Machen Sie ein Lernplakat.

Wie schreibt man das?

6 Woher …? Wie …? Was …?

🔊 1.29

a) Hören Sie und markieren Sie den Satzakzent in den W-Fragen.

💬 Woher kommst du?   💬 Aus Dortmund. / Ich komme aus Dortmund.

💬 Wie heißt du?   💬 Martínez. / Ich heiße Martínez.

💬 Wie ist deine Adresse?   💬 Belziger Straße 7, 10823 Berlin.

💬 Wie ist deine Handynummer?   💬 0162 208 2784.

💬 Wer ist denn das?   💬 Herr Rösler. / Das ist der Lehrer, Herr Rösler.

💬 Was ist denn das?   💬 Ein Paket. / Das ist ein Paket.

💬 Wo wohnst du?   💬 In Berlin. / Ich wohne in Berlin.

b) Wechselspiel. Fragen und antworten Sie.

7 Partnerinterviews

Fragen Sie im Kurs.

Wie heißt …?   *Woher …?*

Wo …?

Wer …?   *Was …?*

1 Martin Schütz ist Zusteller. **Lesen Sie den Magazinartikel auf S. 28 und kreuzen Sie an.**

		richtig	falsch
1	Er mag Hunde.	○	Ⓧ
2	Er hat viele Pakete.	Ⓧ	●
3	Die Namen und Adressen sind ein Problem.	Ⓧ	○
4	Er mag die Arbeit nicht.	○	Ⓧ
5	Die Arbeit ist Stress.	Ⓧ	○
6	Er hat viel Zeit.	○	Ⓧ
7	Die Arbeit ist Sport.	Ⓧ	○

Martin Schütz (42), Zusteller

2 Die Post ist da

🔊 1.30

a) Hören Sie und ordnen Sie den Dialog.

(2) 💬 Guten Morgen, hier ist die Post. Ich habe das …

(1) 💬 Ja, hallo? Wer ist da?

(5) 💬 Ja, das bin ich. Einen Moment bitte, ich komme!

(3) 💬 Entschuldigung, wie bitte?

(4) 💬 Ich habe ein Paket für Frau Schmidt. Sind Sie Frau Schmidt?

(6) 💬 O. k., super!

b) Hören Sie noch einmal und kontrollieren Sie.

3 Pakete für Sie

▶ 1.04

a) Videokaraoke. Sehen Sie und antworten Sie.

b) Was ist richtig? Kreuzen Sie an.

○ Der Zusteller hat ein Paket.

○ Der Zusteller hat zwei Briefe.

○ Der Zusteller hat zwei Pakete.

c) Zusteller (Z) oder Empfänger (E)? Wer sagt was? Ordnen Sie zu.

1 ○ Ah super! Meine Pakete!

2 ○ Hier ist die Post. Sind Sie Frau Möller?

3 ○ Guten Tag. Wer ist da?

4 ○ Ich habe zwei Briefe für Katja Möller.

5 ○ Hallo, ich habe ein Paket für Sie.

6 ○ Ah ja, danke! Einen Moment, bitte.

7 ○ Wie bitte? Was haben Sie? Ich verstehe nicht.

8 ○ Ja, das bin ich. Einen Moment, bitte.

9 ○ Hallo, wer ist da?

4 Wortfeld Post

a) Ordnen Sie die Wörter den Fotos zu.

der Zusteller • die Adresse • der Brief • das Paket • der Briefkasten • ~~die Hausnummer~~

1

2

3

die Hausnummer

4

5

6

🔊 1.31 b) Hören Sie die Wörter und sprechen Sie nach.

c) Hören Sie noch einmal und markieren Sie den Wortakzent in a) wie im Beispiel.

5 Das Paket für Lukas Schmidt. **Ergänzen Sie den Paketschein.**

Absender: Kühn • Äppelallee • Meike • Wiesbaden • 45 • 65203

Empfänger: Cranachstraße • Schmidt • 22607 • 12 • Lukas • Hamburg

DHL PAKET UND PÄCKCHEN DEUTSCHLAND + EU

DHL

Absender / Expéditeur

Empfänger / Destinataire

Tel. (nur bei EU-Versand oder Sperrgut)

Straße und Hausnummer (deutschlandweit kein Postfach)

Postleitzahl   Ort

Postleitzahl   Ort

Deutschland / Allemagne

Bestimmungsland / Pays de destination

▼ Frankierung für Päckchen und Pakete **bitte hier aufkleben!**

▼ **Deutschlandweit 100 % klimaneutraler Versand inklusive!** Mehr Informationen unter dhl.de/gogreen

Auftragnehmer (Frachtführer) ist die Deutsche Post AG. Es gelten für Päckchen die AGB Brief National bzw. International und für Pakete die AGB DHL Paket / Express National bzw. Paket International in der jeweils zum Zeitpunkt der Einlieferung gültigen Fassung. Der Absender versichert, dass keine danach ausgeschlossenen Güter in der von ihm eingelieferten Sendung enthalten sind.

Zulässige Maße, Gewichte, Services und Bestimmungsländer: siehe Rückseite oder unter dhl.de

6 Wörterbuchtraining

a) *der, das, die* im Wörterbuch finden. Ergänzen Sie die Tabelle und vergleichen Sie mit der Wortliste auf S. 278.

Haus *n (-es; Häuser)* casa *f;* (Gebäude) edificio *m;* inmueble *m;* (Wohnsitz) domicilio *m;* (Heim) hogar *m;* morada *f;* Parl. Cámara *f;* (Fürsten) casa *f,* dinastía *f;* (Familie) familia *f;* (Firma) casa *f* comercial, firma *f;* ~ der Schnecke: concha *f;* Thea. sala *f;*

Straße, *f.,* -, -n; street

Land <-[e]s, Länder> [lant, pl ˈlɛndɐ] SUBST nt

Brief <der; -(e)s, -e>

Pak̲e̲t *n.* (-[e]s; -e) paquete *m;*

der **Na|me** [ˈnaːmə]; -ns, -n

Brie̲f·kast•en *der; -, -käst·en*

Po̲st, die; - <ital.>

Ad·res·se <-, -n> [aˈdrɛsə] SUBST *f*

der	das	die
der Brief	das paket	die Post
der Brief kasten	das Land	die Adresse
der Name	das Haus	die Straße

b) Ergänzen Sie. Arbeiten Sie mit der Wortliste auf S. 278.

1 die Stadt — die Städte
2 der Name — die Namen
3 das Land — die Länder
4 die Person — die Personen
5 der Ort — die Orte

6 das Bild — die Bilder
7 das Wort — die Wörter
8 der Kurs — die Kurse
9 der Zusteller — die Zusteller
10 die Zahl — die Zahlen

7 Singular oder Plural?

1.32
a) Hören Sie und kreuzen Sie an.

	Singular		Plural			Singular		Plural
1	○ ____ Adresse		✓ die Adressen	6	✓ die Sprache		○ die Sprachen
2	○ ____ Buch		✓ die Bücher	7	○ ____ Briefkasten		✓ die Briefkästen
3	✓ das Bild		○ die Bilder	8	✓ der Hund		○ die Hunde
4	✓ der Brief		○ die Briefe	9	○ ____ Straße		✓ die Straßen
5	○ ____ Stadt		✓ die Städte	10	○ ____ Wort		✓ die Wörter

b) Ergänzen Sie die Artikel in a). Vergleichen Sie mit der Wortliste auf S. 278.

8 Hast du die Handynummer von ...? **Hören und notieren Sie.**

1.33

Jenny: 016 _____

Fabian: _____ 391

Thorsten: _____ 113

9 Malen nach Zahlen

1.34 a) **Hören und verbinden Sie.**

b) **Was sehen Sie in a)? Ergänzen Sie.**

Das ist ein ___R_____.

10 Zahlen schreiben. **Ergänzen Sie wie im Beispiel. Hören und kontrollieren Sie.**

1.35

(34)   (69)   (21)   (57)   (88)

1 _vierunddreißig_   2 _____   3 _____   4 _____   5 _____

11 Adressen verstehen. **Hören Sie und kreuzen Sie an.**

1.36

1 Frau Garrido:

a ◯ Johann-Stelling-Straße 36, 17949 Greifswald

b ◯ Johann-Stelling-Straße 26, 17489 Greifswald

2 Herr Otte:

a ◯ Moorlandstraße 47, 49088 Osnabrück

b ◯ Moorlandstraße 74, 47082 Osnabrück

3 Frau Weller:

a ◯ Rheinstraße 88, 31235 Hildesheim

b ◯ Rheinstraße 78, 31134 Hildesheim

12 Zahlen bis 1000. **Welche Zahl hören Sie? Kreuzen Sie an.**

🔊 1.37

1 330 Ⓧ 33 ◯ **4** 895 Ⓧ 893 ◯ **7** 919 ◯ 990 Ⓧ

2 69 Ⓧ 690 ◯ **5** 541 ◯ 549 Ⓧ **8** 423 ◯ 432 Ⓧ

3 156 Ⓧ 166 ◯ **6** 712 Ⓧ 702 ◯ **9** 678 Ⓧ 687 ◯

13 Internationale Namen

a) **Lesen Sie und markieren Sie die Nachnamen.**

| ⬤ Bente Andersson | ⬤ Hayate Tanaka | ⬤ Figueroa, Raymi | ⬤ Lovis Lundgren | ⬤ Öztürk, Ismail |
| ⬤ Anna Reich | ⬤ Mariana Oliveira | ⬤ Peeters, Jannis | ⬤ Haddad, Yasin | ⬤ Eva Hoffmann |

b) **Herr … oder Frau …? Recherchieren Sie Vornamen und ergänzen Sie.**

1 Frau Andersson

c) **Wer wohnt hier? Lesen Sie die Namen in a) und sprechen Sie.**

Hier wohnt Frau Andersson.

14 Wie bitte? **Lesen Sie die Minidialoge. Welche Frage passt?**

1 Mein Name ist Bastian Mönnig.

  a Ⓧ Wie bitte? Können Sie das wiederholen?

  b ◯ Entschuldigung, wo wohnen Sie?

2 Ich komme aus Österreich.

  a ◯ Wie bitte? Wer sind Sie?

  b Ⓧ Entschuldigung, woher kommen Sie?

3 Ich heiße Bente Andersson.

  a Ⓧ Wie schreibt man das?

  b ◯ Wie heißt das Land?

4 Ich wohne in Bremen.

  a ◯ Wie bitte? Was ist das?

  b Ⓧ Wie bitte? Wie heißt die Stadt?

5 Das ist eine Adresse.

  a Ⓧ Wo ist das?

  b ◯ Was ist das?

6 Das ist Herr Stock, der Lehrer.

  a Ⓧ Entschuldigung. Wer ist das?

  b ◯ Entschuldigung, wie heißt das auf Deutsch, bitte?

7 Mein Name ist Figueroa.

  a Ⓧ Können Sie das bitte buchstabieren?

  b ◯ Wie bitte? Was ist das?

Fit für Einheit 3?

nach dem Namen / der Adresse fragen

Wie ist (denn) der Name?	Mein Name ist Lena Möller.
Wie ist (denn) die Postleitzahl?	Die Postleitzahl ist 79823.
Wie heißt (denn) die Straße?	Die Straße heißt Marktstraße.
Und die Hausnummer?	Vier. Marktstraße vier.

nachfragen

Entschuldigung, können Sie das buchstabieren?	Ja, klar. M Ö L L E R.
Wie bitte? Können Sie das wiederholen?	Ja, gerne. 0621 39 158 707.

die Post

der Briefkasten, die Postleitzahl, die Adresse, das Paket, die Postkarte

Singular und Plural

der Brief – die Briefe, der Nachname – die Nachnamen, die Stadt – die Städte

Zahlen

null – eins – zwei – drei – vier – fünf ...
zehn – elf – zwölf – dreizehn – vierzehn ...
zwanzig – dreißig – vierzig – fünfzig ...
achthundert – neunhundert – tausend ...

Telefonnummern

Meine Handynummer ist 0162 2090503.

W-Fragen

Woher kommst du? / Woher kommen Sie?	Aus Prag.
Wie ist deine Adresse/Handynummer?	Schreinerstraße 14. / Meine Handynummer ist 0174 9464308.
Wer ist das?	Das ist Lena.
Wo wohnt Marco?	In Madrid.
Was ist das?	Das ist ein Paket.

Umlaute *ä, ö, ü*: Mein Name ist M**ä**hler, Christian M**ä**hler. Ich komme aus M**ü**nchen und lebe in **Ö**sterreich.

→ Interaktive Übungen

HIER LERNEN SIE:

- im Café bestellen und bezahlen
- sich verabreden
- Nachrichten verstehen und schreiben

der Latte Macchiato

der Kakao

der Kaffee

der Tee

der Cappuccino

der Espresso

1 Im Café. Internationale Wörter
   a) Sammeln Sie.

   b) Wie heißen die Wörter in Ihrer Sprache?

🔊 1.38 **2 *Das ist …*** Hören Sie und zeigen Sie.

3 Kaffee oder Tee? Was trinken Sie?

4 Wer ist Frieda? Wer ist Lorenzo? Sammeln Sie Informationen.

der Orangensaft

das Wasser

der Eistee

Arbeitsplatz Café

Im Café arbeiten ist in. In Städten wie Berlin, Wien, Köln oder Zürich arbeiten viele Leute im Café. So wie Frieda und Lorenzo.

Lorenzo, 26, kommt aus Italien, aus Pisa. Er wohnt in Hamburg, studiert Marketing und arbeitet als Kellner im Café Glück.

Frieda, 28, kommt aus Schweden, aus Stockholm. Sie ist Grafikdesignerin und wohnt in Hamburg. Sie arbeitet oft im Café Glück.

die Brille

>> Ich mag meine Arbeit im Café. Ich bin Kellner und lerne viele Leute kennen. Und ich spreche hier viele Sprachen: Deutsch, Englisch, Italienisch und ein bisschen Spanisch. Das ist toll. «

Hallo Frieda! Warum gehst du ins Café Glück?

Die Atmosphäre ist toll. Der Kaffee ist lecker. Lorenzo arbeitet hier.

>> Ich arbeite überall: Im Park, im Restaurant oder im Café. Das ist einfach. Ich brauche nur Internet, einen Laptop und Kaffee! «

die Kopfhörer

der Laptop

Getränke

1 Getränke bestellen

1.05

a) Wörter im Café. Sehen Sie das Video und sammeln Sie.

der Kaffee

Getränke

b) Lesen Sie und variieren Sie.

1 💬 Hallo! Was möchten Sie trinken?

⚫ Ich nehme Tee.

2 💬 Was trinken Sie?

⚫ Cappuccino, bitte.

c) Was bestellt Frieda? Sehen Sie das Video noch einmal. Kreuzen Sie an.

 **a**

 **b**

Frieda bestellt ...

d) Was trinken Sie? Sprechen Sie und variieren Sie.

1 💬 Trinkst du **Orangensaft**?

⚫ Nein, lieber **Mineralwasser**.

2 💬 Was möchten Sie?

⚫ Ich nehme **Tee**, bitte.

2 Kaffee mit viel Milch und viel Zucker

1.06

a) Wer nimmt was? Sehen Sie das Video. Ergänzen Sie die Namen und berichten Sie.

 **a**

Sabine

 **b**

Georgina

 **c**

Claudia

1 _____ nimmt Kaffee ohne Milch und ohne Zucker.

2 _____ bestellt Kaffee mit viel Milch und viel Zucker.

3 _____ möchte Kaffee mit Zucker.

4 _____ trinkt Kaffee mit Milch.

b) Was ist Kaffee schwarz? Sehen Sie das Video noch einmal und überprüfen Sie in a).

c) Was trinken Sie? Kaffee oder Saft? Sprechen Sie schnell.

Ich trinke	gern	Kaffee	mit Zucker.	
Ich möchte	lieber	Tee	ohne Zucker.	Und du?
Ich nehme			mit viel Milch.	
		Saft	mit wenig Eis.	
		Wasser	ohne Eis.	
			mit viel Eis.	

ohne Zucker

viel Zucker

d) Zwei Saft ohne Eis. Wählen Sie ein Getränk. Wer bestellt das auch?
Finden Sie einen Partner / eine Partnerin.

3 Im Café

Bestellen im Café. Spielen Sie Dialoge mit Ihrem Partner / Ihrer Partnerin aus 2 d).

Was möchten Sie? — *Ich nehme ...*

wenig Zucker

4 Frieda lernt Deutsch

a) Lesen Sie und vergleichen Sie.

11.1-11.2

Was ist das?

Das ist eine Brille.

Das ist die Brille von Lorenzo.

Und was ist das?

Das ist ein Portemonnaie.

Das ist das Portemonnaie von Lorenzo.

Und was ist das?

Das ist ein Laptop.

Das ist der Laptop von Frieda.

b) Sammeln Sie Gegenstände im Kurs und fragen Sie.

Was ist das? *Das ist eine Tasche.* *Das ist die Tasche von Maria.*

c) Ergänzen Sie.

	der	das	die
			Grammatik
bestimmter Artikel	der	das	die Brille
unbestimmter Artikel	ein	ein	eine Brille

d) Bestimmter und unbestimmter Artikel. Vergleichen Sie mit Ihren Sprachen.

5 Ist das ein …?

a) Lesen Sie laut.

11.3, 11.5

 Ⓧ

💬 Ist das ein Kaffee?

🗨 Nein, das ist kein Kaffee. Das ist ein Espresso. Und das ist mein Espresso. ✓

 Ⓧ

💬 Ist das eine Cola?

🗨 Nein, das ist keine Cola. Das ist mein Apfelsaft. ✓

b) Artikelwörter. Ergänzen Sie.

der	das	die	die (Plural)
			Grammatik
ein	ein	eine	–
kein Kaffee	kein Wasser	Limonade	keine Brillen
	mein	meine	

c) Was ist das? Variieren Sie die Dialoge in a).

6 Im Café

Was trinken Sie im Café? Berichten Sie.

In Indien trinken wir Chai.

Wir trinken auch …

1 Ein Konzert am Abend

a) Frieda und Lorenzo. Lesen Sie den Dialog und sammeln Sie Informationen. Wer? Was? Wo? Wann?

💬 Heute gibt es ein Konzert. Hast du Lust, Frieda?

💬 Heute? Wie heißt die Band?

💬 Luigi e Andrea. Sie sind aus Italien.

💬 Cool. Aber ich habe keine Karte, Lorenzo.

💬 Kein Problem. Ich habe Karten.

💬 Super. Wo ist das Konzert?

💬 In der Bar Fuchs.

💬 Und wo ist die Bar?

💬 In der Emilienstraße. Ich schicke die Adresse.

💬 Perfekt. Bis dann!

💬 Bis dann!

b) Was machen Frieda und Lorenzo heute? Berichten Sie.

c) Andere Namen, andere Band, ... Variieren Sie.

2 Wo bist du morgen?

16.6

a) Lesen Sie die Comics und markieren Sie das Verb *sein*.

b) *sein*. Ergänzen Sie.

	ich	du	er/es/sie	wir	ihr	sie/Sie	Grammatik
sein			*ist*				

3 Das *e*

1.39

Hören und sprechen Sie nach.

[eː]   der T**ee**, das Caf**é**, das Portemonn**aie**s, g**e**ht, Schw**e**den, n**e**hmen, s**e**hr, **E**va

[ɛ]   der K**e**llner, **e**s, spr**e**chen, **E**spresso, J**e**ns

4 Bezahlen

Man schreibt: 6,20 Euro / 6,20 €.
Man spricht: Sechs Euro zwanzig.

🔊 1.40

a) Hören Sie. Welche Rechnung passt? Kreuzen Sie an.

○

```
        Café Glück
     Mariannenstr. 24
       12103 Berlin

    Tel.: +49 30 68831748

    Ihre Rechnung Nr.:16
    St.Nr. 304-23-20034

Tisch 5           16.06.2020

1 Apfelsaft          2,50 €

1 Latte Macchiato    3,30 €

2 Croissant       2 x 1,50 €

Total                8,80 €
MwSt. 19%            1,67 €

Bar                  8,80 €

        Es bediente Sie:
            Lorenzo

Vielen Dank für Ihren Besuch im
 Café Glück! Besuchen Sie uns
        bald wieder!
```

○

```
        Café Glück
     Mariannenstr. 24
       12103 Berlin

    Tel.: +49 30 68831748

    Ihre Rechnung Nr.:16
    St.Nr. 304-23-20034

Tisch 5           16.06.2020

1 Wasser             1,90 €

1 Milchkaffee        3,40 €

2 Croissant       2 x 1,50 €

Total                8,30 €
MwSt. 19%            1,58 €

Bar                  8,30 €

        Es bediente Sie:
            Lorenzo

Vielen Dank für Ihren Besuch im
 Café Glück! Besuchen Sie uns
        bald wieder!
```

○

```
        Café Glück
     Mariannenstr. 24
       12103 Berlin

    Tel.: +49 30 68831748

    Ihre Rechnung Nr.:16
    St.Nr. 304-23-20034

Tisch 5           16.06.2020

1 Milchkaffee        3,40 €

1 Latte Macchiato    3,30 €

2 Croissant       2 x 1,50 €

Total                9,70 €
MwSt. 19%            1,84 €

Bar                  9,70 €

        Es bediente Sie:
            Lorenzo

Vielen Dank für Ihren Besuch im
 Café Glück! Besuchen Sie uns
        bald wieder!
```

b) Lorenzo (L) oder Frieda (F)? Ordnen Sie den Dialog und kontrollieren Sie mit dem Hörtext.

Lorenzo

○ Ich möchte zahlen, bitte.

○ Milchkaffee, ein Wasser und zwei Croissants. Das macht 8,30 Euro.

○ 9 Euro.

○ Und 70 Cent zurück. Danke.

Frieda

5 Zahlen, bitte!

Spielen Sie Dialoge mit den Rechnungen aus 4 a).

6 Nachricht von Lorenzo

a) Welche Informationen sind neu?
Lesen Sie die Nachricht und markieren Sie.

🔊 1.41

b) Was antwortet Frieda?
Hören Sie und kreuzen Sie an.

> Hey Frieda, das Konzert ist in der Bar Fuchs 🦊.
> Die Bar Fuchs ist in der Emilienstraße 15. Max
> kommt auch. Ich freue mich! Bis gleich! 👋
>
> 18:12 Uhr 〰

○ Hallo.　　○ Hey!　　　　　　○ Guten Tag.　　○ Bis gleich!

○ Danke.　　○ Danke für die Nachricht.　　　　　○ Bis morgen!

○ Super!　　○ Perfekt!　　　　○ Sehr gut!　　　○ Bis später!

7 Nachrichten schreiben oder sprechen

🚩 Wählen Sie eine Situation. Partner A schreibt die Nachricht. Partner B antwortet. Sprechen **ODER** schreiben Sie.

1

*Morgen Konzert,
Hafenbar, Hafenstr. 117*

2

*Heute Fußball: Deutschland – Spanien,
Café Glück, Mariannenstr. 24*

1 Arbeiten im Café. Welche Informationen passen? Lesen Sie die Magazinartikel auf S. 41 und ordnen Sie zu. Was passt zweimal?

studiert Marketing • arbeitet als Grafikdesignerin • kommt aus Italien • arbeitet im Café Glück • wohnt in Hamburg • ist 28 • kommt aus Schweden • ist 26 • arbeitet als Kellner

Lorenzo

Frieda

2 Jonas im Café Glück

🔊 1.42

a) Richtig oder falsch? Hören Sie und kreuzen Sie an.

	richtig	falsch
1 Jonas ist 32.	○	○
2 Er kommt aus Bremen.	○	○
3 Er wohnt in Hannover.	○	○
4 Jonas trinkt gern Cappuccino.	○	○

b) Korrigieren Sie die falschen Aussagen.

c) Ergänzen Sie die Wörternetze.

der Tee

trinken

der Laptop

arbeiten

🔊 1.43

d) Flüssig sprechen. Hören Sie und sprechen Sie nach.

1 arbeiten – ich arbeite – Ich arbeite oft im Café.
2 brauchen – ich brauche – Ich brauche Internet.
3 mögen – ich mag – Ich mag die Arbeit im Café.
4 studieren – ich studiere – Ich studiere Marketing.

3 Bestellen im Café

a) Wer sagt was? Sammeln Sie Redemittel auf S. 42.

die Kellnerin

Guten Tag. Was möchten Sie?

die Gäste

Ich nehme Kaffee, bitte.

b) Ergänzen Sie die Minidialoge. Nutzen Sie die Redemittel aus a).

1 💬 Guten Tag. Was trinken Sie?

💬 _____

2 💬 _____

💬 Ich nehme Tee.

3 💬 Und was möchten Sie?

💬 _____

4 💬 Was möchten Sie?

💬 _____

5 💬 _____

💬 Cappuccino, bitte.

1.07

c) Videokaraoke. Sehen Sie und antworten Sie.

4 Getränke

a) Wie heißen die Getränke? Ergänzen Sie.

4 ___ die Cola

b) Was bestellen Erhan und Bahar? Hören Sie und kreuzen Sie in a) an.
1.44

c) Welche Getränke kennen Sie? Was mögen Sie? Ergänzen Sie.

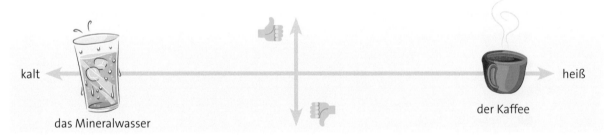

kalt — das Mineralwasser — der Kaffee — heiß

d) Was bestellen die Personen? Hören Sie und kreuzen Sie an.
1.45

1 a ○ Kaffee mit wenig Milch und wenig Zucker   b ○ Kaffee mit viel Milch und viel Zucker

2 a ○ Cola mit wenig Eis   b ○ Cola mit viel Eis

3 a ○ Eiskaffee   b ○ Eistee

4 a ○ Kaffee   b ○ Cappuccino

5 a ○ Wasser mit Eis   b ○ Wasser ohne Eis

e) Hören Sie und sprechen Sie nach.
1.46

1 Ich nehme Kaffee mit viel Milch und viel Zucker.
2 Ich möchte Cola mit wenig Eis, bitte.
3 Eistee, bitte.
4 Ich nehme Kaffee ohne Milch, bitte.
5 Ich nehme Wasser ohne Eis.

5 Getränke bestellen

a) Sammeln Sie Getränke mit Artikel wie im Beispiel.

der	das	die
der Kaffee	*das Wasser*	*die Milch*

🔊 b) Welche Bestellung passt? Hören Sie und kreuzen Sie an.

1.47

1 ⃝
1 Cappuccino
1 Tee
1 Mineralwasser
1 Kaffee schwarz

2 ⃝
1 Cappuccino
1 Tee
2 Mineralwasser
1 Kaffee mit Milch

6 Das ist ein ...

a) Ergänzen Sie den bestimmten Artikel.

1 Das ist eine Brille. → *die* Brille

2 Das ist ein Laptop. → _____ Laptop

3 Das ist eine Adresse. → _____ Adresse

4 Das ist eine Tasche. → _____ Tasche

5 Das ist ein Portemonnaie. → _____ Portemonnaie

6 Das ist ein Kellner. → _____ Kellner

7 Das ist ein Buch. → _____ Buch

8 Das ist ein Name. → _____ Name

b) Was ist das? Sehen Sie die Fotos an und schreiben Sie Sätze wie im Beispiel.

1. *Das ist eine Brille.*
2. ...

 1
 2
 3
 4

 5
 6
 7
 8

7 Das sind keine Kulis. **Antworten Sie wie im Beispiel.**

1 Sind das Kulis? – Nein, das sind keine Kulis. Das sind Textmarker.

2 Sind das Bücher? – Nein, ...

3 Sind das Handys? – Ja, ...

4 Sind das Stifte? – Nein, ...

5 Sind das Brötchen? – Ja, ...

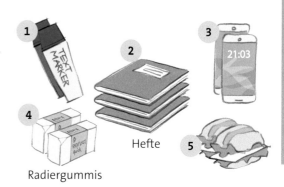

Radiergummis

Hefte

8 Ein Konzert. Bringen Sie den Dialog in die richtige Reihenfolge. Hören und kontrollieren Sie.

🔊 1.48

(1) Heute ist ein Konzert. Hast du Lust?

◯ Luigi e Andrea. Sie sind aus Italien.

◯ Tschüss!

◯ Um 20 Uhr in der Bar Fuchs.

◯ Wo ist die Bar Fuchs?

◯ Wie heißt die Band?

◯ Ich habe die Adresse. Bis heute Abend. Tschüss!

◯ Cool. Wann und wo ist das Konzert?

◯ In Altona. Hast du die Adresse?

9 Bezahlen

a) Lesen Sie den Dialog und beantworten Sie die Fragen.

1 Was trinken die Gäste?
2 Zahlen die Gäste zusammen oder getrennt?
3 Wie teuer sind die Getränke?

💬 Ja, bitte?
💬 Wir möchten zahlen, bitte.
💬 Gerne. Zusammen oder getrennt?
💬 Zusammen, bitte.
💬 Zwei Kaffee und zwei Orangensaft, das macht 7 Euro.
💬 Und ein Mineralwasser.
💬 Ach ja. Das sind dann 8,40 Euro, bitte.

🔊 1.49

b) Was ist richtig? Hören Sie und kreuzen Sie an.

1 a ◯ 2,30 €   b ◯ 2,40 €   **3** a ◯ 12,10€   b ◯ 11,10€

2 a ◯ 4,70 €   b ◯ 5,70 €   **4** a ◯ 3,60€   b ◯ 2,60€

🔊 1.50

c) Hören Sie und schreiben Sie die Preise.

1 _____ **2** _____ **3** _____ **4** _____ **5** _____ **6** _____

10 Nachrichten schreiben

a) Lesen Sie die Nachricht und schreiben Sie eine Antwort.

Hey, ich gehe heute Abend in die Prinzenbar. 😁 Es gibt ein Konzert.   Hi ...,
Das ist cool. 👍 Hast du Lust? Ich habe zwei Karten.

b) *Sein*. Ergänzen Sie.

Hallo Caro,

ich _____ im Café Glück. Lorenzo _____

auch hier. Wo _____ du? Kommst du?

😊 Bis gleich!

Hey Frieda,

Aaron und ich _____ im Kino. Wie lange

_____ ihr im Café Glück?

Ich komme später. 😊

Fit für Einheit 4?

1 Mit Sprache handeln

etwas im Café bestellen

Was möchten Sie trinken?	Ich nehme Espresso.
Was trinken Sie?	Ich möchte Kaffee.
Und was trinkst du?	Ich nehme Kaffee mit wenig Milch.
	Ich möchte Tee mit viel Zucker, aber ohne Milch.

etwas bezahlen

Ich möchte bitte zahlen.	9 €, bitte. / Das macht 15,40 €.
Ich zahle mit Karte.	Danke.

sich verabreden

Heute ist ein Konzert. Hast du Lust?

Nachrichten schreiben

Hey Frieda, wo bist du? Ich bin im Café. Bis gleich!

2 Wörter, Wendungen und Strukturen

Getränkewörter

ein Eistee mit wenig Zucker, eine Cola mit viel Eis, ein Apfelsaft ohne Eis

das Verb *sein*

Ich bin Kellner.
Du bist 23.
Sie ist Grafikdesignerin.
Wir sind im Café.
Ihr seid Studenten.
Sie sind im Kurs.

der unbestimmte und der bestimmte Artikel

ein/der	ein/das	eine/die
Das ist ein Laptop.	Das ist ein Portemonnaie.	Das ist eine Brille.
Das ist der Laptop von Frieda.	Das ist das Portemonnaie von Jonas.	Das ist die Brille von Lorenzo.

Ist das ein Brötchen?	Nein, das ist kein Brötchen. Das ist ein Croissant.
Ist das ein Orangensaft?	Nein, das ist kein Orangensaft. Das ist eine Limonade.

3 Aussprache

das *e*

[eː]   der Tee, das Café, das Portemonnaie, geht, Schweden, nehmen, sehr, Eva, Kekse
[ɛ]   der Kellner, es, sprechen, Espresso, lecker, Jens, gern, nett

→ Interaktive Übungen

Reisebea 1122 Follower
Berlin

Reisebea Endlich! Ich bin mit @carlos in Berlin.
Das Essen hier ist total international!
Heute esse ich #sushi #lecker

jako5 Du isst Fisch??? 🐟

Reisebea Nein, Fische sind doch Tiere!
Das Sushi hier ist vegetarisch.
🥕🥕🥕

jako5 Ach so. Sieht lecker aus! ☺

matti Wann bist du in Hamburg? Hier gibt es
auch Fisch! 🐟

Reisebea Keine Ahnung. Und noch einmal:
Ich esse keinen Fisch!

lullol 👍

matti Isst du auch kein Fleisch? 🐄

♡ ○ ◁

68 likes

Guten Appetit!

Was machen Food Blogger?

Viele Menschen fotografieren Essen oder Getränke und posten die Fotos im Internet. Dann kommen die Kommentare: Sieht lecker aus! Wo bist du? Toll! Was ist das? Andere Menschen sagen: Das nervt!

+ Essen ist Kultur! Essen ist Leben!

Ich poste auch oft Fotos von Essen im Internet. Das ist interessant. Essen ist ein super Thema.
Elaine, 19

— Bitte keine Fotos von Essen!

Das nervt! Ich esse gern im Restaurant, aber ich fotografiere und poste das Essen nicht. Das finde ich nicht interessant. Meine Freunde machen das auch nicht. Sport oder Musik sind interessant, aber Essen ist kein Thema.
Sascha, 22

Pro (+) oder kontra (−)

○ Ich finde das interessant!
○ Ich poste keine Fotos von Essen.
○ Das ist toll!
○ Das nervt!
○ Ich mache das auch.
○ Ich finde das nicht interessant.
○ Meine Freunde machen das auch.
○ Meine Freunde finden die Fotos toll.

1 **Lesen Sie den Magazinartikel.** Was machen Food Blogger?

2 **Reisebea: Wer? Was? Wo?** Sammeln Sie Informationen.

3 **Pro oder Kontra?** Ergänzen Sie + oder −.

4 **Wie finden Sie Food Blogging?** Kommentieren Sie.

5 **Wie finden Sie Telefonieren im Restaurant?** Kommentieren Sie.

Über Essen sprechen

1 Die Speisekarte

🔊 1.51

a) Was ist das? Hören Sie und ordnen Sie zu.

Rind

Rind

vegetarisch
scharf

Fisch

Huhn

🍴

Restaurant
Max & Moritz
SPEISEKARTE

— VORSPEISEN —

1	Tomatensuppe mit Baguette	4,50 €
2	Salat mit Käse, Tomaten und Oliven	5,80 €

— HAUPTGERICHTE —

3	Steak mit Kartoffeln und Salat	15,80 €
4	Schnitzel mit Kartoffelsalat	11,90 €
5	Hähnchen mit Gemüse	12,70 €
6	Hamburger mit Pommes Frites	9,80 €
7	Fisch mit Kartoffelsalat	10,30 €
8	Gemüsecurry mit Tofu und Reis	10,50 €

vegetarisch

vegetarisch

Schwein

b) Fragen und antworten Sie wie im Beispiel.

Was ist das?

Das ist Schnitzel mit Kartoffelsalat.

c) Magst du ...? Fragen und antworten Sie schnell.

	Schnitzel?	Ja, ich finde ... lecker.	Und du? Magst du (gern) ...?
	Hähnchen?	Ja, ich mag ... gern.	Und du? Isst du (gern) ...?
	Hamburger?	Ja, ich esse ... gern.	
Magst du (gern)	Steak?		*Isst du gern Fisch?*
Isst du (gern)	Fisch?	Nein, ich finde ... nicht lecker.	*Nein, ich esse nicht gern Fisch. Ich esse gern Gemüse. Und du?*
	Käse?	Nein, ich mag ... nicht (gern).	
	Gemüse?	Nein, ich esse ... nicht (gern).	
	Oliven?		

2 Ist das scharf?

Arbeiten Sie mit der Speisekarte oder mit den Fotos. Fragen und antworten Sie wie im Beispiel.

Ist das süß?
Ist das scharf?
Ist das vegetarisch?
Ist das lecker?

der Kuchen

Ist das scharf?

Nein, das ist nicht scharf. Das ist süß.

Keine Ahnung.

3 Lecker?!

Schicken Sie ein Foto an eine Person im Kurs.
Die Person fragt und Sie antworten.

17:10

Was ist das? 17:12

Das ist eine Currywurst. 17:13

Ist das vegetarisch? 17:20

Nein, das ist nicht vegetarisch.
Das ist Schweinefleisch. 🐷

17:22

4 Ich esse kein Gemüse!

1.52

a) **Caro und Jannik sind im Restaurant. Was nehmen sie? Hören Sie und kreuzen Sie auf der Karte in 1a) an.**

b) **Lesen Sie und spielen Sie.**

💬 Hm. Ich glaube, ich nehme ein Steak, aber ohne Salat.

💬 Typisch Jannik! Fleisch, aber kein Gemüse ...

💬 Ich mag fast alles, aber ich esse kein Gemüse!

💬 Und Kartoffelsalat?

💬 Ach ... einen Kartoffelsalat finde ich lecker! Mmh ... und du, Caro? Was nimmst du?

💬 Ich weiß es nicht. Die haben ein Gemüsecurry, das ist vegetarisch.

💬 Vegetarisch und scharf! Du isst doch nicht gerne scharf.

💬 Ja, stimmt. Vielleicht nehme ich einen Salat.

💬 Nimmst du den Salat mit Käse, Tomaten und Oliven?

💬 Nein, ich mag keine Oliven. Haben die auch eine Suppe?

💬 Ja, hier. Die haben eine Tomatensuppe mit Baguette.

💬 Gut, ich nehme die Tomatensuppe. Und du? Nimmst du das Steak, Jannik?

💬 Hm ... Nein, ich nehme kein Steak. Ich bestelle lieber einen Hamburger mit Pommes.

Caro und Jannik im Restaurant „Max und Moritz"

c) **Berichten Sie.**

Caro isst kein Fleisch.
Sie isst gern ...

Jannik mag gern Kartoffelsalat,
aber er isst kein Gemüse.
Er isst gern ...

d) **Markieren Sie die Artikel mit Nomen in b) wie im Beispiel.**

GR 11.4

e) **Ergänzen Sie die Artikel im Akkusativ.**

	der / das / die	(k)ein / (k)eine / –
		Grammatik
Nominativ	**Akkusativ**	
der/(k)ein Salat	Nimmst du den Salat?	Ich esse (k)einen Salat.
das/(k)ein Schnitzel	Nimmst du das Schnitzel?	Ich esse (k)_____ Schnitzel.
die/(k)eine Suppe	Nimmst du _____ Suppe?	Ich esse (k)_____ Suppe.
die/keine Oliven	Nimmst du _____ Oliven?	Ich esse keine/– Oliven.

5 Im Restaurant

Spielen Sie. Die Speisekarte in 1a) hilft.

Was nimmst du? / Was isst du?

➡ Haben die ...? / Gibt es hier ...?

Ja, es gibt ... / die haben ...

➡ Ok. Ich nehme ... / Ich esse ... Und was nimmst du?

...

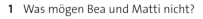

Probier doch mal!

1 Das mag ich nicht!

a) Bea und Matti im Restaurant. Hören Sie und ordnen Sie zu.

1 Was mögen Bea und Matti nicht?   a ◯ Pizza.

2 Was bestellt Matti?   b ◯ Salat.

3 Was nimmt Bea?   c ◯ Ananas.

b) Pizza mit Ananas – lecker oder nicht lecker? Was denkt Matti? Was denken Sie?
Hören Sie noch einmal, lesen Sie mit und kommentieren Sie.

Pizza Hawaii

💬 Pizza Hawaii kenne ich nicht. Kommt die aus Hawaii?

💬 Nein, Matti. Das ist Pizza mit Schinken, Ananas und Käse.

💬 Mit Ananas? Nein, danke! Ich mag keine Ananas.

💬 Ich auch nicht.

💬 Mensch, Bea, ich habe Hunger! Ich nehme eine Pizza Margherita.

💬 Gute Idee! Ich möchte keine Pizza. Ich nehme lieber einen Salat.

2 *nicht* und *kein-*

GR 10

a) Sammeln Sie Verneinungen. Vergleichen Sie.

b) Selbsttest. Ergänzen Sie.

1 Bea mag *keine* _____ Currywurst.

2 Sie mag Fleisch _____ gern.

3 Matti isst _____ vegetarisch.

4 Er sagt: „Pizza Hawaii kenne ich

_____ .

5 Er bestellt _____ Pizza Hawaii.

3 Langer oder kurzer Vokal

a) Hören Sie und markieren Sie. Ist der Vokal lang (_) oder kurz (.)?

1 Schokolade	5 Tee	9 Hamburger	13 Tomaten
2 Kuchen	6 Kaffee	10 Kartoffeln	14 Pommes
3 Suppen	7 Schinken	11 Saft	15 Steak
4 Oliven	8 Äpfel	12 Espresso	16 Fisch

b) Hören Sie noch einmal und sprechen Sie nach.

4 Magst du (gern) ...?

Fragen und antworten Sie schnell.

💬 Magst du Oliven?   💬 Nein, ich mag keine Oliven, aber ich esse gern Tomaten. Und du?

💬 Magst du Käse?   💬 Nein, ich mag keinen Käse, aber ich esse gern ...

5 Spezialitäten aus D-A-CH

a) **Was ist das und woher kommt das? Fragen und antworten Sie wie im Beispiel.**

Berner Rösti? Was ist das?

Das ist eine Spezialität aus der Schweiz mit Kartoffeln.

Kartoffeln • Gemüse • Kalbfleisch   aus der Schweiz • aus Österreich • aus Deutschland

A Wiener Schnitzel mit   B Berner Rösti   C Leipziger Allerlei
   Kartoffelsalat

b) **New York Cheesecake, Madras Curry, Paella Valenciana, … Welche Spezialitäten mit Ortsnamen kennen Sie?**

6 Tungs Blog

Tung, Indri, Mia oder Andy? Lesen Sie die Kommentare und ergänzen Sie die Namen.

1 *Tung*_____ schreibt einen Blog. 3 _____ lebt in Berlin. 5 _____ mag Streetfood.

2 _____ finden Pho Hanoi   4 _____ lebt in Schweden. 6 _____ hat ein Rezept für
   lecker!   Currywurst.

Tungs Foodblog

| Zürich & ich | Restauranttipps | Lieblingsessen | Rezepte | Archiv |

Meine Lieblingssuppe kommt aus Vietnam und heißt Pho Hanoi.
Das ist eine Suppe mit Rindfleisch, Reisnudeln und Gemüse.
Ein Rezept findet ihr <u>hier</u>. Was esst ihr gern?

Kommentar schreiben

Andy, 27. März
*Hallo Tung, vielen Dank für das Rezept. Echt lecker! Ich komme aus Berlin und lebe in
Stockholm. Ich liebe Currywurst! Die kommt aus Berlin. Die gibt es hier in Stockholm
zum Glück auch. Ich habe leider kein Rezept.*

Mia, 28. März
Hallo Andy! Rezepte für Currywurst gibt es im Internet, zum Beispiel <u>hier</u>.

Indri, 30. März
*Super Rezepte! Danke, Tung! Die Suppe probiere ich mal. Die kenne ich nicht. Ich komme
aus Jakarta und lebe in Berlin. Hier gibt es viel Streetfood. Das finde ich toll! In Indonesien essen wir viel Reis. Ich liebe Nasi Goreng! Das ist Reis mit Gemüse. Kennst du das?
Gibt es das auch in Zürich?*

Mein Name ist
Tung. Ich bin aus
Vietnam, aus
Hanoi. Ich lebe und
arbeite in Zürich.
Ich bin Hobbykoch.

7 Essen international

Schreiben Sie einen Kommentar wie Andy und Indri. ODER **Beschreiben Sie Spezialitäten mit Ortsnamen.**

1 Food Blogger. **Lesen Sie den Magazinartikel auf S. 53 und ergänzen Sie.**

Was machen Food Blogger?	Pro (+)	Kontra (–)
Food Blogger ...	Sieht lecker aus!	Das nervt!

2 Bea postet ein Foto

a) **Lesen Sie den Text und vergleichen Sie mit den Kommentaren auf S. 52. Markieren Sie fünf Fehler wie im Beispiel.**

Bea ist in Hamburg. Bea isst heute mit Matti. Bea isst nicht vegetarisch. Sie isst Sushi mit Fisch.
Sie fotografiert das Sushi und postet das Foto. Sie bekommt 73 .

b) **Korrigieren Sie die Fehler.**　　*Bea ist in Berlin.*

3 Flüssig sprechen. **Hören Sie und sprechen Sie nach.**

1.55

1 Reis – mit Reis – Ich nehme Gemüsecurry mit Reis.
2 Gemüse – mit Gemüse – Ich nehme Hähnchen mit Gemüse.
3 Pommes – mit Pommes – Ich nehme Hamburger mit Pommes.
4 Baguette – mit Baguette – Ich nehme Tomatensuppe mit Baguette.
5 Kartoffelsalat – mit Kartoffelsalat – Ich nehme Fisch mit Kartoffelsalat.
6 Kartoffeln und Salat – mit Kartoffeln und Salat – Ich nehme Steak mit Kartoffeln und Salat.

4 Der Salat, der Kartoffelsalat

1.56

a) **Hören Sie und markieren Sie den Wortakzent wie im Beispiel.**

1 der Salat – der Kartoffelsalat　　**3** die Suppe – die Tomatensuppe　　**5** der Saft – der Apfelsaft

2 das Curry – das Gemüsecurry　　**4** der Kaffee – der Milchkaffee　　**6** das Wasser – das Mineralwasser

b) **Hören Sie und sprechen Sie nach.**

5 Ich mag gern Gemüsecurry. **Lesen Sie und schreiben Sie ein Profil wie im Beispiel.**

Hannah

Ich bin 22 und wohne in Hamburg.
Ich komme aus München und
spreche Deutsch und Englisch.

Meine Top 3
1. Ich mag gern Gemüsecurry mit Reis.
2. Ich esse gern Hähnchen mit Gemüse.
3. Ich finde Hamburger mit Pommes lecker.

6 Vegetarisch oder nicht vegetarisch? **Lesen Sie und hören Sie das Interview mit Sophia. Ergänzen Sie.**

🔊 1.57

💬 Hallo, wir machen Interviews.

💬 Hallo.

💬 Vier Fragen zum Thema Essen, o. k.?

💬 Ja, gerne.

💬 Vegetarisch oder nicht vegetarisch?

💬 Nicht vegetarisch.

💬 Fleisch und Fisch?

💬 Fleisch. Ich finde Hähnchen lecker. Aber ich finde Fisch nicht lecker.

💬 Gemüse oder Salat?

💬 Gemüse. Ich esse Gemüse gerne. Salat ist auch Gemüse, aber ich esse Salat nicht gerne.

💬 Reis oder Kartoffeln?

💬 Kartoffeln. Ich finde Kartoffeln und Pommes lecker. Aber ich mag Reis nicht.

+ gerne

Sophia isst gerne   *Hähnchen,* _____

– nicht gerne

Sophia mag nicht gerne _____

7 Lecker oder nicht lecker?

▶ 1.08

a) **Videokaraoke. Sehen Sie und antworten Sie.**

Und? Was nimmst du?

b) **Was ist richtig? Kreuzen Sie an.**

1 ◯ Sie bestellt ein Schnitzel.

2 ◯ Im Restaurant gibt es auch Fisch mit Kartoffelsalat.

3 ◯ Sie mag Gemüsecurry mit Reis.

8 Und was nimmst du?

🔊 1.58

a) **Was hören Sie? Kreuzen Sie an.**

1 ◯ Ich nehme den Hamburger.
◯ Ich nehme das Hähnchen.

3 ◯ Ich bestelle das Steak.
◯ Ich bestelle den Fisch.

2 ◯ Ich bestelle den Salat.
◯ Ich bestelle die Suppe

4 ◯ Ich nehme den Salat.
◯ Ich nehme das Curry.

b) **Antworten Sie wie im Beispiel.**

💬 Was bestellst du?

💬 Ich nehme/möchte/bestelle den Hamburger.

1 💬 Was nehmen Sie? 💬 _____ (der Fisch)

2 💬 Was isst du? 💬 _____ (der Salat)

3 💬 Was möchten Sie? 💬 _____ (das Steak)

4 💬 Was bestellst du? 💬 _____ (die Suppe)

c) **Fragen Sie wie im Beispiel.**

1 Bestellst du *den Eistee* _____ oder *den Eiskaffee* _____ ? (der Eistee / der Eiskaffee)

2 Bestellst du _____ oder _____ ? (der Espresso / der Tee)

3 Nimmst du _____ oder _____ ? (der Milchkaffee / der Cappuccino)

4 Bestellst du _____ oder _____ ? (das Mineralwasser / die Limonade)

5 Nimmst du _____ oder _____ ? (der Orangensaft / die Cola)

9 *Mit* oder *ohne*? **Kombinieren Sie und schreiben Sie fünf Sätze wie im Beispiel.**

| Ich | nehme bestelle | den Fisch den Hamburger das Steak das Hähnchen das Gemüsecurry | mit | Reis, Tofu, Pommes, Kartoffeln, Salat, Gemüse, | aber ohne | Reis. Tofu. Pommes. Kartoffeln. Salat. Gemüse. |

1 Ich nehme den Fisch mit Reis, aber ohne Gemüse.

10 Etwas bestellen

a) **Was möchten die Personen? Lesen Sie den Dialog und markieren Sie.**

💬 Was nimmst du?

💬 Ich trinke **einen Milchkaffee**. Und du?

💬 Ich nehme einen Espresso. Und was isst du?

💬 Ich möchte einen Kuchen.

💬 Und ich nehme ein Croissant.

b) **Und Sie? Lesen Sie den Dialog und ergänzen Sie.**

💬 Was bestellst du?

💬 _____

💬 Ich nehme einen Espresso. Und was isst du?

💬 _____

💬 Ich nehme ein Croissant.

einen Milchkaffee • einen Chai Latte •
eine Limonade • ein Mineralwasser

einen Kuchen • ein Croissant • ein Eis

🔊 c) **Textkaraoke. Hören Sie und sprechen Sie Ihre Antworten aus b).**
1.59

11 *Nimmst du …?* **Fragen und antworten Sie wie im Beispiel.**

1 Nimmst du einen Milchkaffee? – *Nein. Ich nehme keinen Milchkaffee.*

2 Nimmst du einen Espresso? – _____

3 Nimmst du eine Limonade? – _____

4 _____ ? – Nein, ich nehme keinen Kuchen.

5 _____ ? – Nein, ich nehme kein Croissant.

6 _____ ? – Nein, ich nehme kein Eis.

12 Lea und Paula im Café. **Lea (L) oder Paula (P)? Wer möchte was? Hören und ergänzen Sie.**

1.60

Die Suppenküche

SPEISEKARTE

◯ Tomatensuppe . . . . 4,60 €

◯ Gemüsesuppe . . . . 4,20 €

◯ Kartoffelsuppe . . . . 3,90 €

◯ Nudelsuppe . . . . 4,80 €

GETRÄNKEKARTE

—— **SOFTDRINKS** ——

◯ Orangensaft . . . . 0,3 l / 2,80 €

◯ Mineralwasser . . . . 0,3 l / 2,40 €

13 Was mag Fatima nicht?

a) **Verneinen Sie die Sätze mit** *nicht* **und** *kein*.

1 Fatima isst <u>gern</u> Fisch.

2 Sie mag <u>gern</u> Gemüse.

3 Sie findet Kartoffeln <u>lecker</u>.

4 Sie bestellt <u>einen Hamburger mit Pommes</u>.

5 Sie mag <u>Pizza</u>.

6 Sie <u>kennt</u> Tofu.

7 Sie isst <u>gern</u> vegetarisch.

8 Sie trinkt <u>viel</u> Mineralwasser.

9 Sie mag <u>Cappuccino</u>.

Fatima isst nicht gern Fisch.

b) **Und Sie? Was mögen Sie gern / nicht gern? Schreiben Sie.**

Ich mag ...

14 Ein Gedicht

1.61

a) **Hören und lesen Sie das Gedicht.**
Sprechen Sie nach.

b) **Wählen Sie ein Verb und schreiben Sie ein Gedicht wie in a).**

essen • trinken • mögen • bestellen

c) **Nehmen Sie Ihr Gedicht mit dem Handy auf.**

ich nehme
du nimmst
er nimmt
wir nehmen
ihr nehmt
sie nehmen
Hähnchen mit Pommes!
Lecker!

15 Food Blogs. **Lesen Sie und ergänzen Sie die Profile.**

Karlas Food Blog
Essen ist ein Thema

HERZLICH WILLKOMMEN

Ich bin Karla aus Erfurt. Ich bin Kellnerin und Food Bloggerin. Ich mag Essen aus Japan. Zum Beispiel *Ramen.* Das ist eine Nudelsuppe aus Japan.

Essen ist Kultur

MEIN BLOG …

Hey, ich bin Timo. Ich bin Designer und Food Blogger aus Salzburg. Ich esse gern international. <u>Hier</u> gibt es zum Beispiel ein Rezept für Nasi Goreng. Das ist ein Gericht aus Indonesien mit Reis und Gemüse.

★ ★ ★

Essen aus Italien

Hallo und willkommen auf meinem Blog. Ich heiße Emma. Ich wohne in München. Ich bin Studentin und Food Bloggerin. Ich finde Essen aus Italien super lecker.

Mein Rezept für Pizza

Karla

wohnt in _____

arbeitet als _____

_____

_____

Timo

kommt aus _____

_____

_____

_____

Emma

isst gern _____

_____

_____

_____

Fit für Einheit 5?

über Essen sprechen

Ist das vegetarisch?	Nein, das ist Schweinefleisch.
Berner Rösti? Was ist das?	Das ist eine Spezialität aus der Schweiz.
Haben die auch eine Suppe?	Ja, hier. Die haben Tomatensuppe.
Nimmst du das Hähnchen?	Nein, danke. Ich nehme lieber Steak mit Kartoffeln, aber ohne Salat.

sagen, was man mag oder nicht mag

Magst du gern Käse?	Ja, ich finde Käse lecker. / Nein, ich mag Käse nicht gern.
Isst du gern Oliven?	Ja, ich esse gern Oliven.
	Nein, ich esse nicht gern Oliven. / Nein, ich esse keine Oliven.

etwas kommentieren

Pro (+):
Ich finde das interessant! / Das ist toll!

Kontra (−):
Ich finde das nicht interessant! / Das nervt!

sagen, wie etwas schmeckt

Ist das scharf?	Nein, das ist nicht scharf.
Ist das lecker?	Ja, das ist lecker.

Essen beschreiben

Das ist süß/scharf/lecker. Ist das vegetarisch?
Das ist eine Spezialität aus der Schweiz mit Kartoffeln.

Ich habe Hunger.
Ich mag fast alles, aber ich esse kein Fleisch.

Gerichte

Vorspeisen:	Tomatensuppe mit Baguette / Salat mit Käse
Hauptgerichte:	Steak mit Kartoffeln und Salat / Hähnchen mit Gemüse / Fisch mit Kartoffelsalat

bestimmter und unbestimmter Artikel im Akkusativ

Nimmst du einen Hamburger? Nein, ich nehme lieber eine Suppe und ein Steak.
Ich nehme den Salat mit Käse. Und du?

kein-/nicht

Ich mag keine Oliven. / Fisch esse ich nicht gern.

lange (_) und kurze (.) Vokale: Ku̲chen – Su̲ppen, Oli̲ven – Schi̲nken, Karto̲ffeln – Toma̲ten
Wortakzent: der Salat – der Kartoffelsalat, das Curry – das Gemüsecurry

→ Interaktive Übungen

1 Willkommen in der Wagnergasse!

▶ 1.09

a) Sehen Sie das Video und sammeln Sie Informationen zu den Personen.

Nico

©DW

©DW

©DW

©DW

b) Tag 1 in Deutschland.
Nico hat Probleme. Welche?
Kreuzen Sie an und berichten Sie.

◯ Das Portemonnaie ist weg.

◯ Der Laptop ist weg.

◯ Die Tasche ist weg.

◯ Das Handy ist weg.

◯ Das Ticket ist weg.

◯ Der Pass ist weg.

der Pass

c) Wer hilft Nico?

---

2 Was möchtet ihr trinken?

▶ 1.10

a) Sehen Sie das Video und ordnen Sie zu.

1 Lisa
2 Nina
3 Sebastian
4 Nico

a Bier
b Kaffee mit viel Milch und wenig Zucker
c Cola
d Limonade

Lisa trinkt …

Sebastian möchte …

Nina nimmt …

b) Cola oder Limonade? Was nehmen Sie?

Ich möchte auch Limonade.

c) *Hast du Durst? Hast du Hunger?* Nico versteht die Fragen nicht. Wie helfen Nina und Lisa?
Kreuzen Sie an und berichten Sie.

Strategie 1

1 ◯ Nina fragt „Hast du Durst?" langsam und laut.

2 ◯ Nina zeigt Nico die Getränke noch einmal.

3 ◯ Nina fragt anders: „Was möchtest du trinken?"

Strategie 2

1 ◯ Lisa wiederholt die Frage von Nina.

2 ◯ Lisa übersetzt: „Hunger – hungry?"

3 ◯ Lisa sucht das Wort im Handy.

d) *Magst du …?* Arbeiten Sie mit den Strategien aus c).

Magst du Äpfel?

Äpfel?

Ja, magst du Äpfel? Apples.

Ach so, ja.

Isst du gern Kuchen?

…?

Ja, Kuchen …

3 Es gibt Pizza!

1.11

a) Sehen Sie das Video und ergänzen Sie die Namen.

Nawin _____

b) Sebastian bestellt Pizza am Telefon. Ergänzen Sie den Dialog.

💬 Pizza Pronto. Guten Tag.

💬 Hallo, hier ist _____ . Ich möchte _____ .

💬 Prima. Und wie ist Ihre Adresse?

💬 Ach so, ja. _____ 25. Klingeln Sie bei Möller.

💬 Dankeschön. Bis gleich!

c) Spielen Sie den Dialog aus b).

d) *Ich mach das!* Lisa, Nawin oder Sebastian? Wer macht was? Berichten Sie.

Artikel schreiben

Pizza bestellen

Rechnung bezahlen

e) Jetzt Sie! Fragen und antworten Sie.

Wer buchstabiert einen Namen?
Wer zählt bis 20?
Wer bestellt einen Kaffee?
Wer liest einen Text/Satz laut?
...

*Ich mach das! M A R I A –
Mein Name ist Maria.*

4 Die Party

1.12

a) Wer ist Selma? Wer ist Nawin? Sehen Sie das Video.
Sammeln Sie Informationen und berichten Sie.

b) Wie findet Nico Selma? Was meinen Sie?

👍 super/toll/klasse

👎 nicht so gut / nicht okay

c) Partyaktivitäten. Sammeln Sie.   *Wir tanzen.*

✷ d) Andere Länder und Spezialitäten. Was kennen Sie? Sammeln Sie im Kurs.

Selma

Nawin

1 Das 4 x 4-Spiel

a) Ergänzen Sie im Heft. Wer ist zuerst fertig?

4 Sprachen: Englisch, Spanisch, Deutsch, Türkisch

4 Sprachen • 4 Getränke • 4 Zahlen mit **s** •
4 Gegenstände im Kursraum • 4 Länder • 4 Nomen

b) Variieren und spielen Sie.

2 Zahlen raten

a) Spielen Sie zu zweit. Notieren Sie eine Zahl zwischen 1 und 50. Der Partner / Die Partnerin rät.

48? *Zu viel.* *17?* *Zu wenig.* *34?* *Zu viel.* *28?* *Zu viel.* *21?* *Ja, genau!*

b) Schreiben Sie eine Zahl zwischen 50 und 100 auf einen Zettel.
Ihr Partner / Ihre Partnerin klebt die Zahl an seinen/ihren Kopf und
rät die Zahl. Die anderen Mitspieler sagen *Zu wenig.* oder *Zu viel.*

65? *Zu wenig.*

3 Bingo bis 50. Notieren Sie neun Zahlen bis 50. Hören Sie und streichen Sie Ihre
Zahlen durch. Wer hat zuerst alle Zahlen?

🔊 1.62

1 ○ ○ ○ ○ ○ ○ ○ ○ ○
2 ○ ○ ○ ○ ○ ○ ○ ○ ○

4 Ist das ein ...? Fragen und antworten Sie.

1 **2** **3** **4**

Ist das ein Cappuccino?

*Nein, das ist
ein Kaffee.*

Ist das ein Laptop?

Nein, das ...

Ist das eine Tasche?

Nein, das ...

Sind das Spaghetti?

Nein, das ...

5 ABC-Stopp! Spieler Nr. 1 spricht das Alphabet.
Spieler Nr. 2 sagt Stopp. Alle suchen Wörter mit
dem Buchstaben. Wer hat die meisten Wörter?

A, B, C, D, E, F *Frau! Die Frau!* *Fünf, fragen,
Französisch!*

Stopp!

F wie ...

Frankfurt!

6 Vier gewinnt. Spielen Sie mit einem Partner / einer Partnerin. Jede/r hat vier Münzen. Legen Sie Ihre Münze auf ein Feld. Lösen Sie die Aufgabe. Haben Sie vier Münzen →, ↓ oder ↘? Gewonnen!

Buchstabieren Sie. Sudhakar Yakkanti	**Wie heißen Sie?**	**Fragen Sie.** Wie ...? Woher ...? Wo...?	**Sagen Sie die Telefonnummer:** 0162 2081430	**Ergänzen Sie die Begrüßung.** ..., Ala. ..., Konstantin.	**Pizza, Spaghetti, Pommes frites – Was essen Sie gern?**
Fragen Sie. 💬 ...? 🗨 Für mich bitte Tee. 💬 ...? 🗨 Nein, ohne Milch.	**Ergänzen Sie.** 💬 ..., bitte. 🗨 Das macht 7 Euro 50.	**Wie ist Ihre Meinung?** Fotos von Essen im Internet sind ...	**Ordnen Sie zu.** 1. Deutschland 2. Österreich 3. Schweiz a. Wien b. Bern c. Berlin	**Beantworten Sie die Fragen.** Kommen Sie aus Spanien? Wohnen Sie in Deutschland?	**Ergänzen Sie.** Ich trinke Kaffee mit ... und ohne ...
Fragen Sie. 💬 ...? 🗨 Ja, das ist vegetarisch. 💬 ...? 🗨 Nein, das ist nicht scharf.	**Zählen Sie laut bis 20.**	**D-A-CH: Wie heißen die Länder?**	**Was machen Foodblogger?**	**Konjugieren Sie:** ich spreche du ... er/es/sie ... wir ... ihr ... sie/Sie ...	**Fisch, Gemüse, Steak – Was essen Sie nicht gern?**
Ordnen Sie zu. 1. Name 2. Ort 3. Land a. USA b. Dallas c. Lauren	**Ergänzen Sie W-Fragen.** 💬 ...? 🗨 Aus Syrien. 💬 ...? 🗨 In Berlin.	**Ergänzen Sie.** 💬 Kaffee ... Milch und ... Zucker, bitte. 🗨 Kommt sofort!	**Wie ist der Singular von** *die Pakete,* *die Namen,* *die Adressen*?	**Fragen Sie.** ... heißt du? ... Sprachen sprichst du?	**Wie ist Ihre Adresse?**
Ergänzen Sie. Die Original-Pizza kommt aus .... Fastfood kommt aus ...	**Lesen Sie laut.** MEINNAMEIST LISAMEIERICH BINFÜNFUND ZWANZIGJAHRE ALTUNDKOMME AUSBREMEN.	**Wie ist Ihre Handynummer?**	**Wo spricht man ...?** Spanisch Polnisch Türkisch Deutsch	**Konjugieren Sie.** ich habe du ... er/es/sie ... wir ...	**Ergänzen Sie.** T...ü.., Ulrike! .sch.ss, Tom!

GEDICHTE, GEDICHTE!

EINS, ZWEI, DREI …

1 und 2

Sie kommt aus der Türkei.

3 und 4

Sie spielt sehr gern Klavier.

5 6 7 8

Und sie lacht.

9 und 10

Auf Wiedersehen!

ICH LESE

Ich lese,

du liest,

wir lesen,

sie lesen.

Und wer schreibt?

DIE 4

sie

ich

Wer?

Ich und du.

_____?

Ja. Ich und du.

er

Und _____?

Er auch.

er

Und _____?

Sie auch.

sie

Wir

Dann _____ und du und

_____ und _____!

DER, DIE, DAS

ein und kein

das die der

Das geht mit Fantasie!

der das die

der die das

Das ist viel zu schwer!

Das macht keinen Spaß!

Das versteht kein Schwein!

Das kann ich mit den Gedichten machen

- das Gedicht hören
- das Gedicht laut lesen
- das Gedicht ergänzen
- das Gedicht sortieren
- das Gedicht variieren

Die Sieger im Graz-Marathon

Edwin Kirwa und Elisabeth Smolle siegten über die Marathon-Distanz

Von Karin Schütze

Der Graz-Marathon

HIER LERNEN SIE:
- Zeitangaben verstehen
- Termine machen
- über Tagesabläufe sprechen
- nach Abfahrtszeiten fragen
- auf eine Einladung antworten

Graz. Am Sonntag siegte Edwin Kirwa aus Kenia in 2:12:57 Stunden bei den Männern und Elisabeth Smolle aus Österreich in 3:13:36 Stunden bei den Frauen. Der Graz-Marathon findet seit 1993 statt. Die 42,195 Kilometer führen durch die Stadt Graz.

Das Zeit-Quiz

Was dauert 6 Minuten?

a) Spaghetti kochen
b) den Marathon-Text lesen
c) ein Ei kochen

8 Jahre im Leben ...

a) schlafen die Deutschen.
b) arbeiten die Deutschen.
c) sehen die Deutschen fern.

Wie lange kaufen die Deutschen ein?

a) 1 Jahr und 6 Monate
b) 25 Tage und 18 Stunden
c) 1 Monat und 3 Tage

Das Leben fragt:

Was nutzen Sie?

das Interview

Das Handy

oder

die Armbanduhr?

die Weltzeituhr auf dem Alexanderplatz in Berlin

Sekunden, Minuten, Stunden, ...

1 **Die Weltzeituhr auf dem Alexanderplatz in Berlin.** Welche Länder und Städte kennen Sie? Wie viel Uhr ist es in ...?

2 **Über den Graz-Marathon berichten – Zahlen helfen.** Wer? Wo? Was? Wie schnell? Lesen Sie den Zeitungsartikel. Markieren Sie Zahlen und Zeiten. Berichten Sie.

3 **Die Zeit stoppen**
a) Wie lange lesen Sie den Marathontext? / ... gehen Sie zur Tür und zurück? / ... zählen Sie von 1–60? / ...? Vergleichen Sie im Kurs.

b) Suchen Sie die Artikel von *Fahrplan*, *Sekunde* und *Termin* in der Wortliste. Stoppen Sie die Zeit.

4 **Das Zeit-Quiz.** Raten Sie und vergleichen Sie.

5 **Wie lange schlafen / frühstücken / kochen / lernen Sie am Tag oder in der Woche?** Fragen und berichten Sie.

6 **Handy oder Armbanduhr?**
1.13 Wer nimmt was? Sehen Sie das Video und sammeln Sie. Machen Sie eine Umfrage im Kurs.

Termine und Uhrzeiten

1 Ein Terminproblem

🔊 2.02

a) Welches Bild passt? Hören Sie und kreuzen Sie an.

b) Lesen Sie den Dialog. Markieren Sie die Uhrzeiten und vergleichen Sie mit dem Minimemo.

💬 JEVOTEC, guten Morgen!
Sie sprechen mit Frau Otto.

💬 Guten Morgen, Frau Otto.
Hier ist Arthur Hüsch.

💬 Guten Morgen, Herr Hüsch. Wo sind Sie denn?
Es ist 9:25. Wir haben um 9:30 einen Termin.

💬 Ja, es tut mir leid, die S-Bahn fällt aus.
Ich nehme jetzt den Bus. Ich bin in einer
halben Stunde da.

💬 Ok. Dann bis später.
Auf Wiederhören!

💬 Bis gleich!

> **Minimemo**
>
> **Uhrzeit formell**
>
> Sie lesen 9:25.
> Sie sagen 9 Uhr 25.

2 Wann fährt der Bus ab?

a) Lesen Sie die Fahrpläne. Fragen und antworten Sie.

Linie 2
9:18
9:28
9:38
9:48
9:58

Linie 4
9:25
9:35
9:45
9:55
10:05

Linie 4N
20:25
21:45
22:05
22:25
22:45

Linie 5
8:52
9:52
10:52
11:52
12:52

> *Wann fährt die Linie 2 ab?*
>
> *Um 9 Uhr 18 oder um 9 Uhr 28.*

b) Es ist 9:30. Welche Linie(n) nimmt Herr Hüsch? Um wie viel Uhr?

3 Wie spät ist es? Es ist …

a) Uhrzeiten informell. Lesen und vergleichen Sie. *Es ist kurz vor zehn.*

7 Uhr	12 Uhr 30	14 Uhr 45	20 Uhr 15	21 Uhr 57	23 Uhr 55
sieben	halb eins	Viertel vor drei	Viertel nach acht	kurz vor zehn	fünf Minuten vor zwölf / fünf vor zwölf

b) Wie viel Uhr ist es? Fragen Tund antworten Sie. *Es ist … oder …*

c) Nach der Uhrzeit fragen. Sammeln Sie Redemittel.

4 Die Weltzeit

Wie spät ist es jetzt in …? Fragen und recherchieren Sie.

In London ist es 15:34.

In Tokio ist es 23:34.

Wie spät ist es in New York? 10:34.

New York • Moskau • Rio de Janeiro • Amman • Nairobi • Bangkok …

5 Von Montag bis Sonntag – die Woche

a) Lesen Sie den Terminkalender von Herrn Hüsch. Markieren Sie die Wochentage.

2.03 b) Montag, Dienstag, Mittwoch, …
Hören Sie und sprechen Sie schnell.

c) Heute ist Montag. Morgen ist …
Gestern war … Ergänzen Sie.

d) Am Montag um … Was macht Herr Hüsch wann? Fragen und antworten Sie.

1 Wann holt er das Auto ab?
2 Wann ruft er Dr. Bergmann an?
3 Wann hat er eine Telefonkonferenz?
4 Wann hat er Training?
5 Wann schaltet er den Computer aus?
6 Wann kauft er ein?
7 Was macht er am Wochenende?

Montag
16:00 Auto abholen

Dienstag
11:00 Dr. Bergmann anrufen

Mittwoch
10:00–12:00 Telefonkonferenz

Donnerstag
18:00–20:00 Training

Freitag
14:00 Computer ausschalten
17:00 einkaufen

Samstag Sonntag
ausschlafen :-)

6 Anrufen, einkaufen, abholen, …

16.4 a) Markieren Sie die Verben im Kalender in 5 a) und ergänzen Sie die Tabelle.

Grammatik

Trennbare Verben

Infinitiv		Position 2		Satzende
abholen	Er	holt	das Auto am Montag	ab .
anrufen	Er	ruft	Dr. Bergmann am Mittwoch	an .
ausschalten	Er	schaltet	den Computer am Freitag	aus.
einkaufen	Er	kauft	am Samstag	ein.

2.04 b) Hören Sie die Infinitive und markieren Sie den Wortakzent. Sprechen Sie nach.

an rufen   ein kaufen   ab holen   aus schalten   fern sehen   ab fahren

c) Und Sie? Schreiben Sie Wort- und Satzfragen. Fragen und antworten Sie.

1 ○ Rufst du mich an?
   ● Ja, ich rufe dich an.

2 ○ Wann rufst du mich an?
   ● Ich rufe dich am Freitag um 21:30 an.

3 ○ Kaufst du Wasser und Saft ein?
   ● …

4 ○ Wann …?   *Nein, ich rufe dich nicht an.*
   ● …

1 Tageszeiten. 6 Uhr morgens oder abends?

a) Ordnen Sie die Uhrzeiten zu.

18:00–22:00 • 12:00–14:00 • 9:00–12:00 • 22:00–5:00 • 5:00–9:00 • 14:00–18:00

> Gute Nacht!
> Schlaf gut!

am Morgen	am Vormittag	am Mittag	am Nachmittag	am Abend	in der Nacht
Guten Morgen!	Guten Morgen!	Guten Tag!	Guten Tag!	Guten Abend!	Gute Nacht!

 b) Welcher Termin passt? Sprechen Sie schnell.

Kannst du / Können Sie	am Freitag	um 17:15?	Ja, das passt.
Haben Sie noch einen Termin	am Mittwoch	um kurz vor vier?	Ja, das geht.
	morgen Vormittag	um zehn nach neun?	Nein, das geht leider nicht.
Ich möchte einen Termin	am Montag	um 12:00.	Nein, das passt leider nicht.
Ich hätte gern einen Termin	heute	um 15:30.	Nein, aber geht es am … um …?
	am Samstag	um Viertel nach drei.	
	…	…	

c) Vier Minidialoge. Hören Sie und spielen Sie.

2 Beim Friseur

a) Hören Sie. Wann ist der Termin?
2.05

b) Lesen Sie den Dialog laut.

💬 Friseur Haareszeiten, guten Morgen.

💬 Guten Morgen. Hier ist Maria Gómez. Ich hätte gerne einen Termin.

💬 Einen Moment, bitte … Passt es Dienstag um 10:30?

💬 Am Vormittag arbeite ich. Geht es auch am Dienstagnachmittag?

💬 Ja, … um 15:45 ist noch ein Termin frei.

💬 Ja, prima. Der Termin passt.

💬 Dann bis Dienstag um 15:45, Frau Gómez. Auf Wiederhören!

💬 Danke. Tschüss!

c) Andere Namen, andere Termine. Variieren Sie.

Beim Friseur „Haareszeiten"

3 Ein ganz normaler Donnerstag

a) Sehen Sie die Bilder an. Wer sind Alice und Murat? Was machen sie?

 Alice, 24
Studentin

 Murat, 31
Bäcker

einkaufen

zur Uni fahren

fernsehen

frühstücken

ins Bett gehen

abholen

b) Alice (A), Murat (M) oder beide?
Hören Sie das Interview und kreuzen Sie an.

2.06

aufstehen

weggehen

arbeiten/backen

Fußball spielen

Tests vorbereiten

c) Wählen Sie Alice oder Murat. Hören Sie noch einmal
und tragen Sie die Zeiten im Kalender ein. Vergleichen Sie.

4 Gemeinsam Termine finden

a) Was machen Sie am Donnerstag? Notieren Sie drei Tätigkeiten und Termine.

13.1

b) *Kannst du am ... um ...?* Finden Sie gemeinsam Termine und notieren Sie.

💬 Kannst du am ... / um ...?

💬 Nein, da arbeite ich.
Aber kannst du um ...?

💬 Ja, prima, das passt.

5 Alice lädt Freunde ein

a) Lesen Sie die Einladung und beantworten Sie die Fragen.

Hallo ihr Lieben,
Pasta oder Pizza? Egal! Ich lade euch ein: Am Freitag um 19:30,
Goethestr. 24, 45657 Recklinghausen (Buslinie 224 oder 249).
Wein oder Wasser? Egal! Das bringt ihr mit ;-).
Bitte antwortet schnell – ich freue mich ☺.
LG Alice 🍷 🍕 🌷

1 Wann ist das Essen? *19:30*

2 Was gibt es zu essen? *Pasta or pizza*

3 Wo wohnt Alice? *House address*

4 Welcher Bus fährt? *224 or 249*

5 Was bringen die Gäste mit?
   Beverages

b) Ihre Antwort. Wählen Sie eine Sprach- ODER Textnachricht. Machen Sie Notizen und antworten Sie.
Die Redemittel helfen.

1 Berlin-Marathon. **Lesen Sie den Zeitungsartikel und beantworten Sie die Fragen.**

16.09.2018

Weltrekord beim Berlin-Marathon

Am Sonntag siegte Eliud Kipchoge aus Kenia im Berlin-Marathon mit einer Weltrekordzeit: 42,195 km in 2:01:39! Kipchoge (33 Jahre alt) siegte auch 2015 und 2017. Bei den Frauen siegte Gladys Cherono, auch aus Kenia, in 2:18:11. Der Berlin-Marathon findet seit 1964 statt.

1 Woher kommen Eliud Kipchoge und Gladys Cherono?

Aus ...

2 Seit wann findet der Marathon statt?

Seit ...

3 Wo findet der Marathon statt?

4 Wie viele Kilometer hat ein Marathon?

5 Wer sind 2018 die Sieger?

6 Was ist 2018 die Weltrekordzeit?

2 Terminprobleme

a) Welches Foto passt? Hören Sie und lesen Sie die Dialoge. Ordnen Sie zu.
2.07

a

b

c

1 🔵 Lisa, die Bahn fällt aus.
⚪ O.k. Wann kommst du?
🔵 Hm ... so um halb zehn. Die Bahn fährt um Viertel nach neun.
⚪ Alles klar. Bis später!
🔵 Bis dann.

2 🔵 Guten Morgen, Frau Schulze.
⚪ Morgen, Herr Wolf. Wo sind Sie denn? Die Konferenz fängt um zehn an. Jetzt ist es fünf vor zehn!
🔵 Ich weiß ... tut mir leid. Ich bin um halb elf da.
⚪ Alles klar. Bis gleich.
🔵 Ja, bis gleich.

3 ⚪ Hallo Karl. Wir gehen jetzt essen. Kommst du mit?
🔵 Ich kann leider nicht. Trinken wir um Viertel nach vier einen Kaffee?
⚪ Geht es auch um halb fünf?
🔵 Ja, das geht.
⚪ Super, bis später.
🔵 Bis später.

b) Lesen Sie noch einmal und zeichnen Sie die Uhrzeiten ein.

1 Wann fährt die Bahn?

2 Um wie viel Uhr fängt die Konferenz an?

3 Um wie viel Uhr ruft Herr Wolf Frau Schulze an?

4 Wann machen Tina und Karl eine Kaffeepause?

3 Die Zeit. **Welche Uhrzeiten hören Sie? Kreuzen Sie an.**

2.08

1 a ◯ 16:15   b ⊗ 17:15   c ◯ 17:45

2 a ◯ 8:00   b ◯ 7:00   c ◯ 18:00

3 a ◯ 18:50   b ◯ 19:00   c ◯ 19:15

4 a ◯ 17:20   b ◯ 8:17   c ◯ 7:20

5 a ◯ 16:05   b ◯ 16:00   c ◯ 14:30

4 Entschuldigung, wie spät ist es? **Ergänzen Sie wie im Beispiel.**

1   2   3   4   5

1 *Es ist halb neun.*   *Es ist 8:30.*   *Es ist 20:30.*

2

3

4

5

5 Hier ist es jetzt ... Wie spät ist es in ...? **Recherchieren Sie und schreiben Sie.**

Wie spät ist es in ...

1 Bogotá (Kolumbien)?   *Es ist ...*   4 Tokio (Japan)?

2 Denpasar (Indonesien)?   5 Cardiff (Großbritannien)?

3 Stockholm (Schweden)?   6 Yaoundé (Kamerun)?

6 Die Woche

a) **Ergänzen Sie die Wochentage.**

Mo. *Montag*   Sa.   ⎫
                        ⎬ das Wochenende
Di.   So.   ⎭

Mi.

Do.   **Landeskunde**

Fr.   In Deutschland beginnt die
       Woche am Montag.

b) *Heute* und *morgen*. **Ergänzen Sie die Wochentage.**

1 Heute ist Montag. Morgen ist   .

2 Morgen ist Freitag. Heute ist   .

3 Heute ist Sonntag. Morgen ist   .

4 Morgen ist Donnerstag. Heute ist   .

7 Eine Woche, viele Termine

a) Lesen Sie den Terminkalender von Herrn Hüsch auf S. 73 und korrigieren Sie wie im Beispiel.

1 Herr Hüsch ◁ schaltet ▷ am ~~Donnerstag~~ um 14:00 den Computer ◁ aus ▷ .

2 Er holt am Freitag um 14:00 das Auto ab.

3 Er hat am Dienstag von 10:00 bis 12:00 eine Telefonkonferenz.

4 Er ruft Dr. Bergmann am Dienstag um 13:00 an.

5 Er kauft am Samstag um 17:00 ein.

6 Er schläft am Samstag aus.

1 Herr Hüsch schaltet am Freitag um 14:00 Uhr den Computer aus.

2 Er ...

b) ◁ ... ▷ **Markieren Sie die trennbaren Verben in a).**

c) Ergänzen Sie die trennbaren Verben im Infinitiv aus a).

ausschalten, ...

d) Lesen Sie die trennbaren Verben in c) laut und markieren Sie den Wortakzent. Die Aufgabe 6 b) auf S. 73 hilft.

8 Der Kalender von Silvia. **Lesen Sie die Termine. Was macht Silvia wann? Schreiben Sie Fragen und Antworten.**

Mo.	Di.	Mi.	Do.	Fr.	Sa.	So.
8:15 Uhr Arzt	14–16 Uhr Deutschkurs	16–18 Uhr Deutsch lernen	16:30 Uhr Markus treffen	10:30 Uhr Friseur	10–18 Uhr arbeiten	9:30 Uhr Frühstück mit Paul
	15:45–17:15 Uhr Tennis spielen	14:30 Uhr Telefonkonferenz	17:15–18:45 Uhr Yoga machen	21 Uhr Pizza bestellen		

1 Wann geht Silvia zum Arzt? _____

2 *Wann hat Silvia eine Telefonkonferenz* _____ ? Am Mittwoch um 14:30 Uhr.

3 Wann frühstückt Silvia mit Paul? _____

4 _____ ? Am Dienstag von 15:45 bis 17:15 Uhr.

5 Wann trifft Silvia Markus? _____

6 _____ ? Am Samstag von 10 bis 18 Uhr.

7 Wann lernt Silvia Deutsch? _____

8 _____ ? Am Freitag um 21 Uhr.

9 Wann ist der Friseurtermin? _____

10 _____ ? Am Donnerstag von 17:15 bis 18:45 Uhr.

9 Der Tagesablauf von David

a) **Vier trennbare Verben. Markieren Sie.**

1 7:00
aufstehen

2 7:15
frühstücken

3 8:30–16:30
arbeiten

4 17:00
ein Paket abholen

5 17:30–18:15
Sport machen

6 18:45
einkaufen

7 20:15
Andi anrufen

8 23:00
ins Bett gehen

b) **Schreiben Sie Sätze wie im Beispiel.**

David   steht   um sieben Uhr   auf .

Er   frühstückt   um Viertel nach sieben.

10 Mein Tag. **Schreiben Sie einen Ich-Text.**

Ich stehe um ... auf.

11 Geht das? **Lesen Sie die Fragen und antworten Sie.**

1

Thüringer Universitäts- und Landesbibliothek

Mo. – Fr.: 09:00 – 22:00 Uhr
Sa.: 10:00 – 18:00 Uhr
So.: geschlossen

2 Konzert in der Bar Fuchs

EUR 19,90

Freitag
08. März
20:00 Uhr

3 Paketservice
Dirkestr. 25
99084 Erfurt

Öffnungszeiten:

Montag – Mittwoch: 09:00–12:00 Uhr

Donnerstag: 15:00–18:00 Uhr

Freitag – Samstag: 09:00–12:00 Uhr

4 *Restaurant Italia*

Aktionstage

Montag: Pasta nur 4 €
Dienstag: Pizza nur 6 €
Mittwoch: Döner nur 2 €

1 Silvia holt am Montag um 08:00 ein Buch in der Bibliothek ab. Geht das?

◯ Ja, das geht.   ◯ Nein, das geht nicht.

2 Silvia geht am Freitagabend ins Konzert. Geht das?

◯ Ja, das geht.   ◯ Nein, das geht nicht.

3 Silvia holt am Mittwoch um 11 Uhr zwei Pakete ab. Geht das?

◯ Ja, das geht.   ◯ Nein, das geht nicht.

4 Silvia isst am Montag Döner für 2 Euro. Geht das?

◯ Ja, das geht.   ◯ Nein, das geht nicht.

12 Ich hätte gern einen Termin

a) Videokaraoke. Sehen Sie und antworten Sie.

1.14

b) Was ist richtig? Sehen Sie noch einmal.
Kreuzen Sie an.

1 Wie heißt die Ärztin?

a ◯ Dr. Schneider.

b ◯ Dr. Schulz.

c ◯ Dr. Schröder.

2 Wann ist der Termin?

a ◯ Am Mittwochmittag.

b ◯ Am Mittwochnachmittag.

c ◯ Am Mittwochmorgen.

13 Maria und Felix. **Lesen Sie den Terminkalender von Maria und antworten Sie.**

1 Montag

Gehen wir heute Abend ins Konzert?

Nein, ich habe um 19:30 Fußball-training.

2 Dienstag

Kochen wir heute Abend zusammen?

Nein, heute nicht. Ich ...

Mo.	19:30 – Fußballtraining
Di.	20:00 – Yoga
Do.	13:00–19:00 – arbeiten
Fr.	frei

3 Donnerstag

Holst du das Paket heute Nachmittag ab?

Das passt nicht. ...

4 Freitag

Weggehen?

Ich habe heute frei. ...

?

Nein. Ich habe keine Zeit ... und keine Lust!

14 Eine Party am Samstag

a) **Ordnen Sie den Dialog.**

◯ Hey Karina, ich mache Samstagabend eine Party. Hast du Lust?

◯ Ja, kein Problem. Bis Samstag!

◯ Wir fangen um 21 Uhr an.

◯ Bis dann. Ich freue mich!

◯ Um 21 Uhr kann ich leider nicht. Ich komme ein bisschen später.

① Hallo Lukas.

◯ Super! Wann denn?

b) **Hören und kontrollieren Sie.**

2.09

Fit für Einheit 6?

1 Mit Sprache handeln

Zeitangaben verstehen

Wie spät ist es? / Wie viel Uhr ist es?

Wann kommst du?

Wann hat er Training?

Es ist 9:30. / Es ist halb zehn.

Am Donnerstag um 18:00 Uhr.

Am Mittwoch von 16:00 bis 18:00 Uhr.

Termine machen

Ich möchte/hätte gern einen Termin.

Geht es auch am Nachmittag?

Hast du am ... / um ... Zeit?

Kannst du / Können Sie am ... / um ...?

Passt es Montag um 9:15?

Ja, um 15:30 ist noch ein Termin frei.

Ja, das passt / das geht.

Nein, das passt / das geht leider nicht.

Tut mir leid, ich habe keine Zeit.

über Tagesabläufe sprechen

Ich stehe um 8:30 auf, frühstücke und fahre zur Uni. Am Donnerstag habe ich Sprachkurse von 10:00 bis 14:00 Uhr.
Donnerstags gehe ich oft weg, zu Freunden oder um 20:00 Uhr ins Kino.

nach Abfahrtszeiten fragen

Um wie viel Uhr fährt die Bahn?

Entschuldigung, wann fährt die Linie 2 ab?

Die Bahn fährt um Viertel nach neun.

Um 9:18.

eine Einladung verstehen

Wir machen eine Party am Samstag um 20:00 Uhr in der Schillerstraße 32. Hast du Lust?

auf eine Einladung antworten

Um 20:00 Uhr kann ich leider nicht. Ich komme ein bisschen später. Kann ich etwas mitbringen?

2 Wörter, Wendungen und Strukturen

Uhrzeit

Es ist 16:15. = Es ist sechzehn Uhr fünfzehn. = Es ist Viertel nach vier.

Es ist 16:30. = Es ist sechzehn Uhr dreißig. = Es ist halb fünf.

Es ist 16:45. = Es ist sechzehn Uhr fünfundvierzig = Es ist Viertel vor fünf.

Um 16:30? Geht das?

Um 19:00 Uhr? Passt das?

Ja, das geht. / Nein, das geht nicht.

Ja, das passt. / Nein, das passt nicht.

Wochentage

Am Montag, am Dienstag, am Mittwoch, am Donnerstag, am Freitag, am Samstag, am Sonntag.
Am Wochenende.

Tageszeiten

Am Morgen/Vormittag/Mittag/Nachmittag/Abend. / Am Mittwochabend.
In der Nacht.

trennbare Verben

| an ◁ rufen | Wann | rufst | du | an ▷ | ? | | Ich | rufe | um 21:30 | an ◁ | . |

| auf ◁ stehen | Wann | steht | David | auf ▷ | ? | | David | steht | um 7:00 Uhr | auf ◁ | . |

3 Aussprache

lange und kurze Vokale: Montag – Dienstag – Mittwoch – Donnerstag – Freitag – Samstag – Sonntag

Wortakzent in trennbaren Verben: anrufen – einkaufen – abholen – ausschalten – fernsehen

→ Interaktive Übungen

das Brandenburger Tor

Sina, Studentin

Johanna, Fotojournalistin

Leon, Student, Reiseführer

HIER LERNEN SIE:

- über Sehenswürdigkeiten sprechen
- Fahrplaninformationen verstehen
- Verkehrsmittel nennen
- Wege beschreiben
- über meine Sachen sprechen

Berlin

Unterwegs mit Johanna

Zwei Tage in Berlin. Endlich! Mein Zug war pünktlich, und ich fahre mit dem Bus vom Hauptbahnhof zum Brandenburger Tor. Hier treffe ich Leon und Sina. Sie studieren
5 an der Humboldt-Universität. Leon spricht Englisch, Französisch und Italienisch und kennt die Stadt sehr gut. Er ist Reiseführer und macht auch Touren mit dem Fahrrad durch Berlin. Hier gibt es viele Sehens-
10 würdigkeiten.

Am Brandenburger Tor sind sehr viele Touristen. Wir machen schnell ein Selfie und gehen zu Fuß zum Reichstag. Dort fahren wir mit dem Aufzug in die Kuppel. Da war ich noch nie. Super Panorama! Ich 15 sehe die ganze Stadt.
Leon hat heute Nachmittag keine Zeit. Er hat eine Gruppe aus den USA. Ich bin mit Sina unterwegs und mache Fotos. Und morgen gehe ich in den Zoo. 20

○ Mein Tipp: die Kuppel im Reichstag

○ Der Potsdamer Platz: sehr modern!

○ Unser Treffpunkt an der Weltzeituhr

○ Die Museumsinsel

○ Der Fernsehturm am Alexanderplatz

○ Der Checkpoint Charlie

Das Reisejournal
Johanna besucht für „Das Reisejournal" Freunde in sieben deutschen Städten und berichtet.

6 Hamburg

5 Berlin

7 Köln

4 Dresden

1 Frankfurt

2 Stuttgart

3 München

1 Johanna macht eine Städtereise.
Wo war sie schon? Berichten Sie.
💬 Sie war schon in ...

2 **Sina, Leon und Johanna.** Lesen Sie und sammeln Sie Informationen.
💬 Sina und Leon kommen aus Berlin ...

🔊 2.10   3 **Sehenswürdigkeiten in Berlin.** Sina und Johanna machen einen Plan für den Nachmittag. Hören Sie und ordnen Sie die Fotos.

4 **Am Abend macht Johanna eine Favoritenliste.**
Wie findet sie die Sehenswürdigkeiten?
💬 Sie findet die Kuppel im Reichstag ...

✶ 5 **Sehenswürdigkeiten in Ihrer Stadt.**
Sammeln Sie und berichten Sie.
💬 Ich finde ...

Sehenswürdigkeiten in Berlin. Meine Favoriten:

die Kuppel im Reichstag: 👍👍👍
die Museumsinsel: 👍👍👍
das Brandenburger Tor: 👍👍
der Checkpoint Charlie: 👍👍
der Alexanderplatz: 👍👍
der Fernsehturm: 👍
der Potsdamer Platz: 👍

👍 o. k.   👍👍 super/toll   👍👍👍 total toll/absolut klasse

1 Mit dem Fahrrad durch Berlin

a) Leon war mit Touristen unterwegs. Wo waren sie? Lesen Sie das Programm und ordnen Sie die Fotos zu.

Info: Mit dem Rad durch Berlin. Ab 24 €, März bis Oktober, Mo–Do 14 Uhr, Fr, Sa, So 10 Uhr und 14 Uhr. Wir sprechen Englisch, Französisch, Spanisch, Italienisch, Polnisch, Russisch, Japanisch und Chinesisch.

Reservierung: Tel. 030 68 83 17 48 oder www.berlintour.example.net

1 ◯ 14:00 Uhr: Start auf dem Alexanderplatz

2 ◯ 14:15 Uhr: Fotostopp am Pergamonmuseum

3 ◯ 14:30 Uhr: Fotostopp am Brandenburger Tor

4 ◯ 14:45 Uhr: Pause am Reichstag

5 ◯ 15:30 Uhr: Fotostopp am Potsdamer Platz

6 ◯ 15:50 Uhr: Fotostopp am Checkpoint Charlie

7 ◯ 16:15 Uhr: Ende am Fernsehturm

b) Wo waren Leon und die Touristen wann? Berichten Sie.

Die Gruppe war um zwei Uhr auf dem Alexanderplatz.

Um Viertel nach zwei waren die Touristen ...

> **Minimemo**
>
> **Präteritum von *sein***
>
> er/es/sie war
> sie waren

2 Verkehrsmittel

a) Wie kommen Sie zum Deutschkurs / zur ...? Sprechen Sie schnell.

Ich fahre	mit dem Bus	zum Deutschkurs.
	mit dem Fahrrad	zum Sport.
	mit dem Auto	zum Museum.
	mit der U-Bahn	zur Arbeit.
	mit der S-Bahn	zur Universität.

Ich gehe zu Fuß. Und du/Sie?

b) Wie oft nutzen Sie die Verkehrsmittel? Fragen und antworten Sie.

− ◀————————▶ +
nie   manchmal   oft   immer

Ich fahre immer mit der U-Bahn zur Arbeit. Und du?

Ich fahre immer mit dem Fahrrad zur Arbeit. Ich fahre nie mit der U-Bahn.

der Bus

die U-Bahn

die S-Bahn

das Motorrad

der E-Roller

das Fahrrad

3 Fahrplaninformation

Sina und Johanna fahren zum Alexanderplatz. Lesen Sie die Informationen und beantworten Sie die Fragen.

1 Wo sind Sina und Johanna? Wie heißt die Haltestelle?

2 Wie fahren sie zum Alexanderplatz?

3 Wann fahren sie ab?

4 Wann kommen Sina und Johanna am Alexanderplatz an?

5 Steigen Johanna und Sina unterwegs um, oder gibt es eine Direktverbindung?

Die Haltestelle heißt …

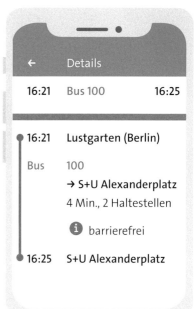

←	Details	
16:21	Bus 100	16:25

● 16:21 Lustgarten (Berlin)

Bus 100
→ S+U Alexanderplatz
4 Min., 2 Haltestellen

ⓘ barrierefrei

● 16:25 S+U Alexanderplatz

4 Können Sie mir helfen?

2.11

a) Welche Fahrplaninformation passt? Hören und lesen Sie. Kreuzen Sie an.

💬 Entschuldigung, können Sie mir helfen? Ich möchte zum Hauptbahnhof.

💬 Zum Hauptbahnhof? Moment, ich sehe mal nach. Also … Sie fahren mit dem Bus 4. Dann fahren Sie mit der U-Bahn zum Hauptbahnhof.

💬 Und wo steige ich um?

💬 Sie steigen am Theaterplatz um und fahren mit der U2 weiter.

💬 Vielen Dank!

Verbindung 1: ○

15:47	Marktstraße
U2	→ Universität
7 Min.	
15:54	U Theaterplatz
Fußweg 5 Min.	
16:03	Theaterplatz
Bus 4	→ Hauptbahnhof
10 Min.	
16:12	Hauptbahnhof

Verbindung 2: ○

10:20	Hauptbahnhof
Bus 4	→ Universität
4 Min.	
10:24	U Theaterplatz
Fußweg 5 Min.	
10:32	Theaterplatz
U2	→ Stadtpark
5 Min.	
10:37	Marktstraße

Verbindung 3: ○

18:07	Marktstraße
Bus 4	→ Universität
6 Min.	
18:13	U Theaterplatz
Fußweg 5 Min.	
18:24	U Theaterplatz
U2	→ Stadtpark
5 Min.	
18:29	Hauptbahnhof

2.12

b) Hören Sie und sprechen Sie nach.

1 mit der U2 **z**um **Z**oo

2 je**tz**t zum Mori**tz**pla**tz**

3 rech**ts** am Po**ts**damer Platz

4 um **z**ehn **z**um Theaterpla**tz**

5 **z**u Fuß **z**ur **Z**ei**tz**er Straße

6 mit der S-Bahn **z**um Bundespla**tz**

Regel: Die Buchstaben _____ spreche ich wie [t] + [s] aus.

c) Variieren Sie den Dialog.

zum Stadtpark • zum Theater • zur Goethestraße • zur Universität

5 Plakatprojekt: Meine Stadt

a) Sammeln Sie Fotos von Sehenswürdigkeiten und machen Sie ein Plakat. Planen Sie ein Programm für eine Tour wie in Aufgabe 1 a). ODER Machen Sie eine Favoritenliste wie in Aufgabe 4 auf S. 83.

b) Präsentieren Sie Ihr Plakat im Kurs.

1 Orientierung in der Stadt

 2.13

a) Johanna ist im Hotel und möchte zum Zoo. Sie sieht im Handy nach.
Hören Sie die Wegbeschreibung und ordnen Sie die Angaben zu.

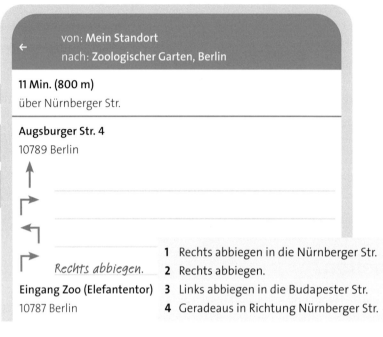

von: **Mein Standort**
nach: **Zoologischer Garten, Berlin**

11 Min. (800 m)
über Nürnberger Str.

Augsburger Str. 4
10789 Berlin

Rechts abbiegen.

Eingang Zoo (Elefantentor)
10787 Berlin

1 Rechts abbiegen in die Nürnberger Str.
2 Rechts abbiegen.
3 Links abbiegen in die Budapester Str.
4 Geradeaus in Richtung Nürnberger Str.

b) Hören Sie noch einmal und zeichnen Sie den Weg auf der Karte ein.

c) Was macht Johanna? Sehen Sie die Bilder an. Beschreiben Sie wie im Beispiel.

Johanna biegt links ab.

2 Wegbeschreibungen

 2.14

a) Wo ist das Café? Hören und lesen Sie. Ergänzen Sie das Café.

*Entschuldigung,
wo gibt es hier ein Café?*

*Das Café in der Berliner Straße ist
schön und nicht weit. Sie gehen
hier links in die Goethestraße und
dann rechts in die Berliner Straße.
Das Café ist rechts.*

der Supermarkt

 2.15

b) Hören Sie und ergänzen Sie die Ziele in der Karte.

c) Ergänzen Sie weitere Ziele (Kino, Universität, Theater, …) und beschreiben Sie die Wege.

Das sind meine Sachen

6

1 Ist das dein ...?

2.16

a) Johanna fragt Sina und Leon. Wem gehört was?
Hören Sie die Dialoge und ordnen Sie die Gegenstände zu.

Sina	○	○	○	Ⓧ	○
Leon	○	○	○	○	○

b) Lesen Sie und kontrollieren Sie Ihre Angaben in a).

💬 Ist das dein USB-Stick, Sina? 💬 Mein USB-Stick? Ja, das ist mein USB-Stick.

💬 Ist das dein Handy, Sina? 💬 Mein Handy? Nein, das ist das Handy von Leon. Das ist sein Handy.

💬 Sind das deine Bücher, Leon? 💬 Meine Bücher? Nein, das sind die Bücher von Sina. Das sind ihre Bücher.

💬 Ist das deine Brille, Leon? 💬 Meine Brille? Nein, das ist die Brille von Sina. Das ist ihre Brille.

💬 Sind das eure Schlüssel? 💬 Unsere Schlüssel? Ja, das sind unsere Schlüssel.

c) Hören Sie noch einmal und markieren Sie die Kontrastakzente in b) wie im Beispiel.

2 Seine Tasche – ihre Tasche

11.5

a) Vergleichen Sie die Bilder mit der Zeichnung. Fragen und antworten Sie wie im Beispiel.

Ist das die Tasche von Leon?

*Nein, das ist nicht seine Tasche.
Die Tasche gehört Sina.*

Ach ja, stimmt, das ist ihre Tasche.

b) Sammeln Sie Beispiele und ergänzen Sie die Tabelle.

	der Computer	die Brille	das Handy	die Schlüssel (Pl.)
ich	*mein Computer*			
du		*deine Brille*		
er			*sein Handy*	
sie				*ihre Schlüssel*

3 Das ist mein Buch

Fotografieren Sie vier Gegenstände im Kursraum. Zeigen Sie Ihre Fotos. Fragen und antworten Sie wie in 2 a).

1 Johanna plant die Städtereise. **Sie bleibt immer zwei Tage in einer Stadt. Wann ist sie wo?**
Lesen Sie die Sätze, vergleichen Sie mit der Karte auf S. 83 und ergänzen Sie die Wochentage.

Am _Montag_ ¹ startet die Reise von Johanna in Frankfurt. Sie bleibt zwei Tage und besichtigt die Stadt.

Am _____ ² fährt sie am Vormittag nach Stuttgart weiter. Dort trifft sie am _Donnerstag_ ³ eine

Freundin und kommt dann am _____ ⁴ in München an. Da hat sie schon ein Programm mit Elsa und

Julius. Von München fährt sie am _____ ⁵ nach Dresden, und am _____ ⁶ und

_____ ⁷ besucht sie Sina und Leon in Berlin. Danach fährt sie am _____ ⁸ nach Hamburg

weiter. Am _____ ⁹ und _____ ¹⁰ ist Johanna in Köln.

2 Johanna ist in Berlin. **Ordnen Sie den Fotos passende Aussagen zu. Zwei Sätze passen nicht.**

a Ich treffe Sina und Leon im Café.

b Leon wartet am Bahnhof.

c Wir machen ein Selfie.

d Ich bin mit Sina am Potsdamer Platz.

e Wir besichtigen die Kuppel.

f Ich bin mit Sina in Berlin unterwegs.

3 Sehenswürdigkeiten in Berlin

2.17 **a) Wo waren Sina und Johanna? Hören Sie und kreuzen Sie an.**

1 ◯ *am Berliner Dom* 👍👍👍   5 ◯ *auf der Museumsinsel* 👍👍👍

2 ◯ *am Checkpoint Charlie* 👍👍   6 ◯ *am Brandenburger Tor* 👍👍

3 ◯ *auf dem Alexanderplatz* 👍   7 ◯ *am Potsdamer Platz* 👍

4 ◯ *an der Kuppel im Reichstag* 👍👍👍   8 ◯ *am Fernsehturm* 👍

| 👍 o. k. | 👍👍 super/toll | 👍👍👍 sehr schön / absolut klasse |

der Berliner Dom

b) Wo waren Sina und Johanna heute und wie war es? Schreiben Sie Sätze wie im Beispiel.

1 *Sie waren am Checkpoint Charlie. Es war toll.* _____

2 _____ .

3 _____ .

4 _____ .

4 Flüssig sprechen. **Hören Sie und sprechen Sie nach.**

2.18 **1** am Berliner Dom – Sie war am Berliner Dom. – Johanna war heute am Berliner Dom.
2 auf dem Alexanderplatz – Sie war nicht auf dem Alexanderplatz. – Johanna war gestern nicht auf dem Alexanderplatz.
3 am Checkpoint Charlie – Sie war am Checkpoint Charlie. – Johanna war heute am Checkpoint Charlie.
4 auf der Museumsinsel – Sie war nicht auf der Museumsinsel. – Johanna war gestern nicht auf der Museumsinsel.

5 Verkehrsmittel

a) **Ordnen Sie zu.**

das Motorrad • das Auto • der E-Roller • der Bus • der Zug • das Fahrrad

b) **Wie oft nutzen Leon, Sina und Johanna die Verkehrsmittel? Ergänzen Sie.**

−   **+**   **++**   **+++**

nie   manchmal   oft   immer

1 Sina _____ (+) mit dem Fahrrad zur Universität.

2 Johanna _____ (++) mit dem Auto zur Arbeit.

3 Leon _____ (−) mit dem E-Roller zum Training.

4 Leon _____ (+++) mit dem Zug nach Hamburg.

c) **Wie fahren Sie immer, manchmal, ... zum Sport / zur ...? Ergänzen Sie die Sätze wie im Beispiel.**

1 Ich fahre *immer mit dem Fahrrad* _____ zum Sport.

2 Ich fahre _____ zum Theater.

3 Ich fahre _____ zur Arbeit.

4 Ich fahre _____ zur Universität.

5 Ich fahre _____ zum Deutschkurs.

6 Sie machen eine Reise. **Was machen Sie *immer, oft, manchmal* oder *nie*? Schreiben Sie.**

mit dem Zug/Bus/Auto/... fahren
ins Museum/Theater / in den Park / in die ... gehen   *Ich fahre immer mit ...* ....
Freunde besuchen/treffen
ein Buch lesen/kaufen/...

7 Nach Fahrplaninformationen fragen

a) **Videokaraoke. Sehen Sie und antworten Sie.**

_____ ab	Bülowstraße
U2	
14:46 an	Alexanderplatz
14:52 ab	_____
_____ 200	
15:05 an	Museumsinsel

b) **Sehen Sie noch einmal. Ergänzen Sie dann den Fahrplan.**

8 Der Fahrplan

a) **Sina und Johanna fahren zum Café Drossel. Ergänzen Sie die trennbaren Verben wie im Beispiel.**
Der Fahrplan hilft.

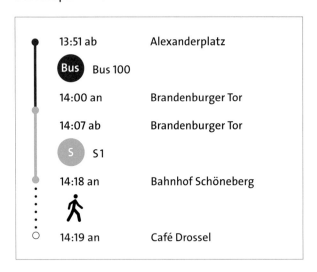

ankommen • umsteigen • abfahren • weiterfahren •
~~einsteigen~~ • ankommen • aussteigen • abfahren

Sina und Johanna haben noch Zeit für eine Pause im Café Drossel. Sie nehmen den Bus 100 und *steigen* _____

am Alexanderplatz *ein* ¹. Der Bus _____ um 13:51 _____ ² und sie _____

um 14:00 am Brandenburger Tor _____ ³. Dort _____ Sina und Johanna _____ ⁴.

Sie _____ mit der S1 _____ ⁵. Die S1 _____ um 14:07 _____ ⁶ und

_____ um 14:18 am Bahnhof Schöneberg _____ ⁷. Am Bahnhof Schöneberg

_____ Sina und Johanna _____ ⁸. Dann gehen sie zu Fuß zum Café Drossel.

b) **Johanna fragt Sina. Schreiben Sie Fragen wie im Beispiel.**

1 mal auf dem Handy nachsehen – du
2 Leon anrufen – du
3 Leon um fünf Uhr abholen – wir
4 sein Handy bei der Arbeit ausschalten – Leon
5 heute Abend zusammen weggehen – wir
6 Seminare in der Bibliothek vorbereiten – ihr

1 Siehst du mal auf dem Handy nach?

2 Rufst ...

9 Von der Post zum …? Navigation in der Stadt

🔊 2.19 **a)** Hören Sie und zeichnen Sie den Weg in die Karte.

Restaurant Park Post

Jahnstraße

Rosenheimer Str.

Heinersdorfer Weg

Max-Sabersky-Allee

Hotel Berlin

Jägerweg

Lorenzstraße

An den Ritterhufen

Café

Alberta-Str.

Univer-sität

Das Ziel ist

b) Ergänzen Sie die Informationen.

Post (Lorenzstraße, 12209 Berlin)

↑ *Gehen Sie geradeaus in Richtung Hotel Berlin.*

↱

↰

↱

↱

↰

c) *Gehen Sie geradeaus …* Beschreiben Sie den Weg von der Post zum Café.

Gehen Sie geradeaus in Richtung Hotel Berlin.

Biegen Sie dann …

10 Wegbeschreibungen

a) Ordnen Sie den Dialog.

Entschuldigung, können Sie mir helfen? Wie komme ich zum Brandenburger Tor?

Moment, bitte. Ich sehe mal im Handy nach.

◯ Danach biegen Sie rechts in die Straße Unter den Linden ab.

◯ Und da sehen Sie das Brandenburger Tor.

◯ Sie gehen die Dorotheenstraße weiter geradeaus und biegen links in die Schadowstraße ab.

1 Wir sind jetzt an der U-Bahn-Station Friedrich-straße. Hier, sehen Sie?

◯ Sie gehen weiter geradeaus zum Pariser Platz.

◯ Sie gehen geradeaus und biegen dann rechts in die Dorotheenstraße ab.

💬 Alles klar. Vielen Dank.

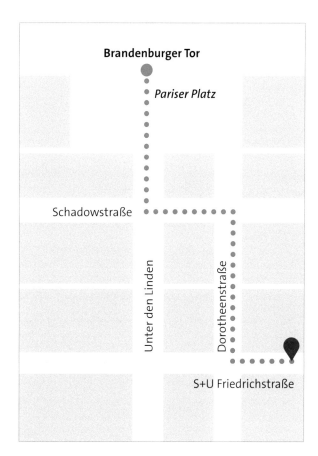

Brandenburger Tor

Pariser Platz

Schadowstraße

Unter den Linden

Dorotheenstraße

S+U Friedrichstraße

🔊 2.20 **b)** Hören und kontrollieren Sie.

c) Beschreiben Sie den Weg vom Brandenburger Tor zur U-Bahn-Station Friedrichstraße.

11 Wo ist ...?

🔊 a) Johanna (J), Sina (S) oder Leon (L)?
2.21 Hören und ergänzen Sie.

b) *Das ist ihr ...* Ergänzen Sie.

1 Das sind die Bücher von *Leon* _____ . Das sind *seine Bücher* _____ .

2 Das ist die Brille von _____ . Das ist _____ .

3 Das sind die Schlüssel von _____ . Das sind _____ .

4 Das ist das Handy von _____ . Das ist _____ .

12 Ist das dein ...? **Lesen Sie die Dialoge mit Johanna 💬, Sina 💬 und Leon 💬. Ergänzen Sie.**

1 💬 Johanna, ist das deine Tasche?

💬 Nein, *das ist nicht meine Tasche* _____ .

💬 Hm ... Sina, ist das deine Tasche?

💬 Super! Ja, _____ .

2 💬 Hier sind noch Schlüssel.

Johanna, _____ ?

💬 Nein, _____ . Leon?

💬 Oh, danke! Ja, _____ .

3 💬 Hier liegt ein Kopfhörer!

Leon, _____ ?

💬 Nein, _____ .

💬 Johanna, _____ ?

💬 Ja, danke, _____ .

4 💬 Wo ist denn mein Buch?

💬 Liegt es hier? *Ist das ...* _____ ?

💬 Nein, _____ .

Ah, hier! _____ .

13 *Unsere, eure, ...* Johanna schreibt eine E-Mail an Sina und Leon. Lesen Sie die E-Mail, markieren Sie wie im Beispiel und ergänzen Sie die Tabelle.

⬤ ◯

Liebe Sina, lieber Leon,

vielen Dank für alles. Ich komme gern noch einmal nach Berlin! Hamburg ist natürlich auch cool, aber eure Stadt finde ich absolut klasse!
Jetzt bin ich schon unterwegs nach Köln. Dort besuche ich Verena und Mike. Unser Tag heute wird sicher auch toll. Ihre Freunde arbeiten im Museum. Das ist interessant.

Viele Grüße
Johanna

PS: Unser Selfie am Brandenburger Tor ist echt cool, oder?

	der Tag	das Selfie	die Stadt	die Freunde (Pl.)
wir	*unser Tag*	_____	unsere Stadt	unsere Freunde
ihr	euer Tag	euer Selfie	_____	eure Freunde
sie/Sie	ihr/Ihr Tag	ihr/Ihr Selfie	ihre/Ihre Stadt	_____

Fit für Einheit 7?

über Sehenswürdigkeiten sprechen
Der Alexanderplatz war total toll.
Wir waren um 14:00 am Brandenburger Tor.

Fahrplaninformationen verstehen
Wann fährt der Bus ab?	Um 10:25.
Gibt es eine Direktverbindung?	Ja, die S 5. / Nein, leider nicht.
Wo steige ich um?	Sie steigen am Theaterplatz um.

Wege beschreiben
Entschuldigung, wie komme ich zum Brandenburger Tor?	Sie gehen die Dorotheenstraße geradeaus und biegen links in die Schadowstraße ab.
Moment, ich gehe also links in Richtung Bahnhofstraße und dann rechts?	Ja, genau. Das ist richtig. / Nein, Sie gehen hier links und dann wieder links.

Verkehrsmittel nennen
Nimmst du den Bus?	Nein, ich fahre mit der U-Bahn.
	Ich fahre immer mit dem Fahrrad zur Arbeit.

über meine Sachen sprechen
Ist das dein Handy?	Ja, das ist mein Handy. / Nein, das ist das Handy von Leon.
Leon und Sina, sind das eure Schlüssel?	Ja, das sind unsere Schlüssel. / Nein, das sind die Schlüssel von Johanna. / Das sind ihre Schlüssel.

Verkehrsmittel
mit der U-Bahn, mit dem E-Roller, mit dem Zug, mit dem Fahrrad

Präteritum von *sein*
Er/Es/Sie war in ...	Sie war schon mal in Berlin.
Sie waren in ...	

Wie oft?
nie, manchmal, oft, immer	Nein, ich fahre nie mit dem Auto.

trennbare Verben
abfahren, umsteigen, ankommen	Sina steigt am Theaterplatz um.
	Der Bus fährt um 13:17 ab.

Navigation
rechts, links, geradeaus	Sie gehen hier links in die Goethestraße und dann geradeaus.

das *ts*, *tz* und *z* [ts]: Zoo – zehn – zum – jetzt – Bundesplatz – rechts – Potsdamer Platz

⇥ Interaktive Übungen

HIER LERNEN SIE:

• über eine Firma sprechen

• Orientierung im Gebäude

• Räume und Gegenstände im Büro benennen

• Begrüßungen im Beruf

○ die Bibliothek

○ die Küche

○ das Büro

1 Räume in einer Firma
Welche Räume gibt es? Sammeln Sie.

2 Im Büro
a) Was machen die Personen? Sammeln Sie.
b) Wählen Sie einen Raum aus.
Was macht man dort?

💬 Das ist die Küche, hier trinkt man Kaffee.

3 Ein Magazinartikel. Lesen Sie und sammeln Sie Informationen: Wer? Was? Wann? Wo?

4 Der erste Tag in der Agentur SANA
▶ Sehen Sie das Video und ergänzen Sie Ihre
1.16 Notizen aus Aufgabe 3.

5 In der Agentur. Welche Räume sehen Sie?
▶ Sehen Sie das Video und kreuzen Sie an.
1.17

○ die Empfangshalle   ○ der Kopierraum   ○ der Konferenzraum   ○ die Kantine

AGENTUR SANA

Kreativ & Direkt

**Die Agentur SANA ist seit 2008 eine Design-Agentur in Münster.
Hier arbeiten 70 Mitarbeiterinnen und Mitarbeiter: im Design, im
Management und in der IT.**

Interview mit
Patrizia Henne, Assistentin

*Frau Henne, seit wann arbeiten
Sie in der Agentur SANA?*
Ich arbeite seit fünf Jahren hier.

Was arbeiten Sie?
Ich bin Assistentin. Meine Arbeit
ist sehr interessant und ich habe
immer viel zu tun.

Was sind Ihre Aufgaben?
Ich organisiere viel. Ich mache
Termine, schreibe E-Mails und
telefoniere. Und ich begrüße neue
Mitarbeiterinnen und Mitarbeiter.
Ich zeige das Gebäude und das
Büro. Der erste Arbeitstag ist
wichtig.

Der erste Tag in der Agentur SANA

Erik Schulte,
Programmierer

„Mein erster Tag
war sehr gut.
Danke, Patrizia
Henne!"

In der Firma

1 In der ersten Etage

🔊 2.22 a) Patrizia Henne zeigt Erik Schulte das Gebäude. Hören Sie.
Welches Bild passt: A oder B? Kreuzen Sie an.

A ○

B ○

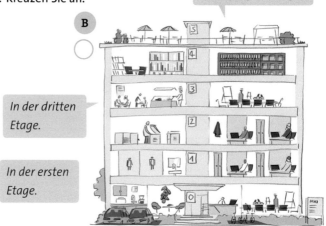

In der fünften Etage.

In der dritten Etage.

In der ersten Etage.

b) Hören Sie noch einmal und lesen Sie. Ergänzen Sie dann die Antworten.

1 💬 Entschuldigung, wo ist das Büro von Frau Henne?   💬 _____

2 💬 Wo ist hier die Kantine?   💬 _In der_ _____ _Etage._

3 💬 Wo sind die Konferenzräume, bitte?   💬 _Im_ _____

4 💬 Entschuldigen Sie, wo sind hier die Toiletten?   💬 _In_ _____

c) Lesen Sie die Fragen und Antworten in b) laut.

2 Orientierung im Büro

Was ist wo? Arbeiten Sie mit den Bildern aus 1a). Spielen Sie wie im Beispiel.

Wo ist der Kopierraum?

Der Kopierraum ist in der vierten Etage rechts.

Das ist Bild A.

3 Orientierung in der Sprachschule

Variieren Sie.

Redemittel

nach dem Weg fragen		antworten
Wo ist/sind bitte ...	der Eingang/Ausgang?	Im Erdgeschoss.
In welcher Etage ist/sind ...	das Lehrerzimmer / ...?	In der ersten Etage.
Entschuldigung, wo finde ich ...	den Fahrstuhl?	Hier links.
	die Bibliothek?	In der dritten Etage rechts.
Entschuldigung, wo ist das Sekretariat? *Das Sekretariat ist ...*	die Konferenzräume?	In der siebten Etage.
	das Sekretariat?	In der siebzehnten Etage.
	die Toiletten?	Im Erdgeschoss rechts.

4 Aufgaben im Beruf – Ein Podcast mit Matias

 a) Lesen Sie die Informationen und hören Sie den Podcast.
2.23 Was ist der Beruf von Matias?

b) Hören Sie noch einmal. Was sind seine Aufgaben?

Ideen erklären • Bücher kaufen • Projekte vorbereiten •
Termine machen • Dokumente kopieren •
Konferenzen organisieren • E-Mails schreiben •
Briefe schreiben • telefonieren • Fragen beantworten •
Gebäude zeigen • Präsentationen zeigen

Mitarbeiter Nr. 1 im April

Matias Gómez

für die Organisation
von Konferenzen.

Danke, Matias!
Die Agentur SANA hat jetzt auch
einen Podcast. Im April gibt es ein
Interview mit Matias. Mehr Informationen finden Sie im Intranet.

Er schreibt E-Mails.

5 Begrüßungen

 a) Hören und lesen Sie die Dialoge. Formell (f) oder informell (i)? Ergänzen Sie.
2.24

1

○ 💬 Guten Tag, Herr Miller.
Ich bin Ute Hansen.
⚫ Guten Tag, Frau Hansen.
Freut mich.
💬 Freut mich auch. Wie
geht es Ihnen? Wie war
der Tag bisher?

2

○ 💬 Hallo, ich bin Antonia.
⚫ Hallo, ich bin Stefano.
Heute ist mein erster
Tag.
💬 Willkommen! Bist du
auch Entwickler?
⚫ Ja. Du auch?

3

○ 💬 Hey Jenny. Schön, dich zu
sehen.
⚫ Hallo Paul. Wie geht's
dir?
💬 Super, danke. Alles klar
bei dir?

b) Lesen Sie die Dialoge in a) noch einmal und markieren Sie die Begrüßungen.

c) Wie begrüßt man sich bei Ihnen? Vergleichen Sie.

In meinem Land sagt man „Sie" und Nachname.

Wir sagen immer „du" und Vorname.

Wir geben Kolleginnen und Kollegen die Hand.

 d) Rollenspiel. Stellen Sie sich vor. Variieren Sie: Formell und informell.

1 Gegenstände im Büro

a) Welche Gegenstände kennen Sie? Ergänzen Sie.

das Regal • die Maus • der Computer • die Tastatur • der Notizblock • der Stift • das Telefon •
das Handy • die Pflanze • der Ordner • die Lampe • das Bild • das Magazin • der Papierkorb •
das Fenster • das Tablet • die Tasche • der Schlüssel • das Buch

das Regal

b) Hören Sie die Wörter und sprechen Sie nach.

2.25

Lerntipp

Schreiben Sie die Wörter auf. Kleben Sie die
Wörter auf die Gegenstände im Kursraum.

2 Wo ist ...?

13.3

a) Sehen Sie die Bilder an und ordnen Sie zu.

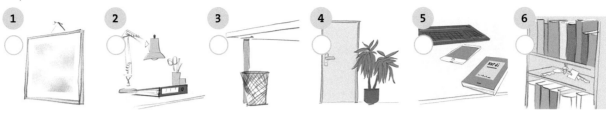

a neben der Tür stehen • b auf dem Tisch liegen • c im Regal liegen • d unter dem Tisch stehen •
e an der Wand hängen • f zwischen der Tastatur und dem Buch liegen

b) *Der Ordner steht im Regal.* Fragen und antworten Sie.

Minimemo

im = in dem
am = an dem

3 Was ist wo im Büro?

Arbeiten Sie mit dem Foto aus 1a). Fragen und antworten Sie wie im Beispiel.

Wo ist die Pflanze?

Die Pflanze steht vor dem Fenster.

4 Was ist wo?

a) D*as Whiteboard hängt an der Wand.* Beschreiben Sie Ihren Kursraum.

b) Wählen Sie ein Bild. Beschreiben Sie, die anderen zeichnen. Vergleichen Sie dann.

Wo steht der Stuhl?

Der Schreibtisch steht an der Wand. Über dem Tisch hängen ...

1 In der Agentur SANA

a) Was ist was? Ordnen Sie die Fotos zu.

 a ⑤
 b ○
 c ○
 d ○

 e ○
 f ○
 g ○

 h ○

1 die Empfangshalle, _____

2 die Toilette, _____

3 der Konferenzraum, _____

4 die Küche, _____

5 die Bibliothek, *die Bibliotheken* _____

 i ○

6 das Büro, _____

7 der Kopierraum, _____

8 der Fahrstuhl, _____

9 die Kantine, _____

b) Ergänzen Sie die Pluralformen in a) wie im Beispiel. Die Wortliste auf S. 278 hilft.

2 Patrizia Henne zeigt Erik Schulte die Agentur. **Was machen die Mitarbeiter wo? Verbinden Sie.**

1 Hier kochen wir Kaffee oder Tee.   a in der Kantine

2 Hier esse ich mit den Kolleginnen und Kollegen.   b im Kopierraum

3 Hier zeige ich Präsentationen.   c in der Küche

4 Hier diskutieren wir Projekte.   d im Büro

5 Hier schreibe ich E-Mails und telefoniere mit Kunden.   e im Gruppenraum

6 Hier mache ich Kopien.   f im Konferenzraum

3 Ordnungszahlen bis 20. **Hören Sie und sprechen Sie nach. Markieren Sie den Satzakzent.**

 2.26

1 eins	in der ersten Etage	Das Sekretariat ist in der ersten Etage.
2 zwei	in der zweiten Etage	Die Toiletten sind in der zweiten Etage.
3 drei	in der dritten Etage	Der Kopierraum ist in der dritten Etage.
...		
4 sieben	in der siebten Etage	Der Gruppenraum ist in der siebten Etage.
5 acht	in der achten Etage	Die Konferenzräume sind in der achten Etage.
...		
6 zwanzig	in der zwanzigsten Etage	Die Kantine ist in der zwanzigsten Etage.

4 Wo ist mein Büro?

1.18

a) Videokaraoke. Sehen Sie und antworten Sie.

Ich sitze im Büro 105.

b) **Was ist wo? Sehen Sie das Video noch einmal und beantworten Sie die Fragen.**

1 Wo treffen Sie Frau Henne? – *Ich treffe Frau Henne …*

2 Wo sind die Konferenzräume? –

3 Wo ist das Büro von Frau Henne? –

4 Wo ist Ihr Büro? – *Mein …*

5 Orientierung im Bürogebäude am Park

2.27

a) **Frau Gerling arbeitet im Bürogebäude am Park. Was ist wo? Hören Sie und ergänzen Sie die Räume.**

Firma Bülow

Firma Ott & Co

Büro Frau Möller

Sekretariat Meile

b) **Wo ist …? Lesen Sie die Fragen und vergleichen Sie mit a). Ergänzen Sie.**

1 💬 Entschuldigung, ist die Kantine in der vierten Etage?

💬 *Nein, die Kantine ist im Erdgeschoss rechts.*

2 💬 Gibt es hier im Erdgeschoss auch Toiletten?

💬 *Nein, die Toiletten sind in der …*

3 💬 Wo ist bitte das Büro von Frau Möller? Ist das in der zweiten Etage?

💬 *Nein, …*

4 💬 Guten Tag, wir haben einen Termin im Konferenzraum. Ist der Raum in der dritten Etage?

💬

5 💬 Ich kann den Kopierraum nicht finden. Ist der Kopierraum in der ersten Etage?

💬

6 Aufgaben im Beruf

a) Was passt zusammen? Ordnen Sie die Verben zu. Es gibt viele Möglichkeiten.

erklären • vorbereiten • schicken • lesen • organisieren
~~zeigen~~ • beantworten • schreiben • kopieren

1 Präsentationen   *zeigen,* _____

2 Konferenzen   _____

3 Projekte   _____

4 Ideen   _____

5 Fragen   _____

6 E-Mails und Briefe   _____

7 Dokumente   _____

b) Matias hat Stress. Lesen Sie die Dialoge und ergänzen Sie die neun Verben aus a).

Dialog 1:

💬 Guten Morgen, Herr Gómez. Sie *organisieren* _____ [1] die Konferenz mit der Firma Ott, oder?

💬 Hallo, Frau Kramer. Ja, ich _____ [2] noch die Dokumente.

💬 _____ [3] Sie auch die Präsentation?

💬 Nein, das macht Frau Henne. Sie _____ [4] unsere Ideen immer sehr gut. Ich bin aber auch

dort und _____ [5] dann die Fragen.

Dialog 2:

💬 Hallo Erik. Wie viele Personen kommen zur Konferenz?

💬 Hallo Patrizia! Ich weiß es nicht. Ich _____ [6] Frau Pingel eine E-Mail und frage sie.

Sie _____ [7] ihre E-Mails immer sofort und _____ [8] auch schnell eine

Antwort.

💬 Gut, _____ [9] du auch die Dokumente für morgen?

💬 Ja, das mache ich heute Nachmittag.

7 Der erste Tag in der Agentur SANA

🔊
2.28

a) Erik Schulte trifft seinen Kollegen Matias Gomez. Was ist richtig? Hören Sie und kreuzen Sie an.

1 ◯ Erik Schulte ist Programmierer.

2 ◯ Matias Gómez hat nicht viel Arbeit.

3 ◯ Erik Schulte bereitet mit Frau Kramer eine Präsentation vor.

4 ◯ Das Büro von Matias Gómez ist in der ersten Etage.

5 ◯ Bei Frau Kramer gibt es Stifte, Notizblöcke und Ordner.

b) Hören Sie noch einmal und korrigieren Sie die falschen Aussagen aus a).

Matias Gomez ... .

8 Guten Morgen!

a) Formell (f) oder informell (i)? Ergänzen Sie.

🔊 2.29

b) Formell oder informell? Hören Sie die Begrüßungen und kreuzen Sie an.

	1	2	3	4	5	6	7	8
formell	◯	◯	◯	◯	◯	◯	◯	◯
informell	◯	◯	◯	◯	◯	◯	◯	◯

9 Begrüßungen

a) Lesen Sie die Dialoge und ergänzen Sie.

Freut mich • Willkommen • Schön, Sie zu sehen • Alles klar bei dir

1 ◯ 💬 Guten Morgen, Herr Möller.

_____ in der Agentur SANA!

💬 Danke, Frau Henne.

2 ◯ 💬 Hallo, du bist neu hier, oder? Ich bin Paul.

💬 _____, Paul. Ich heiße Lena.

3 ◯ 💬 Hey Patrizia! _____?

💬 Ja, danke. Was machst du heute Abend? Gehen wir essen?

4 ◯ 💬 _____, Herr Schulte.

Wie war Ihr erster Tag?

💬 Guten Abend, Frau Henne. Gut, danke.

b) Lesen Sie die Dialoge aus a) noch einmal und ergänzen Sie formell (f) oder informell (i).

10 Gegenstände im Büro. Was ist das? Sehen Sie die Fotos an und schreiben Sie Antworten wie im Beispiel.

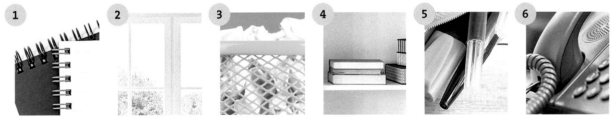

1 Sind das Ordner? – _Nein, das sind keine Ordner. Das sind Notizblöcke._

2 Ist das eine Tür? – _Nein, ..._

3 Ist das eine Pflanze? – _____

4 Ist das ein Schreibtisch? – _____

5 Sind das Schlüssel? – _____

6 Ist das ein Computer? – _____

Lösung: A = Notizblöcke, B = ein Fenster, C = ein Papierkorb, D = ein Regal, E = Stifte, F = ein Telefon

11 Welches Büro ist das?

🔊 a) Hören Sie die Beschreibung. Kreuzen Sie an.
2.30

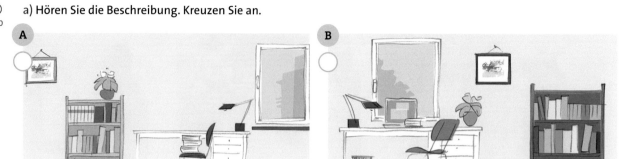

A ○

B ○

b) **Was ist wo? Lesen Sie die Beschreibung zu Bild B und ergänzen Sie die Präpositionen.**

neben (2x) • unter • an • vor (2x) • auf • zwischen • in

Der Schreibtisch steht _____ *vor* _____ ¹ dem Fenster. Links _____ ² dem Schreibtisch steht eine Lampe

und rechts steht eine Pflanze. Der Computer steht _____ ³ der Lampe und der Pflanze. _____ ⁴

dem Computer liegt ein Buch. _____ ⁵ dem Schreibtisch steht der Papierkorb. Rechts _____ ⁶

dem Schreibtisch steht ein Regal. _____ ⁷ dem Regal stehen Ordner und Bücher. Links _____ ⁸

dem Regal hängt ein Bild _____ ⁹ der Wand.

c) *Hängen*, *liegen* oder *stehen*? Ergänzen Sie. Der Text in b) hilft.

1 Das Bild _____ an der Wand.

2 Das Buch _____ auf dem Tisch.

3 Das Foto _____ auf dem Tisch.

4 Das Regal _____ neben dem Fenster.

d) **Beschreiben Sie Bild A aus a). Die Satzanfänge helfen.**

1 Der Schreibtisch steht *links neben dem Fenster.* _____

2 Die Lampe steht _____

3 Die Pflanze _____

4 Das Bild _____

5 Die Bücher _____

12 Mein Arbeitsplatz. Machen Sie ein Foto und beschreiben
Sie Ihren Arbeitsplatz.

Das ist mein Arbeitsplatz. Der Schreibtisch ...

Fit für Einheit 8?

1 Mit Sprache handeln

über eine Firma sprechen

Die Agentur SANA ist eine Design-Agentur in Münster.

In der Agentur SANA arbeiten 70 Mitarbeiterinnen und Mitarbeiter.

Ich bin Assistentin. Meine Aufgaben sind telefonieren, Termine machen und E-Mails schreiben.

Orientierung im Gebäude

Entschuldigung, wo ist das Sekretariat?

Wo sind die Toiletten?

Gibt es eine Kantine?

Das Sekretariat ist in der zweiten Etage links.

Die Toiletten sind im Erdgeschoss rechts.

Ja, in der siebten Etage. Der Fahrstuhl ist hier links.

Was ist wo?

Wo ist die Pflanze?

Wo steht der Ordner?

Die Pflanze steht vor dem Fenster.

Der Ordner steht im Regal zwischen den Büchern.

2 Wörter, Wendungen und Strukturen

Ordnungszahlen

in der ersten/zweiten/20. Etage

Aufgaben im Beruf

Ideen erklären, Termine machen, Präsentationen zeigen

Begrüßungen

formell:

Guten Tag, Herr ... / Frau ... / Schön Sie zu sehen.

informell:

Hallo Jenny. / Hey Olaf, schön dich zu sehen.

Gegenstände im Büro

der Ordner, das Regal, das Telefon, der Computer, der Notizblock, die Maus

Präpositionen

Der Ordner steht im Regal.

Das Bild hängt an der Wand.

Der Computer steht auf dem Tisch.

Der Notizblock liegt neben dem Computer.

Die Maus liegt neben der Tastatur.

3 Aussprache

Satzakzent: Das Büro ist in der ersten Etage.

⮊ Interaktive Übungen

Skifahren im Karwendel

HIER LERNEN SIE:

• sagen, was man mag und kann
• über Hobbys und Sport sprechen
• über den Studienort sprechen
• sagen, wo man war

ERSTI-TREFFEN:
15. September
18 Uhr MENSA

Tanzkurs
neuer Termin:
Montag, 19 Uhr

Aktuelles
Kletterkurs Donnerstag,
17 Uhr Sport-Campus

Handlettering machen

Fußball spielen

klettern

tanzen

Gitarre spielen

Yoga machen

Sport und Studium in Tirol

Für Touristen heißt Innsbruck Berge und Freizeit. Man kann in 20 Minuten mit der Bergbahn vom Stadtzentrum auf 2.256 m ins Karwendel fahren. So heißen die Berge bei uns. Für uns Studentinnen und Studenten ist die Universität attraktiv. Unsere Uni ist 350 Jahre alt. Es gibt 27.000 Studierende, 265 Professorinnen und Professoren und 3.222 Mitarbeiterinnen und Mitarbeiter. 11.400 Studierende kommen aus dem Ausland.

Studieren in Innsbruck ist eine ideale Kombination von Studium und Hobby. Auf dem Sport-Campus kann man Tennis und Fußball spielen. Im Sommer kann man klettern und radfahren, im Winter kann man im Karwendel Ski fahren, Snowboarden und Eisklettern. Das ist nicht nur für Sportstudierende interesssant. Keine Lust auf Berge und Wandern? Kein Problem! In der Volkshochschule gibt es 100 Hobbykurse: Malen und Fotografieren, Tanzen, Gitarre spielen, Yoga und Handlettering. Das Angebot ist groß.

die Altstadt von Innsbruck

studieren in Innsbruck

die Hungerburgbahn

1 Fotos aus Innsbruck
a) Notieren Sie Wörter und berichten Sie.
b) Wie finden Sie die Stadt?

2 Hobby-Wörter international
2.31 Hören Sie und notieren Sie die Hobbys in Ihrer Sprache. Wie sagt man das/… auf Deutsch?

3 Hobbys drinnen und draußen. Machen Sie eine Liste und vergleichen Sie.

das Karwendelgebirge

4 Mehr Informationen über Innsbruck Recherchieren und berichten Sie.

Innsbruck Panorama

1 # Ein Interview auf *Campusradio Innsbruck*

2.32

a) Hören und lesen Sie das Interview. Über welche Themen sprechen die vier Personen?

Campusradio: *Also, Larissa und Paul, ihr seid aus Deutschland und du Tamara aus der Slowakei. Warum Innsbruck?*

Moderator Felix bei Campusradio Innsbruck

Larissa: Also, ich war ein Semester in Passau. Meine Freundin hatte die Idee: Wir gehen mal ein Semester nach Österreich. Jetzt bin ich hier und finde das toll. Ich studiere Englisch und Französisch und bin im zweiten Semester.

Paul: Ich war im ersten Semester in Bremen. Aber ich war schon immer ein Wintersportfan. Hier in Innsbruck ist das perfekt. Ich studiere Sport und Biologie und im Winter fahre ich Ski.

Tamara: Ich komme aus Bratislava, dort hatten wir viele Kontakte mit Österreich. Jetzt studiere ich hier Sport und Germanistik.

Larissa: Innsbruck ist sehr international. Die Club-Szene ist interessant. Man lernt hier schnell Leute kennen. Wir gehen aus, hören zusammen Musik, und gehen tanzen. Das ist ziemlich cool.

Campusradio: *Ihr sagt, man kombiniert hier gut Hobbys und Studium. Was heißt das?*

Paul: Alle meine Freunde studieren und machen Wintersport: Skifahren, Rodeln, Eislaufen. Das ist hier ganz normal.

Tamara: Ja, das Sportangebot ist hier echt gut. Ich mache Yoga und spiele Tennis. Man kann mit der Bergbahn vom Zentrum in die Berge fahren. Dort kann man gut wandern.

Paul: Die Uni hat ein super Sportprogramm. Fitness ist für mich wichtig, und ich mag die Natur. Auf dem „Campus Sport" kann ich gut trainieren. Im April gehe ich immer Figln.

Campusradio: *Figln? Was ist das?*

Paul: Das sagt man in Österreich. Im April ist es warm, und der Schnee ist nass. Man fährt dann mit Kurz-Ski. Das ist Figln.

Figln

b) Lesen Sie das Interview noch einmal und sammeln Sie Gründe für ein Studium in Innsbruck.

1. Innsbruck ist international. ....

2. Man kann ...

Landeskunde

Campus-Radios gibt es heute an vielen Universitäten weltweit. Hier machen Studierende Radio für Studierende.

c) Larissa, Paul und Tamara. Was passt? Kreuzen Sie an.

Larissa	Paul	Tamara	
○	○	○	... studieren Sport.
○	○	○	... fährt gern Ski.
○	○	○	... studiert Germanistik.
○	○	○	... macht Yoga und spielt Tennis.
○	○	○	... studiert im zweiten Semester.
○	○	○	... wandert gern.
○	○	○	... geht gern tanzen.

Paul (21), Student

Tamara (21), Studentin

d) Larissa, Paul oder Tamara. Wählen Sie eine Person und berichten Sie.

Larissa (22), Studentin

2 Der Vlog von Larissa

a) Sehen Sie das Video und sammeln Sie Informationen.

b) Hobbys. Was macht Larissa wo?

Studium: Innsbruck ....

Hobbys: ....

3 Hobbys

a) Nomen und Verben gehören zusammen. Sammeln Sie die Kombinationen auf den S. 106 bis 108.

1. *Snowboard, ...* .... fahren

3. .... spielen

2. .... machen

4. .... hören

b) Schreiben Sie Sätze wie im Beispiel.

	fahre mache Ich spiele laufe höre	gern oft manchmal nie	...

Ich fahre gern Snowboard. ....

Ich laufe nie ... .

c) Wechselspiel Hobbys. Fragen und antworten Sie.

*Spielt Theresa
gern Gitarre?*

Nein, sie ...

4 *Hier* und *dort*

a) Lesen Sie die Sätze und vergleichen Sie.

6

Ich bin in Innsbruck. Hier studiere ich.

Ich war in Passau. Dort war ich ein Semester. Dort hatte ich viele Freunde.

b) Und Sie? Wo sind Sie und wo waren Sie? Berichten Sie.

5 Speeddating

a) Schreiben Sie Fragen: Hobbys, Sport, ...

b) Wählen Sie drei Fragen aus.

c) Fragen und antworten Sie.
Wechseln Sie nach 1 Minute den Partner / die Partnerin.

Magst du auch Fußball?

Nein, Fußball finde ich ...

Wo warst du?

1 Warst du schon mal in ...?

Fragen und antworten Sie.

Warst du schon mal	in Berlin?	*Ja, dort war ich schon.*
Waren Sie schon mal	in den Alpen?	
	in Passau?	*Nein, in Berlin war ich noch nie.*
	in der Schweiz?	
	...?	

2 Gestern und heute

16.6

a) Markieren Sie die Formen von *sein* und *haben* im Präteritum auf den S. 108–110.
Ergänzen Sie die Tabelle.

S. 108–110

Grammatik

	Präsens	Präteritum		Präsens	Präteritum
ich	bin			habe	
du	bist			hast	*hattest*
er/sie	ist	*war*		hat	
wir	sind	*waren*		haben	

b) *Gestern und heute.* Schreiben Sie zwei Sätze auf Karten. Sammeln Sie die Karten im Kurs. Die anderen raten.

Gestern hatte ich ...

Heute bin ich ...

Gestern waren wir ...

Heute sind wir ...

Gestern	hatte ich keine Zeit.		**Heute**	habe ich Zeit.
	hatten wir ein Seminar.			haben wir frei.
	hatte ich Geburtstag.			habe ich einen Termin.
	waren wir in der Stadt.			sind wir zu Hause.
	war ich Fußball spielen.			ist der Tanzkurs.

3 Wo warst du gestern?

2.33

a) Sprachschatten. Hören Sie und sprechen Sie nach.

- Gestern hatte ich ein Seminar.
- Aha, ein Seminar.
- Gestern hatte ich keine Zeit.
- Aha, du hattest keine Zeit.
- Gestern war mein Handy kaputt.
- Oh, das Handy war kaputt.
- Gestern waren wir wandern.
- Aha, wandern.

b) Und wo waren Sie am Montag, am Dienstag, ...? Antworten Sie wie in a).

Am Montag war ich ...

Am Sonntag war ich ...

4 Autogrammjagd

Fragen Sie und sammeln Sie Unterschriften.

1 Gehst du gern tanzen?

2 Wanderst du gern?

3 Warst du schon mal in den Bergen?

4 Kannst du Gitarre spielen?

5 Machst du Yoga?

6 Kannst du gut fotografieren?

7 Magst du Wintersport?

8 Kannst du Ski fahren?

9 Findest du Innsbruck interessant?

Eine Autogrammjagd im Kurs

5 Das -er

2.34

a) Hören Sie. Wie klingt das -er? Kreuzen Sie an.

Bis später! – Sie wandern im Sommer. – Fahren Sie weiter! – Ich bin Manager. – Gestern im Kletterkurs. – Im Wintersemester. – Unser Bäcker ist Niederländer. – Der Hamburger ist lecker. – In welcher Etage ist das Lehrerzimmer?

Das -er klingt wie ◯ ein deutliches r – [ʁ]   ◯ ein kleines a – [ɐ]

b) Hören Sie noch einmal und sprechen Sie die Sätze nach. Achten Sie auf das -er.

6 Ich kann ...

16.5

a) Modalverb *können*. **Sammeln Sie Beispiele in der Einheit.**

b) Vergleichen Sie die Sätze und ergänzen Sie die Regel.

Grammatik

	Position 2		Satzende
Ich	kann		fotografieren.
Ich	kann	nicht	Skifahren.
Heute	kann	ich nicht	ausgehen.
In Tirol	kann	man gut	wandern.

Regel: Das Modalverb steht im Aussagesatz auf Position _____ . Das Verb im Infinitiv steht am _____ .

7 Meine Lieblingsstadt

Was kann man in Ihrer Stadt/Region / in ... machen? Schreiben Sie einen Artikel. ODER Machen Sie einen Vlog.

Ich war schon mal in ...

Hier kann man ...

1 Innsbruck in Zahlen

🔊 2.35

a) Hören Sie und sprechen Sie nach.

20   100   350   2256

b) Lesen Sie den Magazinartikel auf S. 107 noch einmal und ergänzen Sie die Informationen.

20 _____   350 _____

100 _____   2256 _____

c) Ordnen Sie die Hobbys aus dem Magazinartikel auf S. 107 zu.

im Sommer: _____

im Winter: _____

in der Volkshochschule: _____

2 Wortverbindungen. **Welches Verb passt? Markieren Sie wie im Beispiel.**

1	Ski	spielen	machen	fahren
2	Yoga	spielen	machen	fahren
3	Tennis	spielen	machen	fahren
4	Gitarre	spielen	machen	fahren
5	Fußball	spielen	machen	fahren
6	Fahrrad	spielen	machen	fahren
7	E-Roller	spielen	machen	fahren
8	Handlettering	spielen	machen	fahren
9	Fahrstuhl	spielen	machen	fahren
10	Pause	spielen	machen	fahren

3 *Campusradio Innsbruck*

a) Lesen Sie das Interview auf S. 108 und ergänzen Sie.

	erste Universität	zweite Universität	Studienfächer
Paul		Innsbruck	
Larissa			
Tamara			

b) Hobbys von Paul, Larissa und Tamara. Sammeln Sie.

Larissa hört gern Musik.

4 Flüssig sprechen. **Hören Sie und sprechen Sie nach.**

2.36

1 malen – Ich male. – Ich male gern.

2 tanzen – Ich tanze. – Ich tanze gern.

3 klettern – Ich klettere. – Ich klettere gern.

4 wandern – Ich wandere. – Ich wandere gern.

5 fotografieren – Ich fotografiere. – Ich fotografiere gern.

6 Tennis spielen – Ich spiele Tennis. – Ich spiele gern Tennis.

7 Musik hören – Ich höre Musik. – Ich höre gern Musik.

8 ausgehen – Ich gehe aus. – Ich gehe gern aus.

5 Das *-er*. **Hören Sie und sprechen Sie nach.**

2.37

Fahren Sie weit**er**!

Mein Hobby ist Wand**ern**.

Gest**ern** war ich im Klett**er**kurs.

Im Wint**er**semest**er** studiere ich G**er**manistik.

Ich liebe die B**er**ge.

Ich finde Innsbruck int**er**essant.

Ich habe einen T**er**min in der Werkstatt.

In Öst**er**reich kann man gut Skifahren.

Ich höre g**er**n Musik.

Bis spät**er**!

6 Studieren in Innsbruck

Ich bin Luis. Ich studiere im achten Semester Medizin hier in Innsbruck. Ich liebe Yoga. Ich gehe immer am Mittwoch und am Freitag und manchmal auch am Wochenende zum Yogakurs.

Mein Name ist Anina. Ich wohne in Innsbruck und studiere hier Sport und Deutsch. Ich bin jetzt im zweiten Semester. Ich mag Natur und Sport. Am Dienstag und Donnerstag gehe ich klettern. Und am Wochenende gehe ich gern wandern.

Ich heiße Erkan. Ich wohne auch hier in Innsbruck und studiere im dritten Semester Mathematik. Mein Hobby? Ich lese gern und spiele am Samstag Fußball.

a) **Was machen Luis, Anina und Erkan gern? Lesen Sie und ergänzen Sie.**

Name	Hobby	Wochentag
Luis		

b) **Wer studiert was in welchem Semester? Lesen Sie und notieren Sie.**

Luis   *studiert Medizin im ...*

Erkan

Anina

c) **Ordnungszahlen. Ergänzen Sie.**

1 das erste Semester   im *ersten Semester*

5 das fünfte Semester   im _____

2 das zweite Semester im *zweiten Semester*

6 das sechste Semester im _____

3 das dritte Semester   im _____

7 das siebte Semester   im _____

4 das vierte Semester   im _____

8 das achte Semester   im _____

7 Wortfelder und Wendungen

a) **Sammeln Sie Wörter und Wendungen aus der Einheit.**

Freizeit und Hobbys	Studium und Universität	Tourismus und Innsbruck
Snowboard fahren, …	*der Campus, …*	……………

b) **Wortfeld „Studium und Universität". Wählen Sie Wörter aus a). Übersetzen Sie die Wörter in Ihre Sprachen.**

die Universität	*the university*	*l'université*	…
der Student / die Studentin	*the student*	*l'étudiant/étudiante*	…

c) *Ich studiere Deutsch im 6. Semester.* **Wie sagt man das in anderen Sprachen?**

_____

_____

8 *Oft* oder *manchmal*?

2.38 a) **Was macht Claudia in der Freizeit?**
Hören und markieren Sie.

lesen • laufen • tanzen • wandern • Yoga machen •
Tennis spielen • Rad fahren

b) **Was macht Claudia *oft*, was macht sie *manchmal*?**
Hören Sie noch einmal und ergänzen Sie.

manchmal	oft
……………	*wandern*

Claudia (22), Studentin

c) **Was machen Sie *oft* und was machen Sie *manchmal*? Schreiben Sie einen Ich-Text.**

Ich spiele oft Tennis. Ich tanze …

9 Hier und dort

a) Ergänzen Sie.

Ich studiere jetzt in München. *Hier* _____ ¹ kann

man gut studieren und die Berge sind _____ ²

nicht weit. Ich habe _____ ³ auch viele Freunde.

Meine Familie lebt in Stralsund. _____ ⁴

kann man am Wochenende schnell nach Dänemark

fahren. Die Ostsee ist ganz nah. _____ ⁵ kann

man gut schwimmen. _____ ⁶ in München

fahren wir manchmal nach Italien. Das ist nicht weit. _____ ⁷ wandern wir und treffen Freunde.

hier: München

dort: Stralsund

b) Schreibtraining. Einen Text ausbauen. Was passt wo? Es gibt mehrere Lösungen.

hier • dort • gestern • heute • oft • manchmal • gern

> Liebe Katharina, alles o.k.
>
> in München? Wie geht es
>
> dir dort? ...

Liebe Katharina,

alles o.k. in München? Wie geht es dir? In Innsbruck ist es super. Ich war in Italien. Das ist nicht weit.
Ich habe drei Seminare. Das ist viel Arbeit. Aber ich mache Sport. Am Donnerstag habe ich keine
Uni-Termine. Ich gehe in die Stadt. Ich treffe Freunde und wir gehen aus.

Deine Isa

10 Wie war dein Tag?

2.39

a) Jenny, Nora und Pedro. Wer war wo? Notieren Sie.

Jenny war am Vormittag ...

Nora

Pedro

b) Wo waren Sie heute? Schreiben Sie.

Ich war heute ...

11 Wendungen mit *war* oder *hatte*. Was passt? Markieren Sie wie im Beispiel.

1 Ich war/hatte keine Zeit.

2 Ich war/hatte im Seminar.

3 Ich war/hatte einen Termin.

4 Ich war/hatte im Italienischkurs.

5 Ich war/hatte heute vier Seminare.

6 Ich war/hatte heute im Fußballtraining.

7 Ich war/hatte am Hauptbahnhof.

8 Ich war/hatte unterwegs.

12 Wo warst du gestern?

a) Videokaraoke. Sehen Sie und antworten Sie.

b) Richtig oder falsch? Kreuzen Sie an.

	richtig	falsch
1 Frieda war gestern klettern.	(X)	◯
2 Frieda klettert immer am Wochenende.	◯	◯
3 Frieda klettert seit vier Jahren.	◯	◯
4 Du möchtest auch mal klettern.	◯	◯
5 Ihr geht am Freitag um 17:00 klettern.	◯	◯

13 Was kann man wann an der Volkshochschule lernen?
Lesen Sie das Programm und schreiben Sie vier Sätze wie im Beispiel.

1 Am Montag um 18:00 kann man Englisch lernen.

2 Am ...

Kurse im Sommer
01.04–30.06.

Englisch B1
Mo. 18:00–19:30

Italienisch A1
Di. 18:00–19:30

Chinesisch A1
Mi. 18:00–19:30

Handlettering
Do. 19:00–21:00

Kochen mit Gemüse
Fr. 10:00–12:00

Fotografieren:
Berge und Natur
Sa. 16:00–20:00

Tennis für Anfänger
So. 9:30–11:00

14 Tipps für Berlin. **Eine Freundin möchte zwei Tage nach Berlin fahren. Was kann sie machen?**
Geben Sie Tipps.

Am Morgen kannst du ... Und dann ...

15 Tamara kommt aus Bratislava

a) Lesen Sie den Bericht über ihre Stadt und ergänzen Sie die Tabelle.

Aktivitäten in der Stadt	Aktivitäten im Sommer	Aktivitäten am Wochenende
	wandern	

***b) Schreiben Sie einen Bericht über Ihre Stadt wie in a).

Meine Stadt!

Hallo. Ich bin Tamara. Ich komme aus Bratislava in der Slowakei. Meine Stadt ist für Studentinnen und Studenten sehr attraktiv: Es gibt hier viele Universitäten. In der Stadt gibt es auch viele Bars und Clubs. Man kann hier super mit Freunden ausgehen und auch neue Leute kennenlernen. Im Sommer ist es besonders schön hier. Man kann gut wandern und Fahrrad fahren. Österreich und Ungarn sind auch nicht weit. Am Wochenende fahren manche Studenten nach Budapest oder nach Wien. Das sind nur 70 Kilometer.

16 Der Vlog von Larissa. **Was macht Larissa in der Freizeit? Drei Informationen sind falsch. Sehen Sie das Video und streichen Sie die Sätze durch.**

1 Larissa studiert in Innsbruck und wohnt in einer WG.   **2** Am Wochenende fährt sie manchmal nach Italien.

3 Dort geht sie klettern.   **4** In Innsbruck geht Larissa gern aus.   **5** Sie tanzt aber nicht gern.   **6** An der Volks-

hochschule macht sie einen Handletteringkurs.   **7** Sie lernt auch Chinesisch.   **8** Innsbruck ist sehr international.

9 Das mag sie.

Fit für Einheit 9?

über Hobbys und Sport sprechen
Ich wandere gern.
Ich spiele (nicht) gern Fußball.
Ich mag Tanzen.
Ich mache oft Wintersport.
Ich spiele manchmal Tennis.

sagen, was man (nicht) kann
Ich kann (nicht) tanzen.
Ich kann (nicht) Gitarre spielen.
Ich kann (nicht) gut fotografieren.

über den Studienort sprechen
Innsbruck ist sehr international.
Die Universität ist 350 Jahre alt.
Das Sportangebot ist hier echt gut.
Die Club-Szene ist interessant.

sagen, wo man war oder was man hatte
Ich war im Kino.
Ich war in Berlin.
Ich hatte ein Seminar.
Ich hatte keine Zeit.

über das Studium sprechen
Er studiert Sport und Germanistik.
Wir studieren in Innsbruck.
Ich bin im dritten Semester.

Freizeit und Hobbys
wandern, klettern, tanzen, ausgehen, malen, fotografieren
Ski fahren, Tennis spielen, Yoga machen, Fußball spielen, Gitarre spielen

Ich mache gern Yoga, und du?   Ich male und fotografiere gern.

hier* und *dort
Ich wohne in Innsbruck. Ich studiere hier.
Ich war in Passau. Dort war ich ein Semester.

***haben* und *sein* im Präteritum**
Warst du schon mal in Berlin?   Ja, in Berlin war ich schon mal.
                                                 Nein, in Berlin war ich noch nie.

Gestern hatte ich keine Zeit.
In Innsbruck hatte ich viele Freunde.

können
Kannst du Ski fahren?   Nein, ich kann nicht Ski fahren.
Könnt ihr Fußball spielen?   Ja, wir können Fußball spielen.

das *-er*: Bis spät**er**! Sie wand**er**n im Somm**er**. Fahren Sie weit**er**! Ich bin Manag**er**. Gest**er**n im Klett**er**kurs. Im Wint**er**-
semest**er**. Uns**er** Bäck**er** ist Niederländ**er**. Der Hamburg**er** ist leck**er**. In welch**er** Etage ist das Lehr**er**zimm**er**?

➜ Interaktive Übungen

1 Das Marek

a) Vor dem Sehen. Sammeln Sie Informationen über *Das Marek*.

1.21

b) Sehen Sie das Video und vergleichen Sie mit den Ergebnissen aus a).

c) Wer macht was?
Ergänzen Sie und kontrollieren Sie mit dem Video.

~~Lisa~~ • ein Gast • Max • eine Frau • Tarek

1 _____	telefoniert mit Tarek.
2 _____	liest die Speisekarte laut.
3 _____	bestellt Essen.
4 _____	gibt Nico eine Limonade.
5 *Lisa* _____	ruft an.

Das Marek
ÖFFNUNGSZEITEN

9:00 bis 23:00 Uhr
Montags geschlossen

Mittagsangebot
12:00 bis 14:00 Uhr

——————— H E U T E ———————

Roulade mit Rotkraut und Kartoffeln . . . . 13,80 €
Fisch mit Gemüse . . . . 11,50 €
Türkische Linsensuppe (veg.) . . . . 7,90 €

d) Das Mittagsangebot. Was bestellt die Frau?
Kreuzen Sie an.

Roulade mit Rotkraut   Fisch mit Gemüse   Linsensuppe
und Kartoffeln

e) Wann kommt Lisa? Sehen Sie das Video noch einmal und kreuzen Sie an.

f) Lisa und Tarek telefonieren. Ergänzen Sie den Dialog ODER ordnen Sie die Antworten aus der App zu.

💬 Das Marek, hier ist Tarek.

💬 *Hallo Tarek,* _____

💬 Hallo Lisa.

💬 _____

💬 Nico? Ja, der ist hier.

💬 _____

💬 Okay, ich sage es Nico. Bis gleich. Tschüss!

g) Lesen Sie Ihre Dialoge aus f) laut und vergleichen Sie.

h) Was macht Nico im *Marek*? Notieren Sie.

2 Wann spielen wir Fußball?

1.22

a) Die Hobbymannschaft. Wer hat keine Zeit? Wer ist der achte Spieler? Sehen Sie das Video und berichten Sie.

b) Ist das der Terminkalender von Max oder Yanis? Sehen Sie das Video noch einmal und kreuzen Sie an.

◯ Max   ◯ Yanis

Do.	Fr.	Sa.	So.	Mo.	Di.	Mi.	Do.	Fr.	Sa.
12:15 Uhr Mittag-essen im Marek	frei	Garten 19:00 Uhr grillen 🍖🌭	13:00 Uhr Radtour 19:30 Uhr Kino	9:18 Uhr Abfahrt nach Köln	←— Konferenz in Köln —→			frei	Garten 15:00 Uhr Anna

Robert in Berlin! ←—————→

c) Das Fußballtraining. Schreiben Sie den Termin in den Kalender.

....

3 Inges Angebot

1.23

a) *Ich war im Stau.* Nico versteht Lisa nicht. Wie erklärt sie das Wort *Stau*? Sehen Sie das Video und berichten Sie.

2.40

b) Zwei Worterklärungen. Welches Wort passt? Hören Sie und kreuzen Sie an.

1 ◯ der Sprachkurs   ◯ die Familie   **2** ◯ der Bahnhof   ◯ die Werkstatt

c) Erklären Sie die Wörter. Nutzen Sie die Strategie von Lisa aus a).

d) Welche Probleme hat Nico? Wie hilft Inge? Sehen Sie das Video noch einmal und berichten Sie.

....

4 Was machst du in deiner Freizeit?

a) Sammeln Sie Hobbys im Kurs.

1.24 b) Die Hobbys von Nico und Max. Sehen Sie das Video und vergleichen Sie mit den Ergebnissen aus a).

Ich lese gern.   Mein Hobby ist …

c) Welches Foto sucht Max? Kreuzen Sie an.

Fußball spielen   angeln   tanzen   Fahrrad fahren

d) Aktivitäten-Pantomime. Sprechen Sie nicht! Zeigen Sie die Hobbys aus a). Die anderen raten.

e) Max, Tarek, Yanis und Inge. Sammeln Sie Informationen und schreiben Sie Profile.

DW Die Serie „Nicos Weg" in voller Länge mit interaktiven Übungen und zahlreichen weiteren Materialien gibt es kostenlos bei der Deutschen Welle: dw.com/nico

einhundertneunzehn **119**

1 Partnerwörter

a) **Welche Wörter passen zusammen? Ergänzen Sie.**

1 lesen und _____

2 der Samstag und der _____

3 der Tag und die _____

4 mit dem Auto und mit dem _____

5 der Kuli und das _____

6 mit viel Milch und wenig _____

b) **Nomen und Verben. Ergänzen Sie.**

1 mit dem Bus _____

2 eine E-Mail _____

3 zur Arbeit _____

4 die Eier _____

5 keine Zeit _____

6 Ski _____

2 Grammatikbegriffe kennen. **Lesen Sie und ordnen Sie zu.**

<u>Woher</u> kommst du? .... Satzfrage

<u>Wohnen</u> Sie in München? Präposition

Gestern <u>waren</u> wir in Berlin. ► W-Frage

Der Zug <u>kommt</u> um 14:32 am Bahnhof <u>an</u>. Possessivartikel

Oh nein! <u>Mein</u> Bus ist weg! Trennbares Verb

Ich komme <u>aus</u> der Schweiz. Präteritum von sein

3 B wie Berlin

a) **Ergänzen Sie die Nomen. Tauschen Sie dann das Buch mit dem Partner / der Partnerin und ergänzen Sie die Artikel.**

_____ **B** U S

_____ **E**

_____ **R**

_____ **L**

_____ **I**

_____ **N** A M E

b) **Wählen Sie ein Wort. Der Partner / Die Partnerin ergänzt die Nomen.**

4 Eine Wortschatzübung selber machen

a) **Schreiben Sie drei Wörterreihen wie im Beispiel. Ein Wort passt nicht. Welches?**

1 mit dem Bus – mit der Bahn – ~~zu Fuß~~ – mit dem Auto

2 lesen – hören – schmecken – abholen

3 das Paket – das Café – der Zusteller – die Adresse

b) **Tauschen Sie die Arbeitsblätter mit Ihrem Partner / Ihrer Partnerin. Welches Wort passt nicht? Er/Sie streicht das Wort durch.**

5 Wo ist was in der Firma?

a) **Sammeln Sie Räume wie im Beispiel.**

die Bibliothek, die Küche, das Foyer, die Toiletten, ...

....

....

b) **Ergänzen Sie in Bild A die Räume aus a).**

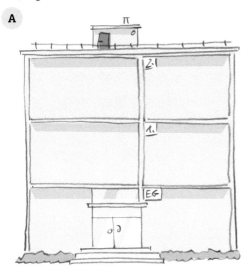

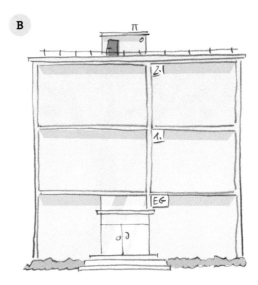

c) **Fragen Sie Ihren Partner / Ihre Partnerin. Ergänzen Sie die Räume in Haus B. Wer ist zuerst fertig?**

💬 Sind die Toiletten im Erdgeschoss rechts?

💬 Nein. Ist die Küche in der 2. Etage links?

💬 Ja. Ist die Bibliothek ...?

....

6 Tagesabläufe

a) **Lesen Sie schnell und ordnen Sie. Wer ist zuerst fertig?**

b) **Ordnen Sie die Berufe den Tagesabläufen in a) zu.**   Programmiererin • Altenpfleger • Lehrerin

....

7 Was ist in Foto B anders? **Vergleichen Sie. Finden Sie vier Fehler.**

Der Papierkorb steht unter dem Tisch.

Die Jacke liegt auf dem Stuhl.

BAUM KIND HUND HAUS

1 Baum und Kind ...

🔊 2.41 **a) Hören Sie.**

b) Hören Sie noch einmal und sprechen Sie schnell.

Baum

Baum Kind

Baum Kind Hund

Baum Kind Hund Haus

Baum Kind Hund

Baum Kind

Baum

2 Mein Gedicht

a) Schreiben Sie mit den 16 Wörtern ein Gedicht.

Wort 1	Wort 2	Wort 3	Wort 4
Baum	Kind	Hund	Haus
Baum	Kind	Hund	Haus
Baum	Kind	Hund	Haus
Baum	Kind	Hund	Haus

b) Lesen Sie Ihr Gedicht Ihrem Partner / Ihrer Partnerin vor.

3 Baum, Kind, Hund, Haus. **Lesen Sie das Gedicht von Eugen Gomringer. Vergleichen Sie.**

baum
baum kind

kind
kind hund

hund
hund haus

haus
haus baum

baum kind hund
haus

eugen gomringer

✦ Das kann ich mit dem Gedicht machen

- das Gedicht laut lesen
- das Gedicht mit dem Handy aufnehmen
- eine Geschichte schreiben
- das Gedicht mit anderen Wörtern schreiben

CARLA, 37

Carla, Michael und Tochter Yuna wohnen seit zwei Jahren in Münster. Ihr Haus ist groß und hat einen Garten.

» *Wir hatten eine Wohnung in Münster. Aber die Wohnung war zu klein. Jetzt haben wir einen Garten und viele Zimmer. In der Küche essen wir, im Arbeitszimmer arbeite ich, und Yuna hat ein Kinderzimmer. Sie liebt den Garten und ist fast immer draußen. Das Wohnzimmer ist groß, gemütlich und hell. Es gibt ein Sofa, einen Tisch und einen Teppich. Hier sind wir oft, sehen fern, lesen oder reden. Yuna spielt gern auf dem Teppich.* «

JANNIS, 28

Jannis und Anna wohnen seit vier Wochen in Bonn. Sie haben zwei Zimmer, eine Küche, ein Badezimmer und einen Balkon. Jannis arbeitet oft zu Hause im Homeoffice.

» *Jetzt wohnen wir endlich zusammen, das ist schön. Die Wohnung ist klein, aber gemütlich. Und die Nachbarn sind sehr nett. Ich arbeite oft auf dem Balkon. Im Wohnzimmer arbeiten, entspannen oder lesen wir. Es ist hell und neu renoviert. Dort stehen ein Schreibtisch, ein Sofa und ein Fernseher.* «

So wohnen wir

HANNAH, 21

Hannah, Pia, Tim und Jakob sind Studenten und leben zusammen in Chemnitz. Sie sind eine Wohngemeinschaft (WG) und teilen das Badezimmer und die Küche. Die Wohnung ist groß und hat fünf Zimmer. Jeder hat ein Zimmer, und sie haben zusammen ein Wohnzimmer.

» Ich mag die WG. Wir machen viel zusammen. Im Wohnzimmer liegen wir oft auf dem Sofa. Hier stehen der Fernseher, zwei Sessel, ein Tisch und viele Stühle. Wir sehen Filme, essen und machen Partys. «

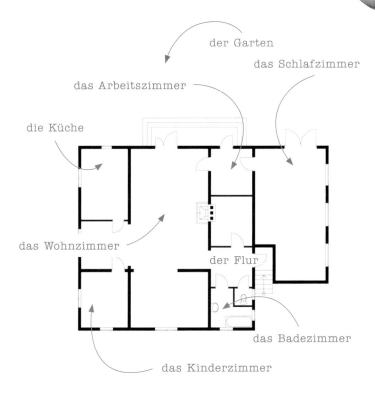

der Garten
das Schlafzimmer
das Arbeitszimmer
die Küche
das Wohnzimmer
der Flur
das Badezimmer
das Kinderzimmer

1 **Hypothesen vor dem Lesen. Wer wohnt hier?** Sehen Sie den Plan und die Fotos an.

2 **Hypothesen prüfen.** Lesen Sie die Porträts.

3 **Im Wohnzimmer, auf dem Balkon ...**
   a) Was machen die Personen und wo?

   b) Und Sie? Vergleichen Sie.
   ◦ Ich mache Hausaufgaben im Wohnzimmer.
   ● Bei uns schläft man im ...

4 **Die Möbel im Wohnzimmer.** Wählen Sie ein Foto und markieren Sie die Möbel im Text. Vergleichen Sie.

5 **Möbel.** Sehen und lernen Sie die Wörter.

Zimmer und Möbel

1 In der Wohnung

a) Wie heißen die Gegenstände? Ordnen Sie zu.

1 der Schreibtisch

2 das Bücherregal

3 das Bild

4 die Lampe

5 der Tisch

6 der Teppich

7 das Sofa

8 der Fernseher

9 der Schrank

10 die Kommode

11 der Stuhl

12 der Herd

13 das Regal

14 der Kühlschrank

15 die Spüle

🔊 3.02 **b) Hören Sie die Wörter aus a) und sprechen Sie nach.**

2 Unsere Wohnung

▶️ 2.01 **a) Welche Zimmer gibt es in der Wohnung? Sehen Sie das Video. Kreuzen Sie an und berichten Sie.**

Anna und Jannis haben ...

Sie haben kein ...

○ das Arbeitszimmer   ○ das Wohnzimmer   ○ die Küche

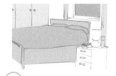

○ das Badezimmer   ○ das Kinderzimmer   ○ das Schlafzimmer

b) Sehen Sie das Video noch einmal. Wählen Sie ein Zimmer und notieren Sie die Möbel. Vergleichen Sie.

3 Der Schreibtisch, das Arbeitszimmer, ...

🔍 21 **a) Komposita erkennen. Lesen und vergleichen Sie die Beispiele.**

der **Schreibtisch**
↙ ↘
schreiben   der Tisch

das **Arbeitszimmer**
↙ ↘
arbeiten   das Zimmer

die **Küchenuhr**
↙ ↘
die Küche   die Uhr

b) Sammeln Sie die Komposita auf den Seiten 124–126.

c) Ergänzen Sie die Regel.

Regel: Ein Schreibtisch ist ein Tisch. „Tisch" ist das Grundwort. Das Grundwort bestimmt den _____.

🔊 3.03 **d) Hören Sie und markieren Sie den Wortakzent in den Kompositia.**

der Schreibtisch – das Arbeitszimmer – die Küchenuhr – das Wohnzimmer – das Badezimmer – das Kinderzimmer – das Schlafzimmer – das Bücherregal

4 ## Wörter lernen mit System

a) Zimmer und Möbel. Machen Sie ein Wörternetz.

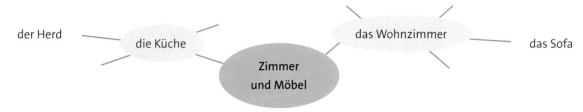

der Herd — die Küche — **Zimmer und Möbel** — das Wohnzimmer — das Sofa

b) Wörter in Paaren lernen. Schreiben Sie Wortpaare wie im Beispiel.
Sprechen Sie die Paare dann laut und nehmen Sie sich mit dem Handy auf.

der Tisch und der Stuhl

c) Welche Wörterpaare hat Ihr Partner / Ihre Partnerin? Hören und vergleichen Sie.

der Herd und ...

d) *Der Tisch und der Stuhl*. Wörterpaare in anderen Sprachen. Sammeln Sie.

Table and chair.

5 ## Die Kommode steht an der Wand

13.3

a) Welches Bild passt? Sehen Sie die Bilder an und ordnen Sie zu.

Die Katze sitzt auf dem Stuhl.

a hinter dem Sofa • **b** neben der Lampe • **c** an der Wand • **d** auf dem Teppich •
e unter dem Tisch • **f** ~~auf dem Stuhl~~ • **g** zwischen dem Bild und dem Fenster •
h im Bücherregal

 1
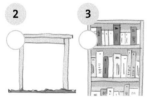 2 3
 4
 5
 6
 7
 8

b) Lesen Sie und sprechen Sie schnell.

| Die Zeitung Der Schlüssel | liegt | im Regal. unter dem Tisch. auf der Kommode. | Die Kommode Der Schrank Das Bücherregal | steht | zwischen der Tür und dem Fenster. an der Wand. neben dem Sessel. |

Minimemo

im = in dem
am = an dem

c) Beschreiben Sie ein Bild, die anderen raten.

 1 2

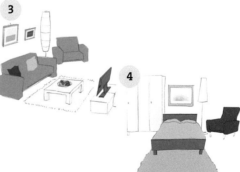 3 4

Es gibt einen Tisch.

Bild 1!

Nein. Der Tisch steht auf dem Teppich.

Bild 3, das Wohnzimmer.

6 ## Zimmer beschreiben

Fotografieren Sie ein Zimmer oder recherchieren Sie ein Foto von einem Zimmer.
Schreiben Sie eine Zimmer-Beschreibung. ODER Tauschen Sie und beschreiben Sie die Fotos.

1 Wir brauchen ein Sofa

3.04 a) Was brauchen Anna und Jannis? Hören Sie den Dialog. Notieren Sie.

b) *Klein und groß. Hell und ...* Finden Sie die Paare und ordnen Sie zu.

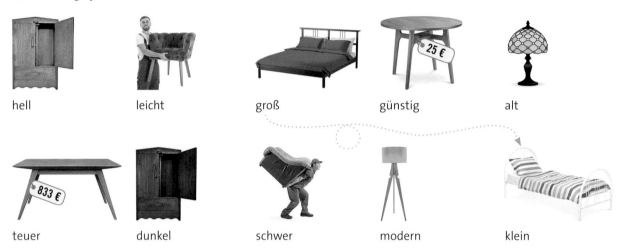

hell   leicht   groß   günstig   alt

teuer   dunkel   schwer   modern   klein

c) Wer sagt was? Hören Sie noch einmal. Anna (A) oder Jannis (J)? Ergänzen Sie.

1 ◯ Das Bild ist schön.

2 ◯ Das Bild ist schön, aber dunkel.

3 ◯ Das Bild ist modern, aber dunkel.

4 ◯ Die Kommode ist zu teuer.

5 ◯ Die Kommode ist teuer, aber schön.

6 ◯ Die Kommode ist hell, modern und günstig.

d) *Modern, aber teuer.* Kommentieren Sie wie im Beispiel.

> *Die Kommode ist dunkel.*
>
> *Dunkel, aber modern.*

> *Das Bett ist groß und modern.*
>
> *Groß und modern, aber teuer.*

2 Wie findest du ...?

Das ist groß, aber zu dunkel. • Das ist groß, aber zu schwer. •
Das ist schön, aber zu teuer. • Das ist günstig, aber zu klein.

a) Was passt? Ergänzen Sie die Sätze.

1 *Wie findest du das Bücherregal?*

2 *Und das?*

3 *Und das hier?*

4 *Und das Bücherregal?*

5 *Das ist groß ...* *... und sehr modern!*

b) Spielen Sie die Dialoge. Übertreiben Sie.

Die Traumwohnung

1

Ein *Tiny House* beschreiben

a) Fotos kommentieren. Sind die Kommentare positiv (+) oder negativ (−)?
Lesen Sie und vergleichen Sie.

Tiny House: Kleine Häuser ganz groß ...

Mein Haus: Klein, aber oho! Mein Haus hat nur ein Zimmer, aber es ist schön und gemütlich. Und das Haus ist mobil. Ich finde das toll. Wie findet ihr mein Tiny House?

peer.hebar Wow, das sieht schön aus. Klein, aber sehr modern. +

vicci_gracz Es ist nicht zu klein. Sehr hell und gemütlich. +

claire_4 Ich finde das nicht schön. Es ist zu dunkel. −

michell_rose Ich mag das Haus. Es ist sehr elegant. ✔

eluxft Nur ein Zimmer? Das ist zu klein. Ich mag Tiny Houses nicht. →

kathijaeck Sehr modern und neu. Die Möbel sind toll. +

♡ ◯ ◁ ⎗

Gefällt 1,398 Mal

b) Wie finden Sie das *Tiny House*? Kommentieren Sie.

Ich finde das Haus ...   *Ich mag ...*

c) Wählen Sie ein Foto und schreiben Sie Kommentare wie im Beispiel.
ODER Welche Trends gibt es in Ihrem Land? Berichten Sie.

Bei uns ...   *In Russland gibt es einen Trend: ...*

2

Meine Traumwohnung

Wie sieht Ihre Traumwohnung aus? Beschreiben Sie und kommentieren Sie die Wohnung.

Redemittel

Eine Wohnung beschreiben	
Die Wohnung hat Ich habe Wir haben	1/2/... Zimmer. (k)einen Balkon. (k)einen Garten. (k)ein Arbeitszimmer/Kinderzimmer.

Eine Wohnung kommentieren	
Das Wohnzimmer ist Der Balkon ist Das Schlafzimmer ist	(sehr) groß / klein / hell / dunkel / modern / (zu) alt. groß, aber laut. schön, aber (zu) klein.
Ich finde das Wohnzimmer ...	

1 Wie wohnen Carla, Jannis und Hannah? **Lesen Sie die Texte auf S. 124 und 125 noch einmal. Kreuzen Sie passende Aussagen an. Manchmal sind mehrere Antworten richtig.**

	C	J	H
1 Sie haben jetzt einen Garten.	X	◯	◯
2 Das Wohnzimmer ist hell und neu renoviert.	◯	✗	◯
3 Sie haben vier Zimmer und ein Wohnzimmer.	◯	◯	◯
4 Sie sind oft im Wohnzimmer.	◯	◯	◯
5 Im Wohnzimmer gibt es ein Sofa.	◯	◯	✗
6 Sie haben einen Balkon.	◯	✗	◯
7 Sie benutzen das Wohnzimmer, die Küche und das Bad zusammen.	◯	◯	◯

2 Man braucht nicht viel Geld

a) Pia schreibt einen Blog. Über welches Thema schreibt sie heute? Lesen Sie den Blogeintrag schnell und kreuzen Sie an.

1 ◯ Studieren in Chemnitz   **2** ◯ Einkaufen in Chemnitz   **3** ◯ Wohnen in Chemnitz

Du studierst auch in Chemnitz, hast nicht viel Geld und möchtest im Zentrum leben? Das Problem kenne ich, das hatte ich auch! Im ersten Semester hatte ich eine Ein-Zimmer-Wohnung. Die Wohnung war neu und ruhig, aber auch klein, dunkel und teuer. Und sie war nicht im Zentrum. Zum Glück hatte ich ein Studententicket. So war der Bus nicht teuer.

5 Heute lebe ich mit Hannah, Tim und Jakob in einer Wohngemeinschaft am Bahnhof. Wir teilen das Geld für die Wohnung und das Internet und nutzen das Wohnzimmer, die Küche und das Bad zusammen. Das ist sehr praktisch. Mein Zimmer ist sehr groß, aber am Abend bin ich auch oft im Wohnzimmer. Dort treffe ich die anderen. Wir sehen einen Film oder hören Musik. Manchmal kochen wir auch zusammen oder gehen ins Kino. Das finde ich gut.

10 Ein WG-Zimmer findest du zum Beispiel hier.

b) Lesen Sie die Aussagen und dann den Blogeintrag in a) noch einmal. Wo finden Sie die Aussagen? Schreiben Sie die Zeilennummer wie im Beispiel.

	Zeile(n)
1 Pia studiert in Chemnitz.	*1*
2 Im Internet gibt es Angebote für WG-Zimmer.	
3 Pia fährt mit dem Bus ins Zentrum.	
4 Pia bezahlt in der WG nicht so viel Geld für die Wohnung.	
5 Die erste Wohnung von Pia in Chemnitz war nicht günstig.	
6 In der WG ist Pia gerne im Wohnzimmer.	
7 Pia, Jakob, Tim und Hannah bezahlen die Wohnung zusammen.	5
8 In der Freizeit machen Pia und die anderen viel zusammen.	

c) Adjektive in Paaren lernen. Markieren Sie die Adjektive im Blogeintrag und ergänzen Sie wie im Beispiel.

1 wenig – *viel* _____

2 alt – _____

3 laut – _____

4 groß – _____

5 hell – _____

6 günstig – _____

7 unpraktisch – _____

8 schlecht – _____

3 Gegenstände in der Wohnung

🔊 3.05

a) Lang (_) oder kurz(.)? Hören Sie, lesen Sie und markieren Sie.

1 ◯ der Schre**i**btisch

2 ◯ das Bücherregal

3 ◯ das B**i**ld

4 ◯ die La**m**pe

5 ◯ der T**i**sch

6 ◯ der T**e**ppich

7 ◯ das S**o**fa

8 ◯ der Fernseher

9 ◯ der Schr**a**nk

10 ◯ die Komm**o**de

11 ◯ der Stu**h**l

12 ◯ der H**e**rd

13 ◯ das Re**g**al

14 ◯ der K**üh**lschrank

15 ◯ die Sp**ü**le

b) Hören Sie noch einmal und lesen Sie laut mit.

c) Wohnzimmer, Arbeitszimmer, Schlafzimmer oder Küche. Wählen Sie zwei Zimmer aus. Welche Gegenstände gibt es dort? Kreuzen Sie in a) an und beschreiben Sie.

In der Küche gibt es eine Spüle, einen Tisch, ...

4 Das Zimmer von Pia

a) Ergänzen Sie die Wörter wie im Beispiel.

das Bücherregal

b) Wie viele Schränke, Stühle, ... hat Pia? Zählen Sie und ergänzen Sie die Pluralformen.

1 das Bett – _____

2 der Teppich – _____

3 der Schrank – _____

4 die Kommode – *zwei Kommoden*

5 das Bücherregal – _____

6 der Sessel – _____

7 das Bild – _____

8 der Schreibtisch – _____

9 die Uhr – _____

10 der Stuhl – _____

5 Tische, Lampen, Sofas, ...

a) Lesen Sie die Komposita und ordnen Sie den Bildern passende Komposita zu.

○   ○   ○   ○   ○   ○

1 _die_ _____ Leselampe   **3** _____ Schreibtisch   **5** _____ Stehlampe

2 _____ Schlafsofa   **4** _____ Esstisch   **6** _____ Fernsehsessel

b) Ergänzen Sie die Artikel in a).

c) Notieren Sie die Verben wie im Beispiel.

die Leselampe – lesen, ...

6 Die Wohnung von Anna und Jannis

▶ 2.02

a) Videokaraoke. Sehen Sie und antworten Sie.

b) Was zeigt Anna? Sehen Sie das Video noch einmal und machen Sie Notizen.

1. die Küche, 2. ...

7 Eine Wohnung beschreiben

🔊 3.06

a) Welche Wohnung ist das? Hören Sie und kreuzen Sie an.

1
○

| das Kinder-zimmer |
| die Küche | das Schlafzimmer |

2
○

| das Arbeitszimmer |
| die Küche | der Flur | das Wohnzimmer |

b) Hören Sie die Beschreibung noch einmal und ergänzen Sie die Zimmer in der Wohnung in a).

c) _Die Wohnung hat ein ..._ Beschreiben Sie die Wohnung 1 aus a).

Die Wohnung hat eine Küche, ein Wohnzimmer ...

8 Zwei Wohnzimmer

a) Welches Wohnzimmer ist das? Sehen Sie die Bilder an und lesen Sie die Beschreibung. Ordnen Sie zu.

In dem Wohnzimmer hängen drei Bilder an der Wand hinter dem Sofa. Der Teppich liegt vor dem Sofa. Neben dem Sofa steht das Regal. Auf dem Regal steht eine Pflanze. Im Regal stehen und liegen Bücher. Es gibt auch einen Tisch. Er steht zwischen dem Sofa und ...

b) *Der Sessel, die Uhr, die Lampe, der Fernseher, ...* Schreiben Sie den Text aus a) weiter.

... dem Sessel. Der Sessel ...

9 Flüssig sprechen. **Hören Sie und sprechen Sie nach.**

3.07

1 der Balkon – ein Balkon – Die Wohnung hat einen Balkon.

2 der Garten – ein Garten – Die Wohnung hat einen Garten.

3 das Kinderzimmer – ein Kinderzimmer – Die Wohnung hat ein Kinderzimmer.

4 die Küche – eine Küche – Die Wohnung hat eine Küche.

10 Gegenstände im Wohnzimmer

3.08

a) **Was ist wo? Hören Sie und ergänzen Sie wie im Beispiel.**

b) *Hängen*, *liegen* oder *stehen*? Sehen Sie das Bild an und ergänzen Sie passende Gegenstände aus a).

hängen: _____

liegen: *die Zeitung,* ..._____

stehen: _____

c) Hören Sie noch einmal. Vergleichen und korrigieren Sie Ihre Angaben in b).

11 Jannis und Anna kaufen Möbel. **Hören und ergänzen Sie.**

🔊 3.09

1 Jannis meint, das Bücherregal ist groß und günstig. *Anna findet das Regal zu dunkel.*

2 Anna sieht eine Lampe. Die Lampe ist schön und groß. *Jannis*

3 Anna findet den Tisch praktisch.

12 *Zu alt, zu teuer.* **Beschreiben Sie die Möbel.**

1 Das Sofa ist zu …

13 Einen Stuhl kommentieren

a) **Lesen Sie die Kommentare und markieren Sie die Adjektive.**

Preis: **179,99 €**

👤 Dimitri

★★★★☆ **Super Stuhl!**

Wow! Der Stuhl sieht sehr schön aus. Er ist sehr elegant. Aber ich finde 179,99 Euro sehr teuer.

👤 Luisa

★☆☆☆☆ **179,99 Euro?**

Der Stuhl ist gemütlich, aber er ist viel zu teuer! Und ich finde ihn auch zu dunkel. Sehr schade!

👤 Karsten

★★★★☆ **Leider zurück**

Dunkel und teuer? Das finde ich nicht. 179,99 Euro ist günstig. Der Stuhl ist super modern. Einfach toll! Für mein Zimmer ist er leider viel zu groß.

b) **Was ist positiv und was ist negativ? Ergänzen Sie.**

positiv	negativ
schön	

👤 _____

★★★★★

✦ c) **Wie finden Sie den Stuhl? Kommentieren Sie.**

Fit für Einheit 10?

1 Mit Sprache handeln

über Wohnungen sprechen

Hat die Wohnung einen Balkon?

Hat die Wohnung ein Arbeitszimmer?

Die Wohnung hat eine Küche, ein Bad, ein Wohnzimmer
und ein Schlafzimmer.

Ja, die Wohnung hat einen Balkon.

Nein, die Wohnung hat kein Arbeitszimmer.

sagen, wie man etwas findet

Wie findest du das Sofa?

Magst du das Bild?

Wie findet ihr mein Tiny House?

Ich finde das Sofa schön, aber zu teuer.

Nein, ich mag das Bild nicht.

Wow, das sieht schön aus!

eine Wohnung beschreiben und kommentieren

Die Wohnung hat ein Arbeitszimmer, einen Balkon und ein Kinderzimmer.

Das Schlafzimmer ist hell und groß. Das Bett steht zwischen dem Sessel und der Kommode. Das Bild hängt an der Wand.

Ich mag das Haus. Es ist sehr modern.

Ich finde das Haus zu klein.

2 Wörter, Wendungen und Strukturen

Zimmer und Möbel

das Arbeitszimmer: der Schreibtisch, das Bücherregal, die Lampe

die Küche: der Kühlschrank, der Herd, die Spüle

Wörterpaare: der Tisch und der Stuhl, der Herd und die Spüle

Adjektive

groß – klein, hell – dunkel, alt – modern, laut – ruhig, leicht – schwer, teuer – günstig

beschreiben, wo etwas ist

hinter dem Sofa	Das Bücherregal steht hinter dem Sofa.
neben der Lampe	Der Schrank steht neben der Lampe.
an der Wand	Das Bild hängt an der Wand.
auf dem Teppich	Das Sofa steht auf dem Teppich.
unter dem Tisch	Der Teppich liegt unter dem Tisch.
im Bücherregal	Der Schlüssel liegt im Bücherregal.
vor dem Fenster	Der Sessel steht vor dem Fenster.
zwischen dem Bild und dem Fenster	Die Kommode steht zwischen dem Bild und dem Fenster.

Komposita

der Schreibtisch

schreiben   der Tisch

das Arbeitszimmer

arbeiten   das Zimmer

die Küchenuhr

die Küche   die Uhr

3 Aussprache

Wortakzent in Komposita: der Schreibtisch – das Arbeitszimmer – die Küchenuhr – das Bücherregal – der Kühlschrank

lange und kurze Vokale: der Stuhl, das Sofa, die Wohnung – der Sessel, das Zimmer, die Lampe

⬆ Interaktive Übungen

die Großeltern

die Tante

die Tante

der Onkel

Johann

Eltern

Marlies

Helga

Ulla

die Schwester

der Bruder

Tina

Susanne

Lukas

Sandra

die Cousine

der Sohn

die Nichte

Jan

Lisa

Max

der Neffe

die Tochter

HIER LERNEN SIE:

- (m)eine Familie beschreiben
- über einen Familienbetrieb sprechen
- nach Familienmitgliedern fragen

Wir sind die Schumanns

Das ist mein Onkel.

Name: Lea Schumann
Alter: 5 Jahre
Geschwister: einen Bruder

Das ist meine Tochter.

Name: Klaus Schumann
Alter: 56 Jahre
Geschwister: einen Bruder und eine Schwester
Familienstand: geschieden
Kinder: eine Tochter

Das bin ich.

Name: Sebastian Schumann
Alter: 35 Jahre
Geschwister: eine Schwester und einen Bruder
Familienstand: verheiratet
Kinder: eine Tochter und einen Sohn

Name: Hans Schumann
Alter: 62 Jahre
Geschwister: eine Schwester und einen Bruder
Familienstand: verheiratet
Kinder: zwei Söhne und eine Tochter
Enkelkinder: zwei Enkelinnen und zwei Enkel

Das ist mein Vater.

Name: Claudia Schumann
Alter: 24 Jahre
Geschwister: keine
Familienstand: ledig
Kinder: keine

Name: Käthe Schumann
Alter: 84 Jahre
Geschwister: drei Brüder und zwei Schwestern
Familienstand: verheiratet
Kinder: eine Tochter und zwei Söhne
Enkelkinder: zwei Enkelinnen, zwei Enkel und vier Urenkel

Das ist meine Cousine.

Das ist meine Großmutter.

1 **Der Bruder, die Schwester**
Lesen Sie die Familienwörter und markieren Sie wie im Beispiel.

2 **Wer ist wer?** Ergänzen Sie die Namen im Familienbaum.

3 **Wer spricht da?** Hören Sie und berichten Sie.
3.10

4 **Der Cousin – die Cousine**
Sammeln Sie Wortpaare.

5 **Mein Familienbaum.** Zeichnen Sie und berichten Sie.

6 **Familienwörter lernen**
Finden Sie Paare.

Bäckerei Schumann

1 Die Bäckerei Schumann

a) Drei Generationen – eine Bäckerei. Ergänzen Sie die Namen. Der Familienbaum auf S. 136 hilft.

1 die erste Generation: _____

2 die zweite Generation: *Hans und* _____

3 die dritte Generation: _____

b) Lesen Sie das Interview und markieren Sie die Jahreszahlen.

Das Interview: Familienbetriebe in unserer Region
Drei Generationen – eine Bäckerei

Oldenburger Landeszeitung: Herr Schumann, warum haben Sie den Beruf Bäcker gewählt?

5 **Sebastian Schumann:** Ganz einfach! Mein Großvater und mein Vater sind auch Bäcker.

OLZ: Kommt Ihr Großvater aus Oldenburg?

Sebastian Schumann: Ja, aber meine Großmutter Käthe ist aus Hannover. Mein Großvater Johann hat

10 dort von 1954 bis 1956 Bäcker gelernt, und sie haben 1957 geheiratet.

OLZ: Hatten Ihre Großeltern 1957 schon eine Bäckerei?

Sebastian Schumann: Nein, sie haben hier in Oldenburg in einer Großbäckerei gearbeitet. Die Bäckerei in

15 der Marktstraße haben sie 1963 gekauft. Die Familie hat dort in der ersten Etage gewohnt.

OLZ: Haben Sie auch noch in der Marktstraße gewohnt?

Sebastian Schumann: Nein, die Wohnung war zu klein. Meine Eltern haben 1984 ein Haus gebaut.

20 **OLZ:** Und wann hat Ihr Vater den Betrieb geleitet?

Sebastian Schumann: Von 1998 bis 2017. Im Jahr 2009 hat er die Backshops gegründet.

OLZ: Und jetzt leiten Sie den Betrieb?

25 **Sebastian Schumann:** Genau, seit 2017. Das mache ich mit Tina zusammen. Wir haben heute die Bäckerei, sieben Backshops und 28 Angestellte.

OLZ: Haben Sie ein Erfolgsrezept?

Sebastian Schumann: Die Familie ist privat und im Betrieb wichtig. Wir leben, arbeiten, essen und lachen

30 viel zusammen. ■

Der erste Schumann-Backshop im Bahnhof

c) Jahreszahlen. Lesen Sie das Interview. Ergänzen Sie und lesen Sie laut.

a von *1954*_____ bis _____ : Johann lernt Bäcker.

b _____ : Hans und Helga bauen ein Haus.

c _____ : Johann und Käthe kaufen die Bäckerei in der Marktstraße.

d _____ : Johann und Käthe heiraten.

e _____ : Hans gründet die Backshops.

f von _____ bis _____ : Hans leitet den Betrieb.

Minimemo		
1972:	19 (hundert)	72
2015:	2 (tausend)	15

2 Sebastian hat Bäcker gelernt

31.2

a) Sammeln Sie die Partizip-II-Formen im Interview in 1a) und machen Sie eine Tabelle.

Infinitiv	Partizip II
	ge...(e)t
wählen	*gewählt*
heiraten	*geheiratet*

> **Minimemo**
>
> Verbstamm endet mit **-t**:
> heirat-en: ge-heirat-*e*-t
> arbeit-en: ge-arbeit-*e*-t

b) Lesen Sie die Sätze und ergänzen Sie die Regel.

Johann [hat] Bäcker [ge lernt.]

Partizip II

Johann und Käthe [haben] 1957 [ge heirat et.]

> **Lerntipp**
>
> Regelmäßige Verben im Partizip II:
> vorne *ge-*, hinten -(*e*)t

Regel: Im Perfektsatz mit **haben** steht _____ auf Position 2.

Das _____ steht am Satzende.

c) *Wann ...?* Fragen und antworten Sie wie im Beispiel. Die Informationen in 1b) helfen.

> *Wann hat Johann Bäcker gelernt?*

Johann hat von 1954 bis 1956 Bäcker gelernt.

3 Tina Schumann

▶ 2.03

a) Was hat Tina wann gemacht? Sehen Sie das Video und ergänzen Sie die Jahreszahlen wie im Beispiel.

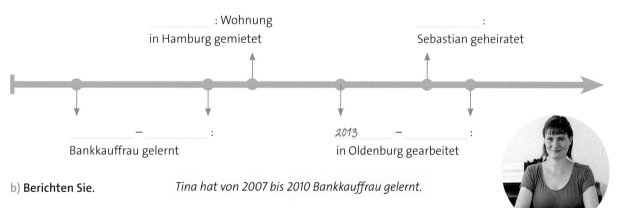

_____ : Wohnung in Hamburg gemietet

_____ : Sebastian geheiratet

_____ – _____ : Bankkauffrau gelernt

2013 – _____ : in Oldenburg gearbeitet

b) Berichten Sie.　　*Tina hat von 2007 bis 2010 Bankkauffrau gelernt.*

c) Wechselspiel. Fragen und antworten Sie.

Tina Schumann, Bloggerin

4 Meine Geschichte

a) *Gelernt, gearbeitet, geheiratet, gekauft, gelebt, gewohnt, ...* Schreiben Sie Ihre Geschichte.

Meine Eltern haben ... Ich habe 2015 ... gelernt. Von 2019 bis ... habe ich ...

b) Tauschen Sie die Texte und lesen Sie vor. Wer ist das?

1 Kaffeeklatsch

a) Ich besuche meine Freundin ... Sprechen Sie schnell.

> *Ich besuche meinen Vater jeden Tag.*

Ich	besuche	meinen Vater/Sohn/Bruder/Freund/...	jeden Tag.
	sehe	meine Mutter/Tochter/Schwester/Freundin/...	jede Woche. einmal im Monat.
	treffe	meine Eltern/Kinder/Geschwister/Freunde/...	oft. manchmal.

b) Gerda Clausen besucht ihre Freundin Helga Schumann. Es gibt Kaffee und Kuchen. Über welche Themen sprechen die Freundinnen? Notieren Sie Ideen.

- *über die Kinder*
- *über den Job*

Kaffeeklatsch bei Helga Schumann

c) Hören Sie und vergleichen Sie mit b). 3.11

d) *Meinen Mann, seine Freunde*, ... Lesen Sie und markieren Sie die Possessivartikel und Nomen im Akkusativ.

💬 Sag mal, Helga, was macht denn Hans?

💬 Ach, Hans geht's gut. Er liest viel und macht jeden Tag Sport.

💬 Mmmh! Also, Helga, deinen Kuchen finde ich echt lecker!

💬 Danke! Ich backe doch so gerne.

💬 Stimmt! Und was machst du noch so?

💬 Das kennst du ja. Ich habe meine Enkelkinder und meinen Haushalt. Siehst du deinen Enkel oft?

💬 Nein. Er ist jetzt zwölf und findet seine Oma nicht mehr so cool.

💬 Ach, das ist heute so. Komm, wir gehen in unseren Garten.

> **Lerntipp**
>
> Artikel *der*: im Akkusativ Singular immer *-en*:
> *den Sport, einen Sohn, keinen Kaffee, meinen Mann.*

e) Andere Personen, andere Themen. Variieren Sie den Dialog. ODER Erstellen Sie eine Dialoggrafik und spielen Sie.

deine Schwester?	
	Julia/arbeiten/jede Woche/Yoga
dein Gemüsecurry	
	kochen
Und du?	
	meine Arbeit / den Garten / deinen Bruder?
Student / sein Leben / stressig	
	normal / meine Wohnung

2 *-en* am Wortende

Hören Sie und sprechen Sie nach. 3.12

leben – besuchen – kommen – Garten – backen – waren – unseren – arbeiten – bauen – lernen

1 **Opa, Mami oder Vati?**

3.13

a) Wie nennt ihr eure Eltern und Großeltern? Wir haben Kinder gefragt.
Hören Sie und ordnen Sie die Familienwörter zu. Die Wortwolke hilft.

Familie international

Oma Mutti Vati Mama Omi Papa Opi Mami Opa Papi

Mutter: _____

Großmutter: _____

Vater: *Vati,* _____

Großvater: _____

b) Wie ist das in Ihrer Sprache? Vergleichen Sie.

Ich komme aus Korea und nenne meine Mutter Omma.

Bei uns in Madras nennt man den Onkel Mama.

2 **Meine Familie**

a) Ordnen Sie jedem Text ein passendes Familienfoto zu.

A Ich heiße Joana, und das ist meine Familie. Ich bin verheiratet und lebe in der Schweiz. Wir haben eine Tochter und einen Sohn. Meine Eltern sehe ich nicht oft. Sie leben in Salvador da Bahia und haben dort ein Haus gebaut. Mein Bruder hat in Rio ein Startup gegründet und arbeitet dort. Er ist nicht auf dem Foto.

1

2

3

b) Wer ist das? Notieren Sie Informationen zu Joana, Marisol und Ivanka. Fragen und antworten Sie.

Sie hat vier Geschwister.

Das ist Ivanka. Sie hat eine Schwester und drei Brüder.

Ihr Bruder lebt in Rio.

Das ist ...

3 **Nach der Familie fragen**

a) Ordnen Sie Fragen und Antworten zu.

b) Fragen Sie im Kurs.

Hast du Geschwister?

Ja, ich habe einen Bruder. Und du?

4 **Meine Familie**

Schreiben Sie einen Ich-Text.

Meine Familie lebt in ... Ich habe drei Geschwister, einen Bruder und zwei Schwestern. Meine Eltern ...

1 Familienwörter

a) **Ergänzen Sie.**

1 _____ + der Vater = die Eltern (Pl.)

2 die Tochter + _____ = _____ (Pl.)

3 _____ + der Bruder = die Geschwister (Pl.)

🔊 b) **Hören und kontrollieren Sie.**
3.14

2 Familie Schumann. **Schreiben Sie Sätze wie im Beispiel. Die Grafik auf S. 136 hilft.**

1 Susanne – die Schwester   *Susanne ist die Schwester von Sebastian und Lukas.* _____

2 Jan – der Cousin   _____

3 Hans und Helga – die Großeltern   _____

4 Lisa – die Nichte   _____

5 Hans und Klaus – die Brüder   _____

6 Helga – die Tante   _____

7 Klaus und Ulla – die Eltern   _____

3 Wie gut kennen Sie die Familie Schumann?

a) **Richtig oder falsch? Vergleichen Sie mit den Profilen auf S. 137 und kreuzen Sie an.**

	richtig	falsch
1 Klaus Schumann ist mit Ulla verheiratet.	○	○
2 Die Cousine von Sebastian ist ledig.	○	○
3 Der Bruder von Marlies und Klaus ist ledig.	○	○
4 Die Eltern von Sebastian sind geschieden.	○	○
5 Die Schwester von Sebastian und Lukas ist ledig.	○	○
6 Marlies ist verheiratet.	○	○

b) **Korrigieren Sie die falschen Aussagen.**

c) *Ledig, verheiratet* oder *geschieden*? **Ergänzen Sie.**

1 Unsere Eltern sind schon 25 Jahre *verheiratet* _____. Das finden wir toll!

2 Meine Tante hat nie geheiratet. Sie ist _____.

3 Mein Großvater und meine Großmutter leben nicht zusammen. Sie sind _____.
   Meine Großmutter hat 2012 noch einmal geheiratet. Ihr Mann heißt Theo.

4 Mein Bruder ist 26 und schon drei Jahre mit Eva _____. Sie haben zwei Kinder.

5 2003 habe ich Max geheiratet. Aber seit 2012 sind wir _____.
   Wir passen einfach nicht zusammen, aber wir sind immer noch Freunde.

6 Meine Geschwister haben schon eine Familie, aber ich bin noch _____. Ich möchte auch gern
   heiraten und Kinder haben und suche eine Partnerin.

4 Drei Generationen, ein Haus. **Lesen Sie den Magazinartikel und ergänzen Sie den Familienbaum.**

Gemeinsam leben

Das ist die Familie Häusler. Großeltern, Eltern und drei Kinder wohnen in Hamburg.
Drei Generationen, ein Haus. Wie geht das?

Rita und Matze Häusler haben das Haus 2008 gekauft.
Heute haben sie drei Kinder: Elias, Theresa und Felix.
Das Haus ist groß und hat zwei Etagen. Die Eltern von Rita
wohnen im Erdgeschoss. Rita, Matze und die Kinder leben
in der ersten Etage. Rita sagt: „Unsere Familie lebt zusammen. Das ist toll! Meine Eltern sehen ihre Enkelkinder
jeden Tag." Auch die Kinder finden das super: „Ich koche
und backe gerne mit Oma", sagt Felix und „Opa und ich
spielen Fußball im Garten", erzählt Elias. Und was denkt

Familie Häusler

Matze, der Mann von Rita? Er ist Journalist und arbeitet zu Hause. Am Morgen bringt er die
Kinder zur Schule und dann trinkt er einen Kaffee mit Walter. „Das ist schön!", sagt Matze.

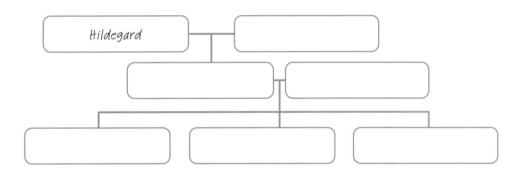

Hildegard

5 Laura Monti hat Friseurin gelernt

a) **Lesen Sie den Text und markieren Sie die Partizip-II-Formen.**

Ich heiße Laura Monti und bin 35 Jahre alt. Ich wohne jetzt in Berlin, aber
ich komme aus Italien. Dort habe ich 20 Jahre gelebt. Mein Bruder Vittorio und meine Eltern leben noch in Rom. Vittorio hat Fotograf gelernt,
wie mein Vater, und leitet seit fünf Jahren den Familienbetrieb. Ich habe
einen anderen Beruf gewählt und habe Friseurin gelernt. Mein Mann
Gregor ist Programmierer. 2015 haben wir zusammen in einer WG gewohnt. Zwei Jahre später haben wir geheiratet und eine Wohnung gemietet. Und 2018 haben wir unseren Hund gekauft. Er heißt Otto. Wir
haben noch keine Kinder.

b) **Wer …? Wie …? Wo …? Was …? Wann …? Lesen Sie den Text in a) noch einmal und schreiben Sie Fragen.**

Wie lange hat Laura in Italien gelebt?

Wo wohnt …

6 Lange (_) und kurze (.) Vokale

a) Hören und markieren Sie.

3.15

1 *wohnen* _____ gew<u>oh</u>nt   4 _____ geheiratet

2 _____ gelernt   5 _____ gemietet

3 _____ gewählt   6 _____ gekauft

b) Ergänzen Sie die Infinitive wie im Beispiel.

7 Nomen und Verben

a) Was passt nicht? Streichen Sie durch.

1 einen Betrieb – eine Firma – ~~ein Auto~~   gründen

2 eine Stadt – eine Wohnung – ein Fahrrad   mieten

3 eine Frau – ein Kind – einen Mann   heiraten

4 ein Haus – ein Handy – einen Beruf   kaufen

5 eine Firma – einen Kurs – einen Frisör   leiten

6 Italienisch – Freunde – Bäcker   lernen

b) Mauro Monti war Fotograf. Hören Sie und ergänzen Sie die Partizip-II-Formen.

3.16

1964–1967
Fotograf _____

1969

eine Wohnung in
Rom _____

1972

einen Fotoladen
_____

2014   **Heute 2019**

1964   Lucia _____   1971   1972–1984 als Fotograf für eine Zeitung _____   1985   bis 2014 den Betrieb _____

c) Das Leben von Mauro Monti. Schreiben Sie mit den Informationen aus b) einen Text.

Mauro Monti ist verheiratet und hat zwei Kinder, Laura und Vittorio.

Er ist Fotograf. Den Beruf hat er von 1964 bis ...

_____

_____

_____

_____

_____

_____

_____

_____

Mauro Monti, Fotograf, 1987

8 Seine Familie ist auch ihre Familie

a) Lesen Sie die Profile und vergleichen Sie mit S. 137. Welche Informationen sind neu? Notieren Sie.

Klaus Schumann wohnt seit 30 Jahren in Berlin. Er findet sein Leben dort interessant. Er hat eine Schwester und einen Bruder. Seine Geschwister und seine Mutter wohnen in Oldenburg. Er besucht seine Familie zweimal im Jahr. Sein Bruder Hans kommt auch manchmal nach Berlin. Er mag seinen Bruder sehr. Klaus ist geschieden. Er hat eine Tochter. Seine Tochter hat Design gelernt und einen Betrieb für Möbeldesign in Potsdam gegründet. Sie trifft ihre Cousinen oft in Berlin oder Oldenburg.

Klaus Schumann wohnt seit 30 Jahren in Berlin. ....

Käthe Schumann ist die Mutter von Klaus. Ihr Mann Johann lebt seit zwei Jahren nicht mehr. Sie hat zwei Söhne und eine Tochter. Ihre Tochter Marlies hat nie geheiratet. Ihre Enkel Lukas und Sebastian sind verheiratet und haben auch schon Kinder. Ihre Enkelinnen Susanne und Claudia sind ledig. Ihre Urenkelin Lisa kommt jede Woche. Manchmal gehen sie dann in den Zoo. Am Sonntag besucht sie oft ihre Tochter Marlies oder ihren Sohn Hans. Dann gibt es Kaffee und Kuchen.

b) Markieren Sie die Artikelwörter mit den Nomen im Nominativ und Akkusativ in a) und ergänzen Sie die Tabelle.

		der	das	die	die (Plural)
er	Nom.				*seine Geschwister*
	Akk.	*eine Schwester, ...*			
sie	Nom.				
	Akk.				

9 Familienfotos

a) Helga Schumann zeigt Gerda Clausen Familienfotos. Ergänzen Sie Possessivartikel und Nomen wie im Beispiel.

euren Hund • ihre Tochter • ~~deine Enkelkinder~~ • seine Mutter • euer Auto • unseren Hund • ihren Freund • eure Backshops • seinen Beruf

💬 Hier siehst du Jan und Lea, und das sind Lisa und Max.

💬 Das Foto ist sehr schön! Siehst du *deine Enkelkinder* .... [1] oft?

💬 Ja. Und das ist Hans in der Bäckerei. Ich glaube, das war 2012.

💬 Toll! Da hattet ihr schon .... [2], oder? Und wer ist das neben Hans?

💬 Kennst du .... [3] nicht? Sie ist schon 84 und sieht immer noch gut aus.

Und das sind Klaus und Ulla. .... [4] Claudia kennst du auch.

💬 Ja, und ich kenne .... [5] Martin. Ich finde .... [6] interessant.

Er ist Grafikdesigner!

💬 Aha. Hier habe ich noch ein Foto von Bo. Wie findest du .... [7]? Süß, oder?

Aber er mag keine Zusteller!

💬 Ich weiß. Ich mag .... [8]. Und was ist das? Ist das .... [9]?

💬 Nein, das gehört Sebastian. Er ist viel unterwegs.

b) Ergänzen Sie Artikel und Nomen wie im Beispiel. Die Angaben in a) helfen.

1 *der* Enkel/ich: Das ist *mein Enkel* _____ . Ich sehe *meinen Enkel* _____ oft.

2 _____ Fahrrad/du: Das ist _____ , oder? Ich finde _____ schön.

3 _____ Tochter/wir: Das ist *unsere* _____ . Wir besuchen _____ in Hamburg.

4 _____ Kind/ihr: Ich kenne _____ nicht. Ist das _____ ?

5 _____ Söhne/sie: Das sind Hans und Helga. Sebastian und Lukas sind _____ .

Triffst du _____ manchmal?

10 Siehst du deine Geschwister oft?

🔊 a) Diktat. Hören Sie und schreiben Sie mit.
3.17

1 *Ich besuche meine Eltern einmal im Monat.* _____

2 _____

3 _____

4 _____

5 _____

b) Lesen Sie die Sätze in a) noch einmal und ordnen Sie die Fotos zu.

a ○

b ○

c ○

d ○

e ○

11 Familienbesuch

▶ a) Videokaraoke. Sehen Sie und antworten Sie.
2.04

b) Was ist richtig? Sehen Sie das Video noch einmal und kreuzen Sie an.

1 Wann besuchen die Eltern Sabine? **a** ○ jede Woche **b** ○ einmal im Monat **c** ○ am Samstag und Sonntag

2 Wie alt ist Bruno? **a** ○ fünf Jahre **b** ○ vier Jahre **c** ○ drei Jahre

3 Wie oft sieht Sabine ihre Schwester? **a** ○ oft **b** ○ manchmal **c** ○ nie

4 Wann hat der Bruder von Sabine geheiratet? **a** ○ 2003 **b** ○ 2013 **c** ○ 2019

Fit für Einheit 11?

1 Mit Sprache handeln

(m)eine Familie beschreiben

Das ist mein Onkel. Er ist geschieden.

Wir haben eine Tochter / einen Sohn / zwei Kinder / keine Kinder.

Meine Familie wohnt in Oldenburg.

über einen Familienbetrieb sprechen

Warum haben Sie den Beruf Bäcker gewählt?	Mein Großvater und mein Vater sind auch Bäcker.
Wann hat Ihr Vater den Betrieb geleitet?	Von 1998 bis 2017.

nach Familienmitgliedern fragen

Wie oft triffst du deine Geschwister?	Ich treffe meine Geschwister nicht so oft.
Besucht ihr eure Großeltern oft?	Ja, wir besuchen unsere Großeltern jede Woche.
Was macht dein Bruder?	Er hat Fotograf gelernt und arbeitet in Rom.

2 Wörter, Wendungen und Strukturen

Familie und Verwandtschaft

die Großeltern = der Großvater, die Großmutter	erste Generation
die Eltern = der Vater, die Mutter	zweite Generation
die Kinder = der Sohn, die Tochter	dritte Generation

Ich bin Sandra. Mein Bruder heißt Sebastian und meine Schwester heißt Susanne.

Das ist der Onkel von Sebastian. Seine Tante heißt Ulla und seine Cousine heißt Claudia.

Johann und Käthe haben vier Enkel.

Lisa ist die Nichte und Max der Neffe von Sebastian und Tina.

Possessivartikel im Nominativ und Akkusativ

Das ist Claudia. Klaus ist ihr Vater. Sie sieht ihren Vater oft.

Das ist Klaus. Johann ist sein Vater. Er sieht seinen Vater nur einmal im Monat.

Das ist unser Kind. Wir sehen unser Kind jeden Tag.

Das ist meine Oma. Ich besuche meine Oma jede Woche.

Das sind meine Eltern. Ich besuche meine Eltern einmal im Monat.

Perfekt mit *haben*

Infinitiv	Partizip II: *ge*...(e)t	
kaufen	gekauft	2018 haben wir ein Auto gekauft.
lernen	gelernt	Ich habe Friseurin gelernt.
arbeiten	gearbeitet	Käthe hat lange mit Johann in der Bäckerei gearbeitet.

3 Aussprache

-en am Wortende: leben – besuchen – kommen – Garten

→ Interaktive Übungen

Autos reparieren oder Autos verkaufen?
Mach den Check!

der Automobilkaufmann

die Mechatronikerin

In der Werkstatt oder im Büro?

Mechatronikerinnen und Mechatroniker reparieren Autos in der Werkstatt, Automobilkaufleute verkaufen Autos und arbeiten im Büro. Welcher Beruf ist o.k. für dich? Mach den Check!

Ein Tag im Leben von Max Cordes, 22, Informatikkaufmann

» Ich habe Informatikkaufmann gelernt. Die Ausbildung hat drei Jahre gedauert. Jetzt arbeite ich bei der Firma STC Software-Systeme in Münster. «

Leserbriefe

Kann man beim ersten Treffen schon nach dem Beruf fragen?!

Vanessa Licht,
Bad Orb

Die BERUFE-Redaktion antwortet:

Wir meinen ja! Fragen wie „Was machen Sie beruflich?", „Ich bin Programmiererin, und was bist du von Beruf?" oder „Ich arbeite als Journalist. Und du?" sind total o. k., und Sie zeigen Interesse. Sie können über Ihre Aufgaben, die Arbeitsorte und Kolleginnen und Kollegen sprechen. Sie haben ein Thema und lernen die Person gut kennen.

1 Welche Berufe kennen Sie? Sammeln Sie.

2 Berufsprofil Altenpfleger/in. Was machen Altenpflegerinnen und Altenpfleger? Wo arbeiten sie, und wie lange dauert die Berufsausbildung? Lesen Sie und berichten Sie.

3 Nach dem Beruf fragen. Lesen Sie den Leserbrief und sammeln Sie Redemittel.

4 Im Büro oder in der Werkstatt. Wo arbeiten Sie lieber? Machen Sie den Check und vergleichen Sie.

5 Max Cordes, Informatikkaufmann. Was macht er wann? Lesen Sie und sprechen Sie über seinen Tagesablauf.

BERUFE

Komm, mach mit!

Was macht eigentlich ein/eine ...?

Altenpfleger/in
lernt: 3 Jahre in der Berufsfachschule
arbeitet: im Seniorenheim, zuhause bei den Seniorinnen und Senioren
Aufgaben:
Altenpflegerinnen und Altenpfleger helfen Seniorinnen und Senioren im Alltag: Am Morgen duschen, anziehen, Frühstück machen und am Abend ausziehen, waschen und ins Bett bringen. Die Altenpflegerinnen und Altenpfleger arbeiten mit Ärztinnen und Ärzten zusammen und geben Medikamente. Sie sprechen auch mit den Seniorinnen und Senioren über früher, über Familie und Freunde, über Arbeit und Hobbys.

1 Über Erfahrungen sprechen

Fragen und antworten Sie.

Haben Sie schon mal
Hast du schon mal

- einen Computer/ein Auto/eine Lampe repariert?
- Ihre/deine Eltern/Freunde am Arbeitsplatz besucht?
- im Büro/in der Werkstatt gearbeitet?
- eine App installiert?
- ein Computerspiel ausprobiert?
- einen Beruf/eine Sprache gelernt?
- an einer Universität studiert?
- einen Berufs-Check gemacht?

Ja, na klar!

Ja, das habe ich schon gemacht.

Nein, noch nie.

Und du?

2 Zwei Berufsporträts

a) Maurerin **ODER** Altenpfleger? Wählen Sie ein Berufsporträt. Lesen Sie und sammeln Sie Informationen in der Tabelle. Ergänzen Sie für den Beruf Altenpfleger/in Informationen von S. 149.

Lena (26), Maurerin

Maurerin – (K)ein Beruf für Frauen?

Lena hat schon eine Ausbildung als Kosmetikerin gemacht. Sie hat zwei Jahre im Kosmetiksalon gearbeitet: „Aber dann habe ich Maurer auf einer Baustelle beobachtet. Sie haben ein Haus gebaut. Ich habe überlegt: Maurerin – warum
5 nicht? Ich habe ein Praktikum gemacht, also den Beruf ausprobiert. Danach habe ich Bewerbungen verschickt – mit Erfolg.", sagt Lena.
Die Ausbildung hat drei Jahre gedauert. Lena hat in der Firma gearbeitet und die Berufsschule besucht. Sie arbeitet jetzt bei der Firma SO-Bau in Kassel: „Der Beruf ist nie langweilig, und ich finde meine Kolleginnen und Kollegen super. Ich
10 kann mit Steinen, Beton und Eisen arbeiten. Und ich arbeite auf der Baustelle oder in der Werkstatt – das ist toll!"

Wladimir (34), Altenpfleger

Altenpfleger – Hilfe für Senioren

Wladimir hat 2019 seine Ausbildung als Altenpfleger beendet. „Meine Ausbildung war super. Ich habe alle Aufgaben in der Altenpflege kennengelernt. Ich
15 habe viel mit den Seniorinnen und Senioren geredet, über ihre Familien und ihre Arbeit früher. Wir haben oft Fotos angeschaut, und ich habe viel gelernt. Das war klasse." Heute arbeitet Wladimir in einem Seniorenheim in Nürnberg. Er hat Schichtdienst. Er arbeitet eine Woche in der Frühschicht von 6:00–14:00 Uhr und eine Woche in der Spätschicht von 14:00–22:00 Uhr. Manchmal hat er
20 auch Nachtschicht von 22:00–6:00 Uhr. „Klar, die Nachtschicht ist nicht so toll. Aber ich kann Menschen helfen – das ist genau mein Ding!"

	Ausbildung als ...	Aufgaben/arbeitet mit ...	Arbeitsorte/Arbeitszeiten
Lena			
Wladimir			

b) Berichten Sie über Lena oder Wladimir.

Lena hat als Kosmetikerin gearbeitet. Sie ist jetzt ...

Wladimir hat eine Ausbildung als ... gemacht.

3 Berufe, Tätigkeiten, Arbeitsorte

a) Sammeln Sie Berufe auf den S. 148–150 und ergänzen Sie. Vergleichen Sie mit Ihren Sprachen.

♂	♀
der	die Journalistin
der Programmierer	die ....
der	die Informatikkauffrau

Minimemo

der Arzt – die Ärztin

Auf Spanisch heißt Ärztin médica.

Feminine Berufsbezeichnungen haben oft die Endung _____, im Plural _____.

b) Wer macht was wo? Ordnen Sie zu und berichten Sie.

WER?
eine Mechatronikerin · eine Ärztin · eine Automobilkauffrau · ein Programmierer · ein Altenpfleger · eine Architektin

WAS?

Autos reparieren	Senioren betreuen	Patienten untersuchen	Häuser planen	Autos verkaufen	Programme schreiben

WO?
im Homeoffice · im Autohaus · im Seniorenheim · im Krankenhaus · in der Werkstatt · im Planungsbüro

4 Was bin ich?

a) Berufe, Tätigkeiten und Arbeitsorte. Sammeln Sie im Kurs.

b) Schreiben Sie einen Beruf auf einen Zettel.
Kleben Sie den Zettel Ihrem Partner / Ihrer Partnerin auf die Stirn. Er/Sie rät den Beruf. Sie antworten mit *Ja* oder *Nein*.

Arbeite ich im Büro? Nein.

Untersuche ich Patienten? Ja.

Bin ich ein/e …?

5 Ich habe ein Praktikum gemacht

31.2

Sammeln Sie die Partizip-II-Formen in den Berufsporträts in 2 a) und ergänzen Sie die Tabelle.

ge … (e)t	… ge …(e)t	… (e)t
gemacht	angeschaut	repariert
		verschickt

Minimemo

Verben mit *-ieren* (telefonieren, ausprobieren):
Bei Verben mit *-ieren* kann nichts passieren.
Vorne kein *ge-*, hinten ein *-t*.

6 Berufsprofile

Formulieren Sie vier Fragen zu Beruf, Ausbildung, Studium, Praktikum, zu Arbeitsorten und Tätigkeiten.
Machen Sie Partnerinterviews. Stellen Sie die Person vor. **ODER** Lesen Sie ein Berufsprofil. Stellen Sie den Beruf vor.
ODER Was macht Ihr Opa / Ihre Freundin / Ihr Nachbar / … beruflich? Wählen Sie eine Person, und stellen Sie den Beruf vor.

Ein Tag im Job

1 Ein Vormittag mit Ismail Ertug, Physiotherapeut

a) Hypothesen vor dem Hören. Welche Tätigkeiten passen zu Ismail? Die Fotos helfen.

> Physiotherapeuten zeigen ...

Patientinnen und Patienten informieren • einen Gymnastik-Kurs leiten • früh aufstehen • Übungen zeigen • viel am Computer arbeiten • Programme schreiben • telefonieren • Patientinnen und Patienten massieren • Übungen aufschreiben • Kundinnen und Kunden beraten • mit Schülerinnen und Schülern arbeiten

🔊 3.18 **b)** Hören Sie das Interview. Bringen Sie die Bilder in die richtige Reihenfolge und überprüfen Sie Ihre Hypothesen in a).

c) Was sagt Ismail? Kreuzen Sie die richtigen Aussagen an und korrigieren Sie die falschen.

1 ◯ Die Frühschicht ist nicht sein Ding.

2 ◯ Er schreibt das Sportprogramm an die Tafel.

3 ◯ Er massiert oft die Patienten.

4 ◯ Um 10:00 Uhr hat er immer einen Yoga-Kurs.

5 ◯ Er erklärt alle Übungen ganz genau.

6 ◯ Er zeigt den Patienten Übungen für das Büro.

7 ◯ Er schreibt die Übungen auf.

8 ◯ Um 12:00 Uhr macht er Mittagspause.

d) Was hat Ismail heute Vormittag gemacht? Berichten Sie.

> Er war um 7:00 Uhr in der Praxis.

> Er hat das Sportprogramm gepostet.

e) Notieren Sie die Tätigkeiten aus b) wie im Beispiel.

1. das Sportprogramm gepostet

2 Langer oder kurzer Vokal?

🔊 3.19 **a)** Hören Sie und markieren Sie.

gemacht • gearbeitet • besucht • informiert • gezeigt • geschrieben • gelernt • repariert • geplant •

telefoniert • verkauft • angeschaut • gesehen • studiert • gehabt

🔊 3.20 **b)** Hören Sie noch einmal und sprechen Sie nach.

3 Vor fünf Jahren und heute

Was haben die Personen vor fünf Jahren gemacht? Was machen sie heute? Und wo?
Fragen Sie und notieren Sie die Informationen.

Vor fünf Jahren hat Ismail … *Heute …*

4 Vom *Sie* zum *Du* im Job

a) Wie ist es in der Bank, wie im Game-Design-Büro? Was meinen Sie?

	Bank	Game-Design-Büro
Zu Chefinnen und Chefs: *Du*	◯	◯
Zu Chefinnen und Chefs: *Sie*	◯	◯
Zu Kolleginnen und Kollegen: *Du* am 1. Arbeitstag	◯	◯
Zu Kolleginnen und Kollegen: *Du* in der 2. Woche	◯	◯

2.05
2.06
b) Sehen Sie die Videos. Verbinden Sie die Informationen über Rebecca oder Ben.
Vergleichen Sie mit Ihren Hypothesen in a).

Rebecca
Ben

sagt zur Chefin / zum Chef
sagt zu Kolleginnen/Kollegen
sagt zu Kundinnen/Kunden

du.
Sie.

c) Lesen Sie den Satz und kreuzen Sie an.

Eine Präsentation / Ein Gespräch mit Kundinnen/Kunden ist ◯ formell / ◯ informell.

d) Sehen Sie das Video noch einmal. Wie bieten Rebecca und Ben das *Du* an?
Markieren Sie im Redemittelkasten.

Redemittel

das *Du* anbieten	und annehmen
Wir sagen alle *Du,* ist das o. k. für dich?	Na klar, gerne. Ich bin …
Ich bin …, und du?	Hallo …, ich bin …
Sagen wir *Du*? Ich bin …	Sehr gerne. Ich bin …
Können wir *Du* sagen?	Ja, gerne. Also, ich heiße …

5 Kursspaziergang

a) Laufen Sie durch den Kursraum und bieten Sie das *Du* an. Der Redemittelkasten in 4 d) hilft.

b) *Du* oder *Sie* in Ihrem Land, in Ihrem Beruf. Berichten Sie.

In Schweden sagt man immer Du.

Bei Kollegen? Erst Sie, dann Du – das ist normal.

Und wie ist es in China?

1 6 Personen, 6 Berufe

a) Welcher Beruf ist das? Ordnen Sie zu.

der Maurer • die Automobilkauffrau • die Bäckerin • der Zusteller • der Mechatroniker • ~~die Architektin~~

die Architektin _____

b) Welche Berufe kennen Sie noch? Sammeln Sie.
der Altenpfleger / die Altenpflegerin, …

2 Nomen und Verben. Was passt? Ordnen Sie zu.

bringen • planen • machen • schreiben • untersuchen • betreuen • ~~arbeiten~~ • reparieren • leiten

1 als Architekt *arbeiten* _____

2 eine Rechnung _____

3 ein Auto _____

4 eine Ausbildung _____

5 Senioren _____

6 einen Kurs _____

7 ein Haus _____

8 Patienten _____

9 ins Bett _____

3 Der Bäcker – die Bäckerin

a) Hören Sie die Berufe. Wie klingt die Endung *-er*? Kreuzen Sie an.
3.21

	der Bäcker	der Kellner	der Lehrer	der Altenpfleger	der Maurer
1 wie ein *a*	○	○	○	○	○
2 wie ein *er*	○	○	○	○	○

b) Hören Sie und sprechen Sie nach. Markieren Sie wie im Beispiel.
3.22

1 der Bäcker – die Bäckerin

2 der Kellner – die Kellnerin

3 der Lehrer – die Lehrerin

4 der Altenpfleger – die Altenpflegerin

5 der Maurer – die Maurerin

4 Berufsprofil Altenpfleger/in

a) **Was ist richtig? Lesen Sie das Berufsprofil Altenpfleger/in auf S. 149 noch einmal und kreuzen Sie an.**

1 ◯ Altenpflegerinnen und Altenpfleger studieren drei Jahre an der Universität.

2 ◯ Sie arbeiten zu Hause bei den Seniorinnen und Senioren oder im Seniorenheim.

3 ◯ Sie helfen Seniorinnen und Senioren auch am Wochenende.

4 ◯ Ihre Aufgaben sind aufräumen, Termine machen und telefonieren.

5 ◯ Altenpflegerinnen und Altenpfleger arbeiten oft mit Ärztinnen und Ärzten zusammen.

6 ◯ Sie sprechen mit den Seniorinnen und Senioren.

b) **Korrigieren Sie die falschen Sätze.**

5 Was bedeutet *die Baustelle*?

a) **Was passt zusammen? Lesen Sie und ordnen Sie zu.**

1 in der Altenpflege arbeiten	a einen Beruf lernen
2 ein Praktikum machen	b alte Menschen betreuen
3 im Schichtdienst arbeiten	c einen Beruf ausprobieren
4 das Seniorenheim	d ein Arbeitsort für Maurerinnen und Maurer
5 eine Ausbildung machen	e in Frühschicht, Spätschicht oder Nachtschicht arbeiten
6 die Baustelle	f ein Wohnort für alte Menschen

b) **Lena (L), Wladimir (W) oder keiner (–)? Lesen Sie die Porträts auf S. 150 noch einmal und ergänzen Sie.**

◯W◯ hilft Seniorinnen und Senioren.　　　　◯ hat im Kosmetiksalon gearbeitet.

◯ hat zwei Ausbildungen gemacht.　　　　◯ besucht jetzt eine Berufsschule.

◯ arbeitet im Schichtdienst.　　　　◯ baut Häuser.

6 Männliche und weibliche Berufsbezeichnungen

a) **Ordnen Sie zu.**

~~der Arzt~~ • die Informatikkauffrau • der Bäcker • der Automobilkaufmann • die Maurer • die Kosmetikerinnen

Singular		Plural	
♂	♀	♂	♀
der Arzt		die Ärzte	

b) **Ergänzen Sie die fehlenden Berufsbezeichnungen im Singular und Plural in der Tabelle in a).**

7 Mein Traumjob. Schreiben Sie einen Ich-Text.

Ich möchte als ... arbeiten. / ...　　　　*Ich arbeite gern in der Werkstatt / im Büro.*

Ich repariere/telefoniere gern ...　　　　*Ich mag ... / Ich finde ... interessant.*

8 Berufe und Tätigkeiten

a) Welcher Beruf ist das? Ergänzen Sie.

1 *Der Architekt / die Architektin* — plant Häuser und arbeitet im Planungsbüro.

2 _____ untersucht im Krankenhaus Patientinnen und Patienten.

3 _____ schreibt Programme und installiert Software.

4 _____ hilft Seniorinnen und Senioren.

5 _____ recherchiert und schreibt Texte.

b) Beantworten Sie die Fragen.

1 Verkauft ein Mechatroniker Autos? — *Nein, ein Mechatroniker repariert Autos.*

2 Untersucht eine Ärztin Patienten? — *Ja, eine Ärztin ...*

3 Verkauft ein Architekt Häuser?

4 Schreibt ein Programmierer Programme?

5 Arbeitet eine Automobilkauffrau in der Werkstatt?

6 Arbeitet ein Altenpfleger im Homeoffice?

7 Arbeitet eine Kosmetikerin im Salon?

c) Hören Sie und notieren Sie die drei Berufe. 3.23

1 _____ 2 _____ 3 _____

9 Arbeitsorte und Tätigkeiten

a) Sehen Sie die Fotos an und notieren Sie die Arbeitsorte.

die Praxis, f, ...

b) Welche Tätigkeiten passen zu den Arbeitsorten in a)? Ordnen Sie zu.

a mit Stein, Beton und Eisen arbeiten   b Autos reparieren   c Frühstück machen

d Medikamente geben   e einen Motor reparieren   f Übungen zeigen   g Software programmieren

h ein Sportprogramm posten   i einen Gymnastik-Kurs leiten   j Software installieren

k Kunden beraten   l Autos verkaufen   m Häuser planen   n Häuser bauen   o Senioren betreuen

10 Ich habe … gelernt

a) Lesen Sie die Sätze. Markieren Sie die Partizip-II-Formen und ergänzen Sie die Infinitive.

1 Mein Opa hat 1970 eine Firma gegründet und sie 20 Jahre geleitet.　*gründen, leiten*

2 Meine Eltern haben vor 25 Jahren geheiratet und ein Haus gebaut.

3 Hast du schon das Video von Max angeschaut?

4 Der Mechatroniker hat das Auto repariert.

5 Der Arzt hat gestern viele Patienten untersucht.

6 Hast du schon deine Bewerbung verschickt?

b) *Arbeiten, lernen* oder *machen*? Ergänzen Sie die Partizip-II-Formen.

1 Er hat eine Ausbildung 　*gemacht* 　.

2 Wir haben einen Beruf 　　.

3 Sie hat in der Werkstatt 　　.

4 Er hat ein Praktikum 　　.

5 Sie hat als Kosmetikerin 　　.

c) Ordnen Sie die Verben aus a) und b) zu.

ge … (e)t	… ge …(e)t	… (e)t
gemacht		

11 Flüssig sprechen. Hören Sie und sprechen Sie nach.

3.24

1 gemacht – eine Ausbildung gemacht – Ich habe eine Ausbildung gemacht.

2 gelernt – Informatikkaufmann gelernt – Ich habe Informatikkaufmann gelernt.

3 gedauert – drei Jahre gedauert – Die Ausbildung hat drei Jahre gedauert.

4 gearbeitet – im Kosmetiksalon gearbeitet – Sie hat im Kosmetiksalon gearbeitet.

12 Beruf Physiotherapeut

3.25

a) Was macht Ismail Ertug? Hören Sie das Interview noch einmal und kreuzen Sie an.

1 ◯ Ein Physiotherapeut arbeitet in einer Praxis mit Patientinnen und Patienten.

2 ◯ Er gibt Medikamente aus und untersucht die Patientinnen und Patienten.

3 ◯ Ismail arbeitet auch am Computer und dokumentiert die Übungen.

4 ◯ Er hat wenig Zeit.

5 ◯ Er postet das Sportprogramm.

6 ◯ Viele Menschen brauchen eine Massage. Ismail massiert die Patientinnen und Patienten.

b) Was macht ein Physiotherapeut / eine Physiotherapeutin noch? Sammeln Sie die Informationen auf S. 152.

13 Interview mit Natalya Petrowa, Informatikkauffrau

🔊 a) Hören Sie das Interview und ordnen Sie die Aufgaben.
3.26

◯ Projekte planen   ◯ Software testen

◯ telefonieren   ◯ Kunden beraten

◯ Software programmieren   ① E-Mails lesen und schreiben

b) Was hat Natalya heute gemacht? Schreiben Sie.

Natalya hat heute E-Mails gelesen und ...

14 Rebecca hat Bankkauffrau gelernt

▶ a) Videokaraoke. Sehen Sie und antworten Sie.
2.07

b) Sehen Sie das Video noch einmal. Was sagt Rebecca? Kreuzen Sie an.

1 Die Ausbildung hat   **a** ◯ zwei Jahre gedauert.

     b ◯ drei Jahre gedauert.

2 In der Ausbildung   **a** ◯ hat Rebecca die Berufsschule besucht.

     b ◯ hat Rebecca in der Bank gearbeitet.

3 In der Bank hat Rebecca   **a** ◯ Kundinnen und Kunden beraten.

     b ◯ viel am Computer gearbeitet.

4 Rebecca sagt,   **a** ◯ ihre Kolleginnen und Kollegen sind sehr nett.

     b ◯ ihre Chefin ist sehr nett.

15 Ben, Game-Designer. Sehen Sie das Video von S. 153 noch einmal und kreuzen Sie an.

▶ **1** Ben redet mit seinem Chef: **a** ◯ Guten Tag, Herr Kramer. Wie geht es Ihnen?
2.05

     b ◯ Hallo Iwan. Wie geht es dir?

2 Ben begrüßt einen neuen Kollegen: **a** ◯ Willkommen! Ich bin Ben. Und du?

     b ◯ Freut mich Sie kennenzulernen.

3 Ben macht eine Präsentation: **a** ◯ Hallo, ich bin Ben. Ich bin Game-Designer.

     b ◯ Guten Tag, mein Name ist Ben Sommer.

16 Vom *Sie* zum *Du*. Ergänzen Sie die Antworten. Es gibt verschiedene Möglichkeiten. Die Redemittel auf S. 153 helfen.

1 Wir sagen alle Du, ist das o. k. für dich? *Na klar, gern. Ich ...*

2 Sagen wir Du? Ich bin Natalya.

3 Ich bin Rebecca, und du?

4 Können wir Du sagen?

Fit für Einheit 12?

1 Mit Sprache handeln

nach dem Beruf fragen und antworten

Was machen Sie beruflich?	Ich bin Maurerin.
Als was arbeiten Sie?	Ich arbeite als Arzt.
Was ist Ihr Beruf?	Mein Beruf ist Altenpfleger.

über Berufe und Ausbildung sprechen

Ich bin Programmierer. Ich habe drei Jahre an der Universität studiert. Jetzt arbeite ich in einem Büro.
Ich schreibe Programme und installiere Software. Meine Arbeit macht Spaß.
Ich arbeite als Automobilkauffrau. Ich habe drei Jahre lang eine Ausbildung gemacht.
Jetzt verkaufe ich Autos.

2 Wörter, Wendungen und Strukturen

Berufe

♂	♀
der Maurer	die Maurerin
der Bäcker	die Bäckerin
der Lehrer	die Lehrerin
der Zusteller	die Zustellerin
der Architekt	die Architektin
der Arzt	die Ärztin
der Bankkaufmann	die Bankkauffrau

Arbeitsorte

in der Werkstatt	Ich bin Mechatroniker. Ich repariere Autos in der Werkstatt.
im Büro	Ich bin Architekt. Ich plane Häuser im Büro.
auf der Baustelle	Ich bin Maurerin und arbeite auf der Baustelle.

Partizip II

ge...(e)t	...ge...(e)t	...(e)t
gearbeitet	angeschaut	repariert
gelernt	kennengelernt	verschickt

3 Aussprache

das *r* in *-er*: der Kellner – die Kellnerin, der Schüler – die Schülerin, der Kosmetiker – die Kosmetikerin
langer und kurzer Vokal: gemacht – besucht, gehabt – repariert

→ Interaktive Übungen

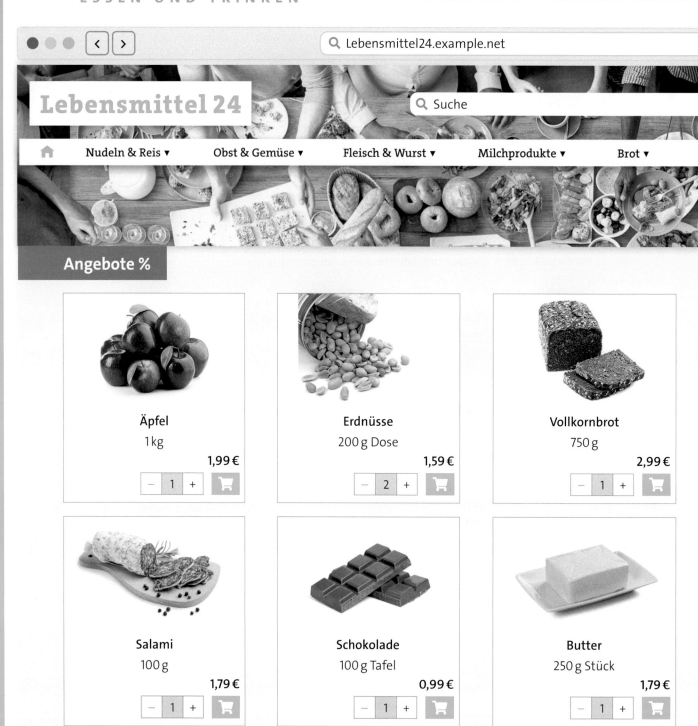

Shoppen ohne Schleppen

Lebensmittel online kaufen

Lebensmittel mit dem Handy nach Hause bestellen – das ist für viele Menschen in Deutschland, Österreich und in der Schweiz schon normal. Über drei Millionen Menschen in Deutschland „shoppen" Lebensmittel im Internet. Der Vorteil ist: Der Online-Supermarkt ist 24 Stunden geöffnet. Du musst nichts suchen, du musst nichts schleppen. Die Lebensmittel kommen nach Hause.

Foodbox – Einfach! Lecker! Frisch!

Der neue Trend ist die „Foodbox". Das geht so: Man wählt ein Rezept aus, z. B. Thai-Hähnchencurry, gibt die Personenzahl an und alle Zutaten kommen in der „Foodbox" nach Hause. Man lernt viele Gerichte kennen, und die Rezepte sind einfach. Alles frisch und sehr lecker!

Marmelade & Honig ▾   Snacks ▾   Getränke ▾

Spaghetti
500 g Packung
0,79 €
− 1 +

Paprika
1 kg
1,89 €
− 1 +

Bergkäse
100 g
2,99 €
− 1 +

Weißwurst
100 g
1,90 €
− 1 +

Mineralwasser naturell
1,5 l Flasche
1,69 €
− 6 +

Erdbeermarmelade
250 g Glas
1,99 €
− 1 +

1   Lebensmittel
a) Nudeln & Reis, Obst & Gemüse, ordnen Sie die Lebensmittel zu.
b) Ergänzen Sie weitere Lebensmittel aus den Einheiten 3 und 4.

2   Paprika mag ich (nicht). Kommentieren Sie.

3   Eine Einkaufsliste schreiben. Was brauchen Sie?
💬 *500 g Spaghetti, …*

4   Wechselspiel. Im Supermarkt. Fragen und antworten Sie.
💬 *Hast du schon …?*

5   *Shoppen ohne Schleppen* und *Foodbox*
Was sind die Vorteile? Lesen Sie und erklären Sie.

g = Gramm   kg = Kilogramm   l = Liter

Einkaufen

1 Auf dem Markt

Welche Lebensmittel mögen Sie? Was kosten sie? Notieren Sie.

Der Marktstand

Minimemo

1000 Gramm sind ein Kilo.
(1000 g = 1 kg)
ein Liter (1 l)
ein halber Liter (0,5 l)
ein viertel Liter (0,25 l)

2 Ein Wort, viele Sprachen

Kennen Sie die Sprachen? Vergleichen Sie.

tomat   tomates   tomaat   tomāts   ntomàta   Paradeiser   paradicsom   tomaati   pomidor

3 Lina kauft auf dem Markt ein

2.08

a) **Was kauft Lina? Sehen Sie das Video. Welche Einkaufsliste passt? Kreuzen Sie an.**

💬 Guten Tag. Was darf es denn sein?
💬 Ich hätte gern zwei Gurken und ein Kilo Tomaten.
💬 Welche Tomaten? Die Tomaten aus Deutschland oder die Tomaten aus Italien?
💬 Lieber die Tomaten aus Deutschland. Und was kostet der Salat?
💬 Welchen Salat meinen Sie?
💬 Diesen Salat hier.
💬 Der kostet eins fünfzig. Haben Sie noch einen Wunsch?
💬 Nein, danke.
💬 So, zwei Gurken, ein Kilo Tomaten und der Salat.
💬 Was macht das?
💬 Das macht zusammen 7,10 Euro.

b) **Lesen Sie den Dialog. Variieren Sie Lebensmittel und Preise.**

1
Einkaufen

2 Gurken

1 kg Tomaten

2 Salate

2
Einkaufen

2 Gurken

1 kg Tomaten

1 Salat

4 Einkaufen

a) **Üben Sie Einkaufsdialoge. Die Dialoggrafik hilft.**

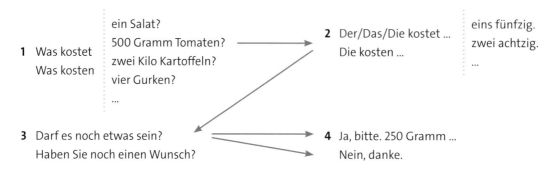

1 Was kostet
Was kosten

ein Salat?
500 Gramm Tomaten?
zwei Kilo Kartoffeln?
vier Gurken?
…

2 Der/Das/Die kostet …
Die kosten …

eins fünfzig.
zwei achtzig.
…

3 Darf es noch etwas sein?
Haben Sie noch einen Wunsch?

4 Ja, bitte. 250 Gramm …
Nein, danke.

b) Fragen, Wünsche und Antworten. Wer sagt was? Kreuzen Sie an.

	Verkäufer/in	Kunde/Kundin
Guten Tag, Sie wünschen?	○	○
Was darf es denn sein …?	○	○
Haben Sie …?	○	○
Was kostet / kosten …?	○	○
Das macht zusammen …	○	○
Das ist aber teuer!	○	○
Ja, bitte?	○	○
Das Kilo kostet …	○	○
Nein, danke.	○	○

c) Ergänzen Sie weitere Redemittel von S. 162.

5 ## Lieber Äpfel als Orangen

23

a) Fragen und antworten Sie.

💬 Welches Obst magst du lieber, Äpfel oder Orangen?
💬 Welches Brot magst du lieber, Vollkornbrot oder Weißbrot?
💬 Welche Suppe isst du lieber, Tomatensuppe oder Kartoffelsuppe?
💬 Welches Gemüse magst du lieber, Möhren oder Pilze?
💬 Welche Salate magst du lieber, Tomatensalate oder Gurkensalate?
💬 Welchen Kaffee trinkst du lieber, Milchkaffee oder Espresso?

💬 Ich mag lieber …
💬 Ich …
💬 Lieber …
💬 …

b) Berichten Sie.   *Aurica mag Vollkornbrot lieber als Weißbrot.*

c) Markieren Sie das Fragewort *welch-* in a) und ergänzen Sie.
Fragen und antworten Sie dann schnell.

*Welchen Salat
möchten Sie?*

Den Kopfsalat, bitte.

Welch… Salat	nehmen Sie?	Den Kopfsalat.
Welches Brot	möchten Sie?	Das Vollkornbrot.
Welch… Paprika	magst du?	Die Paprika aus Spanien.
Welch… Salate/Brote/Tomaten	isst du gern?	Die Weißbrote.

d) Fragen und antworten Sie wie in a).

6 ## Ich hätte gern …

Auf dem Markt. Schreiben und spielen Sie Einkaufsdialoge. Die Dialoggrafik auf S. 162 hilft.

Der Kochkurs

1 Beruf Koch. Hobby Kochkurse

Lesen Sie und berichten Sie über Karim und Sophie.

Karim hat eine Ausbildung als Koch gemacht. Kochen ist für ihn Beruf und Hobby. Er hat den Beruf drei Jahre im Restaurant „Der Löffel" gelernt und war in der Berufs-
5 schule. Jetzt arbeitet er als Koch in der Uni-Mensa in Göttingen. Am Wochenende gibt er Kochkurse in einer Show-Küche. Kochtech-
10 nik, Tischdekoration – hier kann man alles lernen. Karim liebt seinen Beruf.

Karim, Koch

Sophie kocht und isst gern. Sie mag die Kochkurse von Karim. Sie hat schon drei Kurse gemacht. Sie sagt: „Ich koche gern vegetarisch, am liebsten indisch. Hier bekomme
5 ich viele Ideen. Ich lade am Wochen-ende gern Gäste ein. Ich koche dann für sie und alle helfen in der
10 Küche."

Sophie, Lehrerin

2 Bandnudeln mit Pilzen für vier Personen

a) Lesen Sie das Rezept und bringen Sie die Bilder in die richtige Reihenfolge.

Sahne gießen

Zwiebeln braten

Zwiebeln schneiden

die Pilze putzen

Zutaten

200 g	Steinpilze
400 g	Bandnudeln
250 g	Sahne
	Pfeffer & Salz
2 EL	Öl
4	kleine Zwiebeln

So geht's!
- die Steinpilze putzen und schneiden
- die Zwiebeln klein schneiden und in Öl braten
- die Pilze dazugeben und rühren
- die Sahne dazugießen und etwas Pfeffer und Salz dazutun
- die Nudeln 8 Minuten kochen

3.27

b) Karim erklärt das Rezept. Hören und lesen Sie. Was ist anders?

c) Sprachschatten. Erklären Sie das Rezept und kommentieren Sie.
18

💬 Zuerst musst du die Steinpilze putzen und schneiden.

💬 Dann musst du die Zwiebeln schneiden.

💬 Dann musst du die Zwiebeln braten.

💬 Danach musst ...

💬 Zum Schluss ...

💬 O. k., die Steinpilze putzen und schneiden.

💬 Aha, die Zwiebeln schneiden ...

💬 O. k., die Zwiebeln ...

3 Das *ch*

3.28

a) **Hören Sie die Wörter. Was fällt Ihnen auf?**

mö**ch**ten – gema**ch**t – Mil**ch** – Wo**ch**e – brau**ch**en – a**ch**t – Kü**ch**e – Bu**ch** – Kö**ch**e – Bü**ch**er – dana**ch** – Ko**ch** – wel**ch**e – i**ch** – man**ch**mal – Spätschi**ch**t – Nä**ch**te

b) **Hören Sie noch einmal und sprechen Sie nach.**

c) **Ergänzen Sie die Regel.**

Regel: Nach _____ , _____ , _____ und _____ klingt das *ch* wie [x] in *Bu**ch***. Sonst klingt das *ch* wie [ç] in *i**ch***.

4 Was muss ich zuerst machen?

30

Lesen Sie die Sätze und ergänzen Sie die Regel.

	Position 2		Satzende	Grammatik
Die Nudeln	müssen	10 Minuten	kochen.	
Zuerst	musst	du die Zwiebeln	schneiden.	*Satz mit Zeitangabe*
Wie lange	muss	ich die Pilze	braten?	*Fragesatz mit W-Frage*
Muss	ich	die Pilze	braten?	*Satzfrage*

Regel: Das Modalverb im Satz und in der W-Frage steht auf _____ .

In der Satzfrage steht das Modalverb auf _____ .

Der Infinitiv steht immer am _____ .

5 Lieblingsessen

a) **Was essen Sie gern? Kommentieren Sie wie im Beispiel.**

💬 Kartoffelsuppe mag ich gern.   💬 Ich auch. Aber ich esse lieber Tomatensuppe als Kartoffelsuppe.

b) **Essen international. Was essen Sie am liebsten? Vergleichen Sie im Kurs.**   *Am liebsten esse ich Nudelsuppe.*

Am liebsten esse ich Bigos.   *Bigos? Kenne ich nicht. Was ist das?*

Minimemo

gern – lieber – am liebsten

Bigos   Gado-gado   Samosas

6 Haben Sie ein 15-Minuten-Rezept?

a) **Was brauchen Sie? Schreiben Sie eine Einkaufsliste.**

b) **Erklären Sie das Rezept wie in Aufgabe 2.** ODER **Sammeln Sie Lieblings-Rezepte im Kurs. Machen Sie ein Plakat.**

1 Online-Supermärkte. **Lesen Sie den Magazinartikel auf S. 160 noch einmal. Was ist richtig? Kreuzen Sie an.**

1 ◯ In Deutschland kaufen über drei Millionen Menschen Lebensmittel online.

2 ◯ Online-Supermärkte sind nur am Wochenende 24 Stunden geöffnet.

3 ◯ Online-Supermärkte bringen Lebensmittel nicht nach Hause.

4 ◯ In der Foodbox sind die Zutaten für ein Rezept.

2 Wortfeld Lebensmittel

a) Sammeln Sie die Lebensmittel auf S. 160 bis 162 und ordnen Sie zu. Ergänzen Sie die Artikel. Die Wortliste auf S. 278 hilft.

Obst und Gemüse	Fleisch und Wurst	Milchprodukte
der Apfel		

b) Einkaufen. Was passt zusammen? Es gibt mehrere Möglichkeiten.

Tomaten • Gurken • Erdnüsse • Mineralwasser • Limonade • Schokolade •
Nudeln • Butter • Tomatensaft • Paprika • Marmelade • Zucker

1 eine Flasche ...   **3** eine Tafel ...   **5** eine Dose ...   **7** ein Stück ...

2 ein Glas ....   **4** ein Kilo ...   **6** eine Packung ...   **8** ein Liter ...

c) Was kaufen Sie *oft, manchmal, nie*? **Schreiben Sie.**

Ich kaufe oft einen Liter ...,

3 Obst und Gemüse kaufen

2.09 **a) Videokaraoke. Sehen Sie und antworten Sie.**

b) Was kaufen Sie? Sehen Sie noch einmal und notieren Sie.

	Wie viel?	Was?
Ich kaufe		
Ich kaufe		Tomaten
Ich kaufe		

4 Preise hören. **Was kosten das Obst und das Gemüse? Hören und notieren Sie.**

3.29

1	2	3	4	5
ein Kilo Tomaten	ein Kilo Kartoffeln	eine Paprika	ein Kilo Äpfel	ein Kilo Orangen
2,49 €				

5 Der Einkaufszettel

🔊 a) **Was brauchen wir? Hören Sie und kreuzen Sie an.**
3.30

1 ⃝ ___ Paprika	**4** ⊗ _2_ Gurken	**7** ⃝ ___ Tomaten
2 ⃝ ___ Wasser	**5** ⃝ ___ Orangen	**8** ⃝ ___ Käse
3 ⃝ ___ Wurst	**6** ⃝ ___ Schokolade	**9** ⃝ ___ Milch

b) **Hören Sie noch einmal und notieren Sie die Mengen in a).**

6 Wir machen Salat „Apollo"

🔊 a) **Was braucht man für den Salat? Hören Sie und kreuzen Sie an.**
3.31

⃝ Zwiebeln ⃝ Tomaten ⃝ Gurken ⃝ Paprika

⃝ Oliven ⃝ Pilze ⃝ Brot ⃝ Käse

b) **Lesen Sie den Dialog und ergänzen Sie die Fragen mit** *welch-*.

💬 Wir brauchen noch Tomaten.

💬 *Welche Tomaten nehmen wir?* ___

💬 Wir nehmen die Tomaten aus Italien.

💬 Dann eine Gurke.

💬 _____ ?

💬 Die Salatgurke.

💬 Dann noch Oliven.

💬 *Und* _____ ?

💬 Die Oliven hier sehen lecker aus.

💬 Dann noch Käse und Brot.

💬 Hier, wir nehmen den Käse aus Spanien.

_____ ?

💬 Das Weißbrot.

💬 Prima. Wir haben alles.

Einkaufen im Supermarkt

🔊 c) **Hören Sie und kontrollieren Sie.**
3.32

7 Das Fragewort *welch-*. **Ergänzen Sie.**

1 💬 *Welches* ___ Gemüse kaufst du oft?

💬 Ich kaufe oft Tomaten und Gurken.

4 💬 ___ Wurst magst du gern?

💬 Ich mag am liebsten Salami.

2 💬 ___ Obst kaufst du oft?

💬 Ich kaufe oft Äpfel und Orangen.

5 💬 ___ Nudeln kaufst du oft?

💬 Ich kaufe oft Spaghetti.

3 💬 ___ Käse isst du gern?

💬 Ich esse gern Bergkäse.

8 Der Kochkurs

a) Lesen Sie das Profil von Karim auf S. 164 noch einmal und beantworten Sie die Fragen.

1 Welche Ausbildung hat Karim gemacht?

2 Wo hat Karim die Ausbildung gemacht?

3 Wie lange hat die Ausbildung gedauert?

4 Wo arbeitet Karim heute?

5 Was macht Karim am Wochenende?

6 Was kann man in den Kochkursen von Karim lernen?

1. Karim hat ...

b) Lesen Sie das Profil von Sophie auf S. 164 noch einmal. Was ist richtig? Kreuzen Sie an.

1 ◯ Sophie kocht sehr gern.

2 ◯ Sophie hat schon fünf Kurse bei Karim gemacht.

3 ◯ Sophie bekommt im Kochkurs von Karim Ideen.

4 ◯ Sophie kocht nicht gern vegetarisch.

9 Gemüsereis

3.33 **a) Welche Zutaten passen? Hören Sie und kreuzen Sie an.**

1

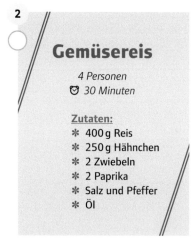

Gemüsereis

Zutaten:

400 g Reis 🍴 250 g Fisch

2 Zwiebeln 🍴 2 Paprika

Salz und Pfeffer 🍴 Öl

4 Personen
⏰ 30 Minuten

2

Gemüsereis

4 Personen
⏱ *30 Minuten*

Zutaten:

✳ 400 g Reis

✳ 250 g Hähnchen

✳ 2 Zwiebeln

✳ 2 Paprika

✳ Salz und Pfeffer

✳ Öl

3

4 Personen • 30 Minuten

Gemüsereis

Zutaten:

· 400 g Reis

· 250 g Hähnchen

· 100 g Pilze

· 2 Zwiebeln

· 2 Paprika

· Salz und Pfeffer

· Öl

b) Was muss Sophie machen? Hören Sie noch einmal und ordnen Sie.

a (1) Reis kochen

b ◯ Reis dazugeben

c ◯ Zwiebeln anbraten

d ◯ Paprika und Hähnchen dazugeben

e ◯ Fleisch und Gemüse klein schneiden

f ◯ Öl in die Pfanne geben

10 Ein Interview mit Karim

3.34 **a) Textkaraoke. Hören und fragen Sie.**

💬 ...

💬 Hallo Karim. Was bist du von Beruf?

💬 ...

💬 Bist du gern Koch?

💬 ...

💬 Warum bist du gern Koch?

💬 ...

💬 Und was findest du nicht so gut?

💬 ...

b) Hören Sie das Interview noch einmal. Was sagt Karim? Ergänzen Sie die Tabelle.

Beruf Koch: 😊	Beruf Koch: 😞
kreativ sein, …	

11 Beruf Gemüseverkäufer

a) Lesen Sie das Interview und ergänzen Sie die Tabelle.

💬 Guten Tag, Herr Schmidt. Sie arbeiten auf dem Markt in Jena.

💬 Ja. Ich verkaufe hier Gemüse.

💬 Wie oft findet der Markt in Jena statt?

💬 Der Markt findet immer am Dienstag, am Donnerstag, am Freitag und am Samstag statt. Die Leute in Jena mögen den Markt. Sie kaufen gern hier ein.

💬 Sie sind nur in Jena?

💬 Nein. Am Montag und am Mittwoch bin ich auf dem Markt in Erfurt. Nur am Sonntag muss ich nicht arbeiten.

💬 Warum arbeiten Sie gern auf dem Markt?

💬 Als Verkäufer auf dem Markt kann ich draußen arbeiten und muss nicht immer im Büro sein. Und ich kann viele Menschen kennenlernen und den Kunden Tipps geben.

💬 Welche Tipps geben Sie?

💬 Ich kann gut kochen und spreche gern über Rezepte. Die Kunden mögen das.

Rico Schmidt, 42, Gemüseverkäufer

💬 Und was ist manchmal nicht so schön?

💬 Ich muss immer früh aufstehen. Um acht Uhr beginnt der Markt. Ich muss auch viel stehen und viel laufen. Und nicht alle Kunden sind nett.

💬 Welches Gemüse essen Sie am liebsten?

💬 Ich esse am liebsten Tomaten. Gurken und Paprika mag ich auch. Aber Gurken mag ich lieber als Paprika.

Was kann Herr Schmidt tun?	Was muss Herr Schmidt tun?	Was muss Herr Schmidt nicht tun?
Er kann …	*Er muss …*	*Er muss nicht …*

b) Wiederholung Fragewörter. Schreiben Sie Fragen.

1 *Was macht Herr Schmidt beruflich* ? – Er ist <u>Gemüseverkäufer</u>.

2 _____ ? – Er arbeitet <u>auf dem Markt</u>.

3 _____ ? – Die Märkte sind <u>in Jena und Erfurt</u>.

4 _____ ? – Er ist <u>42</u> Jahre alt.

5 _____ ? – Der Markt beginnt <u>um 8 Uhr</u>.

6 _____ ? – <u>Am Sonntag</u> muss er nicht arbeiten.

7 _____ ? – Er isst am liebsten <u>Tomaten</u>.

8 _____ ? – Er kann gut <u>kochen</u>.

12 Welches Verb passt? **Verbinden Sie. Es gibt mehrere Möglichkeiten.**

1 Lebensmittel im Internet
2 auf dem Markt
3 eine Ausbildung
4 einen Kurs
5 ein Rezept
6 eine Einkaufsliste

a geben
b arbeiten
c schreiben
d einkaufen
e bestellen
f ausprobieren
g bekommen
h machen

13 Lieblingsessen in der Mensa. **Lesen Sie die Profile im Mensa-Magazin und ergänzen Sie die Sätze.**

Meine Mensa

Studierende berichten.

Ich bin Mette. Ich komme aus Dänemark und studiere hier Germanistik und Sport im 8. Semester. Ich esse nur manchmal in der Mensa. Die Nudelsuppe ist hier sehr lecker. Am Nachmittag trinke ich gern Kaffee in der Mensa. Kaffee mag ich lieber als Tee. Oft esse ich auch ein Stück Kuchen. Den Käsekuchen mag ich am liebsten.

Ich bin Hanna und komme aus München. Ich studiere Deutsch als Fremdsprache. Mittags gehe ich immer in die Mensa. Das ist praktisch und nicht teuer. Ich esse hier oft Fleisch und Gemüse. Fisch esse ich aber nicht so gern. Danach trinke ich gern Tee. Der Kaffee ist hier nicht lecker.

1 Mette isst in der Mensa gern _____ .

2 Mette trinkt lieber _____ als _____ .

3 Am Nachmittag isst Mette am liebsten _____ .

4 Hanna isst in der Mensa oft _____ .

5 Hanna trinkt in der Mensa lieber _____ als _____

14 Lieblingsessen. **Schreiben Sie sechs Sätze und vergleichen Sie im Kurs.**

| Am Morgen/Mittag/Abend esse/trinke ich
Bei uns essen/trinken die Menschen | gern
lieber … als
am liebsten | Fisch/Fleisch.
Obst/Gemüse/Salat.
Reis/Kartoffeln/Nudeln.
Brot/Wurst/Käse.
Kuchen/Schokolade.
Kaffee/Tee.
… |

Am Morgen trinke ich gern Kaffee.

Fit für Einheit 13?

1 Mit Sprache handeln

Lebensmittel einkaufen

Verkäufer/in:	Käufer/in:
Guten Tag. Was darf es sein?	Ich hätte gern ein Kilo Tomaten.
Darf es noch etwas sein?	Zwei Gurken, bitte. Und was kosten die Paprika?
Die Paprika kosten 3,50 Euro das Kilo.	Was macht das?
Das macht zusammen ... Euro.	

sagen, was man gern / lieber / am liebsten mag

Ich esse gern Gurken.

Tomaten esse ich lieber als Gurken.

Ich esse am liebsten Pilze.

2 Wörter, Wendungen und Strukturen

Welch-

Welchen Fisch möchten Sie?	Den Fisch aus Norwegen, bitte.
Welches Brot möchten Sie?	Das Weißbrot.
Welche Suppe möchten Sie?	Die Tomatensuppe.
Welche Tomaten möchten Sie?	Die Tomaten aus Italien.

zuerst – dann – danach – zum Schluss

Zuerst musst du das Gemüse waschen. Dann musst du das Gemüse klein schneiden. Danach musst du das Gemüse mit Butter anbraten. Zum Schluss musst du Salz und Pfeffer dazugeben.

müssen

Ich muss das Gemüse waschen.

Dann muss ich das Gemüse klein schneiden.

Muss ich das Gemüse in Butter oder in Öl anbraten?

Wie lange muss ich das Gemüse in Butter anbraten?

gern – lieber – liebsten

Ich esse gern Gemüse.

Ich esse lieber Tomaten als Gurken.

Ich esse am liebsten Möhren und Pilze.

3 Aussprache

das ch

[ç]   ich, Küche, Milch, manchmal

[x]   Buch, danach, Bochum, brauchen

Interaktive Übungen

1 Selma

a) Vor dem Sehen. *Nicos Weg* in den Plateaus 1 und 2. Lesen Sie und ergänzen Sie die Namen.

a ◯ _____ hilft Nico. Er kann ein paar Tage in der Wohngemeinschaft
in der Wagnergasse wohnen.

b ◯ *Max* und _____ sind Freunde von Lisa. Sie haben ein Restaurant,
Das Marek. Sie spielen gern Fußball. Sie laden Nico zum Training ein.

c ◯ _____ ist Gast im *Marek*. Sie hört Lisa zu. Sie hat ein Zimmer für Nico.

d ◯ Dort gibt es am Abend eine Party. Nico trifft _____. Er findet sie sofort nett.

e ① _____ kommt aus Spanien. Er ist jetzt in Deutschland. Seine Tasche
ist weg. Er hat keinen Pass, kein Geld und keine Wohnung.

f ◯ *Lisa* kommt ins *Marek*. Sie hat ein Zimmer für Nico gesucht, aber sie hatte
kein Glück.

Nico   Lisa

Selma   Max

Tarek   Inge

© DW

b) Lesen Sie die Sätze noch einmal und ordnen Sie die Geschichte in a).   ▶ 2.10

c) *Großeltern*, *Eltern* und *Geschwister*. Sehen Sie das Video und sammeln Sie Informationen über die Familie von Selma.

d) Nico hat das Portemonnaie von Selma. Warum? Wählen Sie in jeder Zeile a oder b aus und erzählen Sie.

1 a ◯ Nico trifft Selma in der Stadt.

b ◯ Lisa und Nico treffen Selma.

2 a ◯ Sie gehen zusammen ins Marek.

b ◯ Sie gehen in ein Café.

3 a ◯ Die Mutter von Selma ruft an. Selma muss sofort nach Hause kommen.

b ◯ Es ist schon fast sechs. Selma muss schnell zum Deutschkurs.

4 a ◯ Selma gibt Nico ihr Portemonnaie und geht zur Toilette. Er bezahlt.

b ◯ Selma bezahlt und vergisst ihr Portemonnaie.

5 a ◯ Selma ist weg. Nico findet ihr Portemonnaie und nimmt es mit.

b ◯ Selma kann ihr Portemonnaie nicht finden und ruft Nico an.

e) Lesen Sie die Geschichte aus d) Ihrem Partner / Ihrer Partnerin vor. Wählen Sie eine Geschichte aus d). Schreiben Sie Dialoge und spielen Sie.

f) *Du musst die Schuhe nicht ausziehen.* Sehen Sie das Video noch einmal. Lesen Sie dann den Informationstext und vergleichen Sie.

2 Wir sind hier die Chefs!

▶ 2.11

a) *Das Marek* in der Zeitung. Lesen Sie den Artikel und sehen Sie das Video. Welche Informationen über Max und Tarek sind neu? Markieren Sie.

Lecker essen, Leute treffen – Das Marek

Bonn. Das Restaurant im Stadtzentrum gehört Max und Tarek. Sie sind die Chefs. Das war aber nicht im-
5 mer so. Max hat Bankkaufmann gelernt und Tarek war Elektriker. Früher hat Max viel Büroarbeit gemacht und Tarek hat Geräte installiert oder repa-riert. Heute arbeiten sie von Dienstag bis Sonntag im *Marek*, planen die Speisekarte, kaufen Lebensmittel
10 ein und kochen. Das war schon immer ihr Hobby.

b) Was haben Max und Tarek früher im Beruf gemacht? Sehen Sie das Video noch einmal und berichten Sie.

Max hat Kunden beraten und ...

c) *Praktisch, oder?* Was können Max und Tarek auch im *Marek* machen? Geben Sie Beispiele.

Tarek kann den Kühlschrank ...

Max kann Rechnungen ...

3 Zimmer 431

a) Vor dem Sehen. Was passiert in Zimmer 431? Sammeln Sie Ideen und vergleichen Sie im Kurs.

Zimmer 431 ist in der Sprachschule. Der Deutschkurs von Selma ist dort.

Das ist ein Zimmer im Hostel. Nico ...

▶ 2.12

b) Lesen Sie die Aussagen. Sehen Sie das Video und kreuzen Sie zwei richtige Aussagen an.

1 ◯ Lisa hat heute viel Arbeit und auch viel Stress. Sie sucht einen Ordner.

2 ◯ Lisa sucht Arbeit. Sie hat Bewerbungen verschickt, aber keinen Termin bekommen.

3 ◯ Max und Nico haben die Mappe von Lisa. Sie finden Lisa und warten vor Zimmer 431.

4 ◯ Max und Nico besuchen Lisa im Büro. Sie arbeitet in Zimmer 431.

5 ◯ Endlich! Das Bewerbungsgespräch war sehr gut. Lisa hat den Job!

6 ◯ Endlich! Max und Nico finden das Büro von Lisa. Sie gehen zusammen in die Kantine.

die Mappe

c) Warum ist Nico in Deutschland? Sehen Sie das Video noch einmal und berichten Sie.

d) *Du musst ... – Ich möchte aber nicht ....*
Sprechen Sie wie im Beispiel.

Du musst studieren. *Ich möchte aber nicht studieren.*
Ich möchte (lieber) einen Beruf lernen.

4 Inge hat eingekauft

a) Eine Küche. Sammeln Sie Wörter.

der Tisch

das Obst — die Küche

die Orangen

der Kühlschrank

das Fleisch

b) Sehen Sie das Foto zehn Sekunden an. Was gibt es in der Küche von Inge? Markieren Sie im Wortigel in a).

▶ 2.13

c) *Das kommt in den Kühlschrank!* Sehen Sie das Video und kreuzen Sie an.

1 ◯ die Tomaten	5 ◯ die Orangen	9 ◯ die Paprika	13 ◯ die Nudeln
2 ◯ die Äpfel	6 ◯ der Schinken	10 ◯ das Fleisch	14 ◯ das Wasser
3 ◯ die Milch	7 ◯ der Käse	11 ◯ die Marmelade	15 ◯ das Brot
4 ◯ der Saft	8 ◯ die Birnen	12 ◯ die Butter	16 ◯ der Quark

d) Mein Kühlschrank. Berichten Sie.

Ich habe ... in meinem Kühlschrank.

DW Die Serie „Nicos Weg" in voller Länge mit interaktiven Übungen und zahlreichen weiteren Materialien gibt es kostenlos bei der Deutschen Welle: dw.com/nico

1 Die Wohnung – die Familie – die Lebensmittel

a) Ordnen Sie die Wörter zu.

schlafen • das Esszimmer • die Nudeln • der Teppich • einkaufen • das Bücherregal • die Tante • der Großvater • das Vollkornbrot • kochen • der Tisch • die Enkelin • das Sofa • die Küche • der Flur • braten • die Oma • das Kilo • die Tochter • die Schokolade • die Mutter • die Zwiebeln

die Wohnung	die Familie	die Lebensmittel
schlafen		

b) Ergänzen Sie je 5 neue Wörter aus den Einheiten 9, 10 und 12 in der Tabelle in a).

2 Ein Lernplakat selbst machen. **Wählen Sie ein Wortfeld aus und machen Sie ein Lernplakat. Vergleichen Sie im Kurs.**

1 Meine (Traum)Wohnung
2 Auf dem Markt / in der Bäckerei / ... einkaufen
3 Berufe, Arbeitsorte, Tätigkeiten

Zimmer: das Arbeitszimmer, das Bad, ...

Möbel: das Bücherregal, ...

Adjektive: groß, praktisch, ...

groß — das Wohnzimmer — der Sessel

meine Wohnung

der Balkon

3 Wortpaare

a) Ergänzen Sie.

1 der Onkel – _____ 2 die Mutter – _____ 3 _____ – die Schwester

4 der Enkel _____ 5 der Opa – _____ 6 die Großmutter – _____

b) Wer ist wer in der Familie? Ergänzen Sie die Familienwörter.

die Geschwister

der Bruder _____

_____

der Vater   die Mutter

die Großeltern   die Enkelkinder

4 Berufe raten

a) **Welcher Beruf ist das?**

1 am Computer arbeiten, den Unterricht planen, die Aufgabe erklären

2 Informationen recherchieren, ein Interview machen, einen Zeitungsartikel schreiben

3 Kunden beraten, mit Pflanzen und Blumen arbeiten, Ideen haben

Ein Informatik-kaufmann!

Nein, eine Lehrerin.

b) **Machen Sie ein Berufsrätsel wie in a). Die anderen raten.**

5 Tätigkeiten, Zeitangaben, Orte

a) **Sammeln Sie Wörter zu den Bildern.**

einkaufen

b) **Würfeln Sie und sprechen Sie mit Ihrem Partner / Ihrer Partnerin.**

Hast du am Samstag eingekauft?

Nein, ich habe Fußball gespielt.

⚀ = Montag
⚁ = Dienstag
⚂ = Mittwoch
⚃ = Donnerstag
⚄ = Freitag
⚅ = Samstag

6 Visitenkarten

a) **Lesen Sie. Welche Informationen finden Sie?**

Etage 12

Brigitte Müller   Freisinger Str. 13
Architektin   50668 Köln
                 Tel. +49 221 84659510
                 Brigitte.Müller@example.com

Cornelsen

Helmut Rabe
Redakteur Deutsch als Fremdsprache

Cornelsen Verlag GmbH   Telefon +49 30 68831748
Mecklenburgische Straße 53   helmut.rabe@example.com
14197 Berlin

b) **Schreiben Sie Ihre Visitenkarte.**

c) **Stellen Sie sich vor und übergeben Sie Ihre Karte.**

Guten Tag. Mein Name ist Daria Levy. Ich bin Architektin bei PlanVier in Essen. Hier ist meine Karte.

Tag, Frau Levy. Ich bin ...

FÜNFTER SEIN

1 Warten. **Fragen und antworten Sie.**

Wartest du gern?

Ja, ich warte gern.
Ja, Wartezeit ist meine Zeit.

Nein, Warten nervt.
Nein, ich warte nicht gern.
Nein, ich warte gar nicht gern.

2 Sie warten. **Was machen Sie? Sammeln Sie.**

Ich mache nichts.

Ich höre Musik.

Ich ...

3 Erster, zweiter, dritter... **Hören Sie und sprechen Sie.**

🔊 3.35

rein
raus
erster
zweiter
dritter
vierter

4 Fünfter sein. Lesen Sie das Gedicht von Ernst Jandl.
Wer, was, wo? Antworten Sie.

fünfter sein

tür auf
einer raus
einer rein
vierter sein

tür auf
einer raus
einer rein
dritter sein

tür auf
einer raus
einer rein
zweiter sein

tür auf
einer raus
einer rein
nächster sein

tür auf
einer raus
selber rein
tagherrdoktor

Ernst Jandl

5 Vier, fünf oder sieben? Wie viele Personen gibt es im Gedicht?
Lesen Sie das Gedicht und kreuzen Sie an. Vergleichen Sie.

◯ vier   ◯ fünf   ◯ sechs   ◯ sieben

✦ Das kann ich mit dem Gedicht machen

- das Gedicht mit Emotionen laut lesen
- das Gedicht als Theater spielen
- ein Bild zum Gedicht zeichnen

Slacken

Slacken im Park

Slacken ist ein Trendsport. Man braucht zwei Bäume und ein Band, die Slackline. Sie ist elastisch und nur 3,5 bis 5 Zentimeter breit. Die Sportlerinnen und Sportler laufen auf dem Band und machen Tricks. Das ist nicht so einfach. Man muss die Arme und Beine, den Bauch und den Rücken kontrollieren und viel üben, aber es macht Spaß. Slacken trainiert die Balance, die Konzentration und die Koordination.

Color Run

Du findest Laufen langweilig? Dann lauf doch mal einen Color Run! Er ist nur 5 Kilometer lang. Die Läuferinnen und Läufer tragen weiße T-Shirts. Die Zuschauerinnen und Zuschauer werfen Farben. Am Ziel gibt es ein „Finish Festival". Dort machen jetzt auch alle Sportlerinnen und Sportler mit und werfen Farben. Die Zeit ist nicht wichtig. Alle wollen einfach nur Spaß haben und Beine, Herz und Lunge trainieren.

HIER LERNEN SIE:

- über Sportarten sprechen
- Körperteile nennen
- über Gesundheit und Krankheiten sprechen
- Anweisungen und Tipps geben

Barre
Fit mit der Ballettstange

Der Trend kommt aus Hollywood: Barre, das Training an der Ballettstange. Der Sport hat auch in Deutschland, Österreich und in der Schweiz viele Fans gefunden. Die Bewegungen sind langsam

und intensiv, und die Barre hilft bei den Übungen. So kann man die Arme und Beine, den Hals und die Schultern, den Bauch und den Rücken trainieren. Keine Sorge: Man muss nicht tanzen!

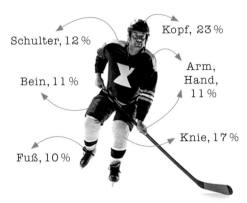

Sportverletzungen
Beispiel: Eishockey

Schulter, 12 %

Kopf, 23 %

Arm,
Hand,
11 %

Bein, 11 %

Knie, 17 %

Fuß, 10 %

Fitness und mehr Sport sind im Trend. Aber es gibt auch viele Verletzungen im Sport. Zum Beispiel haben Eishockeyspieler oft Verletzungen am Kopf, am Knie oder an der Schulter. Das muss nicht sein! Fitnesstrainerin Silvia Moss gibt auf der FIBO in Köln Tipps gegen Verletzungen.

NEUE TRENDS

Mehr Sport im Leben!

FIBO-Besucher sind aktiv

DIE FIBO (FITNESS & BODYBUILDING) IN KÖLN ...

ist keine Messe für faule Menschen. Vier Tage, von Donnerstag bis Sonntag, stehen Sport, Fitness und Gesundheit im Zentrum. Über 1.100 Aussteller aus 49 Ländern präsentieren ihre Sport- und Fitnessprogramme. Boxen, Schwimmen oder Zumba – die Trainingsmöglichkeiten sind groß, und die 145.000 Besucherinnen und Besucher können alle Sporttrends und Fitness-Apps gleich ausprobieren.

1 **Fotos und Überschriften.** Welche Sportarten kennen Sie (nicht)? Berichten Sie.

2 **Slacken, Color Run oder Barre.** Was macht man? Was braucht man? Was trainiert man? Wählen Sie einen Text aus und erklären Sie.

3 **Ich mag … / … finde ich (nicht) …** Kommentieren Sie Sportarten.

4 **Sportsprache Englisch.** Sammeln Sie Sportarten und vergleichen Sie mit Ihrer Sprache.

5 **Der Kopf, die Schultern, der Bauch, … Körperteile von oben nach unten.** Sprechen und zeigen Sie. Das Foto hilft.

6 **Welche Sportarten trainieren welche Körperteile?** Markieren Sie alle Körperteile in den Magazinartikeln.

7 **Die FIBO – Dauer, Aussteller, Besucher, Sportarten.** Sammeln Sie im Artikel und recherchieren Sie im Internet. Berichten Sie.

Beim Arzt

1 ## Skateboard fahren

4.02

Gestern Skateboard gefahren – heute Knieschmerzen. Oskar Weller macht einen Arzttermin. Hören Sie und notieren Sie den Termin.

2 ## Die Anmeldung

4.03

Oskar kommt in die Praxis. Wo wartet er? Hören und lesen Sie.

💬 Guten Tag. Mein Name ist Oskar Weller. Ich habe einen Termin.

💬 Tag, Herr Weller. Haben Sie Ihre Chipkarte dabei?

💬 Ja klar, hier bitte. Muss ich warten?

💬 Ja, es dauert etwas. Aber Sie können im Wartezimmer Platz nehmen. Wir rufen Sie dann.

💬 Danke.

Landeskunde

Alle Menschen in D-A-CH haben eine Krankenversicherung. Sie bezahlt die Arztkosten. Die Versicherten bekommen eine Gesundheitskarte, die „Chipkarte". Man zeigt sie bei der Anmeldung. Für viele Medikamente braucht man ein Rezept vom Arzt. Man kauft die Medikamente dann in der Apotheke. Manche Medikamente kann man auch ohne Rezept kaufen. In Österreich heißt die Chipkarte E-Card und in der Schweiz Versichertenkarte.

3 ## Was ist passiert?

4.04

a) Oskar spricht mit Frau Dr. Bruckner. Hören Sie und ordnen Sie die Bilder.

💬 Guten Tag, Herr Weller. Was ist denn passiert?

💬 Guten Tag, Dr. Bruckner. Ich habe eine Verletzung am Knie. Gestern bin ich Skateboard gefahren und hatte einen Unfall. Ich habe einen Stein nicht gesehen und bin hingefallen. Das war zuerst nicht so schlimm. Aber dann! Ich bin aufgestanden und bin ein paar Schritte gelaufen. Danach war mir total schlecht, und ich bin zuhause geblieben. Ich habe den ganzen Tag auf dem Sofa gelegen. Heute Morgen bin ich aufgewacht und mein Knie hat immer noch wehgetan.

b) Berichten Sie. Die Bilder helfen.

Er ist Skateboard gefahren und …

Er hat … nicht …

Oskar war total schlecht.

4 ## Ich bin Skateboard gefahren

a) Markieren Sie die Perfektformen in 3a). Was ist neu?

🔍 31.3

b) Ergänzen Sie die Partizip-II-Formen.

ge … en	… ge … en
fahren –	aufstehen – *bin aufgestanden*
laufen –	hinfallen – ....
sehen –	
liegen –	
bleiben –	

Minimemo

Die meisten Verben bilden das Perfekt mit *haben*. Lernen Sie das Perfekt mit *sein*:
fahren – ist gefahren
laufen – ist gelaufen
schwimmen – ist geschwommen
fliegen – ist geflogen
passieren – ist passiert
sein – ist gewesen
bleiben – ist geblieben
aufwachen – ist aufgewacht

5 Die Untersuchung

a) Ärztin (Ä) oder Oskar (O)? Wer sagt was? Ergänzen Sie.

1 ◯ Legen Sie sich hin.

2 ◯ Tut das weh?

3 ◯ Ja, das tut weh!

4 ◯ Kann ich zur Arbeit gehen?

5 ◯ Ich schreibe Sie krank.

6 ◯ Sie bekommen ein Rezept.

7 ◯ Soll ich noch einmal kommen?

8 ◯ Machen Sie einen Termin für Donnerstag.

 4.05

b) Hören Sie den Dialog und kontrollieren Sie.

c) Was soll Oskar tun? Markieren Sie wie im Beispiel.

💬 Aha, dann zeigen Sie mal Ihr Knie. Ja, es ist dick. Legen Sie sich mal hin. Tut das weh?

💬 Aua! Ja, das tut weh!

💬 Und hier? Tut das weh? Oder hier?

💬 Nein, da nicht.

💬 Gut. Das ist nicht schlimm, nur eine Verstauchung. Machen Sie keinen Sport und legen Sie das Bein hoch. Und tragen Sie dreimal am Tag eine Sportsalbe auf, und nehmen Sie abends eine Tablette gegen die Schmerzen. Sie bekommen ein Rezept für die Salbe und die Tabletten.

💬 O. k. Kann ich zur Arbeit gehen?

💬 Nein, ich schreibe Sie bis Donnerstag krank.

💬 Und soll ich noch einmal kommen?

💬 Ja, machen Sie bitte einen Termin für Donnerstag. Gute Besserung!

💬 Danke, Frau Dr. Bruckner, dann bis Donnerstag.

6 Oskar soll ...

a) Was sagt die Ärztin und was sagt Oskar zuhause? Lesen Sie und ergänzen Sie.

Machen Sie keinen ...
Legen Sie ...
Nehmen ...

Was hat denn die Ärztin gesagt?

Ich soll keinen Sport machen.
Ich soll das Bein ...
Ich soll ...

🔍 **30**

b) Was soll Oskar machen? Sammeln Sie in a) und markieren Sie wie im Beispiel.

	Position 2		Infinitiv	
Ich	[soll]	keinen Sport	[machen]	.

7 Beim Arzt

a) Lesen Sie die Redemittel. Welche Redemittel finden Sie in den Aufgaben 3 und 5? Markieren Sie.

🚩 b) Wählen Sie eine Rollenkarte aus. Spielen Sie die Dialoge. Die Redemittel helfen.

1 Herr Schmidt hat Kopfschmerzen. Er arbeitet 12 Stunden am Tag. Die Ärztin schreibt ihn zwei Wochen krank. Er soll sich ausruhen, keine E-Mails lesen und nicht mit der Firma telefonieren.

2 Frau Kramer hat Halsschmerzen und Husten. Der Arzt schreibt ihr ein Rezept für Halstabletten und Hustensaft. Sie soll die Halstabletten sechsmal und den Hustensaft dreimal am Tag nach dem Essen nehmen. Sie soll viel trinken und zwei Wochen nicht schwimmen gehen.

3 Paula hat Handball gespielt. Ihr Arm tut weh. Die Ärztin schreibt ihr ein Rezept für eine Sportsalbe. Paula soll die Sportsalbe dreimal am Tag auftragen und keinen Sport machen. Sie soll nächste Woche wiederkommen und einen Termin machen.

Bleiben Sie fit und gesund!

1 Gesund sein, gesund bleiben

a) *Gute Laune durch Sport* oder *Tschüss Erkältung!* Wählen Sie einen Titel. Welches Foto passt? Kreuzen Sie an.

1

2

b) Wählen Sie einen Text und lesen Sie schnell. Was ist das Thema? Kreuzen Sie an.

1 a ◯ Yoga für Anfänger und Profis

b ◯ Sport und Entspannung gegen Stress

c ◯ Besser schlafen mit Yoga

2 a ◯ Ernährung gegen Schnupfen

b ◯ Sauna für Profis

c ◯ Der Körper und sein Immunsystem

Fit & Fun

Bleib gesund!
So einfach geht's

Du hast Stress? Du bist oft müde? Du schläfst nicht gut? Das muss nicht sein. Sei draußen aktiv! Geh im Park
5 spazieren, fahr Skateboard oder Fahrrad, spiel Fußball – egal. Die Hauptsache ist: Du bist draußen und du bist in Bewegung. Oder probier doch mal Yoga aus. Das ist gut gegen Stress. Du entspannst und hast mehr Energie. Und noch ein Tipp: Mach mal den Fernseher aus und geh
10 früh schlafen. So bleibst du gesund und fit.

Tschüss Erkältung!

UNSER TIPP

Du hast Halsschmerzen, dein Kopf tut weh und die Nase läuft? Ganz klar, du hast eine Erkältung. Das muss nicht sein. Du kannst viel tun: Deine Ernährung ist besonders
5 wichtig. Trink viel Tee und Mineralwasser und iss Obst und Gemüse. Äpfel und Orangen, Tomaten und Brokkoli haben viel Vitamin C. Du kannst aber noch mehr gegen Erkältungen tun: Dusch heiß und kalt oder geh in die Sauna. So trainierst du deinen Körper und das Immunsystem.

---

c) Lesen Sie Ihren Artikel noch einmal. Sammeln Sie Tipps und berichten Sie.

d) Fit durch ... Haben Sie noch mehr Tipps? Berichten Sie.

2 Anweisungen, Tipps und Ratschläge

a) Sammeln Sie Imperativformen in der Einheit und machen Sie eine Tabelle wie im Beispiel.

Grammatik

Infinitiv	Imperativ 3. Pers. Pl.	2. Pers. Sg.	Imperativ 2. Pers. Sg.
nehmen	Nehmen Sie eine Tablette!	du nimmst	Nimm lieber einen Salat!
trinken	Trinken Sie mehr Tee!	du trinkst	*Trink ...*

b) Wo steht das Verb im Imperativsatz? Markieren Sie wie im Beispiel.

Aussagesatz	Imperativsatz
Sie legen das Bein hoch.	Legen Sie das Bein hoch!
Sie nehmen eine Halstablette.	Nehmen Sie eine Halstablette!

Minimemo

Ausnahme *sein*:
Du bist zu laut. **Sei** bitte leise!

c) *Mach! Nimm! Trink!* Vergleichen Sie und ergänzen Sie die Regel.

Regel: Imperativ = 2. Pers. Sg. minus _____ .

3 Das *s* in *st* und *sp*

4.06

a) Wo klingt das *s* wie ein [ʃ] in *Sport* oder *Stein* und wo wie ein [s] in *Post* oder *Prospekt*? Hören und ergänzen Sie.

1 Donnerstag	4 Hustensaft	7 Halstabletten	10 gestern	13 Stress	16 spazieren
2 Sport	5 hast	8 Stein	11 Prospekt	14 Post	17 Obst
3 gespielt	6 Stunden	9 Verspätung	12 Verstauchung	15 Stadt	18 Spaß

[ʃ] wie in *Sport* oder *Stein*	[s] wie in *Post* oder *Prospekt*

b) Hören Sie noch einmal und sprechen Sie nach. Lesen Sie dann die Regel und kreuzen Sie an.

Regel: Das *s* in *st* und *sp* spricht man als [ʃ] nur
- ○ am Silben- und Wortanfang.
- ○ am Silben- und Wortende.

4 Bewegung im Kurs

Schreiben Sie Probleme und Tipps auf Karten. Ziehen Sie eine „Problem"-Karte. Welche Tipps und Ratschläge passen?

5 Mehr Sport im Leben? Na klar!

a) Welche Tipps finden Sie wichtig? Kreuzen Sie vier an.

1. ○ Probiert viele Sportarten aus. Fußball spielen, schwimmen oder Yoga? Egal, das Training soll Spaß machen.
2. ○ Plant eure Sporttermine. Packt die Sportsachen am Abend ein und nehmt sie mit zur Arbeit.
3. ○ Besucht einen Sportkurs. So lernt ihr den Sport richtig.
4. ○ Trainiert zusammen. Nehmt eure Freunde mit!
5. ○ Legt das Handy weg! Lernt lieber Leute im Sportkurs kennen.
6. ○ Fahrt nicht immer mit dem Bus. Lauft lieber nach Hause.
7. ○ Nehmt eine App und zählt eure Schritte. 10 000 am Tag sind super!
8. ○ Macht lieber dreimal pro Woche eine halbe Stunde Sport als einmal 90 Minuten!

Florian, 25,
Fitness-Trainer

b) Welche Tipps gibt Florian? Sehen Sie das Interview und vergleichen Sie.
2.14

c) *Nehmt, macht, plant, …* Markieren Sie die Imperative in a) und ergänzen Sie die Regel.

Regel: Imperativ 2. Pers. Pl. = Imperativ minus _____ plus _____ .

6 Tipps gegen Stress

a) Was sollen die anderen im Kurs machen? Geben Sie Tipps.

> *Geht doch mal …* *Probiert mal … aus.* *Trainiert …*

b) Und Sie? Was sollen Sie tun?
Die anderen geben Ratschläge und
Sie kommentieren.

> *Ich soll Ballett machen.*

> *Ballett? Das geht gar nicht. Ich probiere lieber Slacken aus.*

> *Super, das probiere ich aus!*

1 Körperteile

a) Ergänzen Sie die Körperteile im Rätsel.

die Hand • ~~der Fuß~~ • der Hals • die Schulter • der Rücken • der Kopf • das Knie • das Bein • der Bauch • der Arm

b) Schreiben Sie die Pluralform.

der Fuß – die Füße

c) *Der Hals, der Bauch, der Fuß, das Bein.* **Was passt? Ergänzen Sie und sprechen Sie schnell.**

der Kopf und _____

der Arm und _____

das Bein und _____

der Rücken und _____

2 Trendsport. **Slacken (S), Barre (B) oder Color Run (C)? Lesen Sie die Magazinartikel auf S. 178 und 179 noch einmal und kreuzen Sie an.**

	S	B	C
1 Der Sport kommt aus den USA.	○	○	○
2 Die Bewegungen sind langsam und intensiv.	○	○	○
3 Die Sportlerinnen und Sportler machen Tricks.	○	○	○
4 Die Sportlerinnen und Sportler tragen weiße T-Shirts.	○	○	○
5 Der Sport trainiert die Beine, das Herz und die Lunge.	○	○	○
6 Der Sport ist gut für die Balance, die Konzentration und die Koordination.	○	○	○

3 Wortverbindungen. **Welches Verb passt? Markieren Sie.**

1 Slacken ist/hat/macht ein Trendsport.

2 Barre probiert/findet/trainiert den ganzen Körper.

3 Auf der FIBO kann man Fitness-Apps ausprobieren/kontrollieren/anrufen.

4 Ein Color Run hat/ist/trägt 5 Kilometer lang.

5 Die Läuferinnen und Läufer wollen Spaß trainieren/haben/sein.

4 Wer, was, wo? **Lesen Sie die Landeskundebox auf S. 180 noch einmal und verbinden Sie.**

1 Medikamente kauft man   **a** viele Arztkosten.

2 Alle Menschen in D-A-CH haben   **b** in der Apotheke.

3 Die Krankenversicherung bezahlt   **c** ohne Rezept kaufen.

4 Für viele Medikamente braucht man   **d** ein Rezept vom Arzt.

5 Die Gesundheitskarte heißt Chipkarte   **e** eine Krankenversicherung.

6 Tabletten gegen Kopf- oder Halsschmerzen kann man   **f** oder E-Card oder Versichertenkarte.

5 Oskar berichtet

a) Ergänzen Sie die Partizip-II-Formen.

hingefallen • wehgetan • aufgewacht • gelegen • aufgestanden • gesehen • ~~gefahren~~ • gelaufen

1 Oskar ist gestern Skateboard *gefahren*_____.

2 Er hat einen Baum nicht _____ und ist _____.

3 Das war zuerst nicht so schlimm. Er ist _____ und ein paar Schritte _____.

4 Danach hat er den ganzen Tag auf dem Sofa _____.

5 Heute Morgen ist er _____ und sein Arm hat _____.

b) Richtig oder falsch? Lesen Sie den Bericht von Oskar auf S. 180 noch einmal und korrigieren Sie die falschen Sätze in a).

6 Ich hatte einen Unfall

2.15

a) Videokaraoke. Sehen Sie und antworten Sie.

b) Markieren Sie die Fehler wie im Beispiel. Korrigieren Sie.

1 Larissa ist <mark>Skateboard gefahren</mark> und hingefallen.

2 Ihr Knie tut weh.

3 Ihre Ärztin heißt Frau Müller.

4 Sie soll den Fuß nicht bewegen.

5 Sie soll viel Sport machen.

7 Paula berichtet

a) Lesen Sie den Bericht und ergänzen Sie.

Bett • Hand • Park • Rad • Slackline • Tricks

Ich war gestern mit Freunden im _____¹. Wir <mark>sind</mark> auf einer _____² <mark>gelaufen.</mark>

Und wir haben viele _____³ ausprobiert. Dann bin ich von der Slackline gefallen. Das hat ziemlich

wehgetan. Aber ich bin sofort wieder aufgestanden. Am Abend bin ich dann mit dem _____⁴

nach Hause gefahren. Ich bin dann ins _____⁵ gegangen. Heute Morgen bin ich aufgewacht und

meine _____⁶ hat noch immer wehgetan.

b) Markieren Sie die Perfektformen in a) wie im Beispiel.

8 Berufsportrait

a) Frau Dr. Wahl berichtet. Lesen Sie und sammeln Sie Informationen.

1 Studium (Wann? Was? Wo?)

2 Praktikum (Wo? Wann?)

3 Mann (Wer? Was? Wann?)

4 Wohnen (Wo? Bis/Seit wann?)

Ich heiße Mirella Wahl und bin Ärztin. Von 1998 bis 2006 habe ich in München Medizin studiert. 2007 habe ich ein Praktikum in Kapstadt, in Südafrika gemacht. Von 2008 bis 2010 habe ich dann in einem Krankenhaus in München gearbeitet. Dort habe ich auch meinen Mann Peter kennengelernt. Er ist Physiotherapeut. 2016 haben wir geheiratet und 2019 haben wir eine Praxis gegründet. Bis 2019 haben wir in München gewohnt. Seit 2020 haben wir eine Wohnung in Erding in der Nähe von München.

b) Wie heißen die Infinitive? Ergänzen Sie.

1 studiert *studieren*

2 gemacht

3 gearbeitet

4 gewohnt

5 kennengelernt

6 geheiratet

9 Ein Wochenende in Venedig. **Ergänzen Sie die Verben im Perfekt.**

ansehen · fahren · kennenlernen · laufen · lernen · planen · wohnen

Hallo Andrej,

wie geht es dir? Mir geht es prima. Ich studiere jetzt in Innsbruck. Es ist

toll hier und ich _____ ¹ schon viele Leute _____ ².

Am Wochenende war ich mit Freunden in Venedig. Wir _____ ³

vorher alles genau _____ ⁴. Wir _____ ⁵ in

einem Hotel am Canal Grande _____ ⁶. Das war super.

Wir _____ ⁷ den ganzen Tag durch die Stadt _____ ⁸

und _____ ⁹ uns die Sehenswürdigkeiten _____ ¹⁰.

Ich _____ ¹¹ viel über die Stadt _____ ¹².

Mit einer Gondel _____ ¹³ wir natürlich auch

_____ ¹⁴.

Liebe Grüße

Tamara

Mit einer Gondel auf dem Canal Grande fahren

10 Perfekt. Sammeln Sie die Partizipien in den Aufgaben 8 und 9 und ergänzen Sie die Infinitive.

Infinitiv	ge...(e)t	ge...en	...ge...(e)t	...ge...en	...t
fahren		gefahren			

11 Ich habe Rückenschmerzen

🔊 4.07

a) **Was sagt der Arzt? Hören Sie und kreuzen Sie an.**

1 (X) Gehen Sie zum Physiotherapeuten.

2 ◯ Nehmen Sie Tabletten gegen die Schmerzen.

3 ◯ Machen Sie Gymnastik.

4 ◯ Gehen Sie schwimmen.

5 ◯ Probieren Sie Yoga.

6 ◯ Fahren Sie Rad.

7 ◯ Ruhen Sie sich aus.

8 ◯ Machen Sie mehr Sport.

b) **Markieren Sie die Imperative in a).**

c) **Was soll Frau Schütz machen? Schreiben und markieren Sie wie im Beispiel.**

1 Frau Schütz soll zum Physiotherapeuten gehen.

Sie soll ....

12 Ratschläge und Tipps vom Arzt

a) **Welches Foto passt? Lesen Sie den Dialog und kreuzen Sie an.**

💬 Hallo Simon. Wie geht es dir?

💬 Hallo Petra. Nicht so gut.

💬 Was fehlt dir denn?

💬 Ich habe Bauschmerzen.

💬 Warst du beim Arzt?

💬 Ja. Heute Morgen.

💬 Was hat denn der Arzt gesagt?

💬 Ich soll viel Tee trinken und viel schlafen.

1
◯

b) **Schreiben Sie einen Dialog wie in a).**

💬 Hallo _____. Wie geht's dir?

💬 Hallo _____. Ach, nicht so gut.

💬 Was fehlt dir denn?

💬 _____

💬 Warst du beim Arzt?

💬 _____

💬 Was hat denn der Arzt gesagt?

💬 _____

2
◯

13 Mit dem Handy ins Krankenhaus

a) Ihr Freund / Ihre Freundin fährt und Sie lesen auf dem Handy. Ergänzen Sie die Anweisungen.

↑ Geradeaus fahren

↱ Rechts abbiegen auf die Homberger Straße

↰ Links abbiegen auf die Goethe-Straße

↱ Rechts abbiegen auf die Seilerstraße

↑ 200 m geradeaus fahren, das Krankenhaus ist rechts.

1. *Fahr geradeaus.*
2. *Bieg rechts auf die … ab*
3. *Bieg …*
4.
5.

b) Ihr Freund / Ihre Freundin versteht Sie nicht. Was soll er/sie tun? Schreiben Sie und sprechen Sie laut.

Wie bitte? Was hast du gesagt?

Du sollst …

14 Trendsport Yoga

🔊 4.08

a) **Was ist das Thema? Hören Sie den Podcast und kreuzen Sie an.**

1 ◯ Yogalehrer werden – die Ausbildung

2 ◯ Yoga – ein Studio suchen

3 ◯ Yoga – richtig trainieren

b) **Schreiben Sie die Tipps aus dem Podcast.**

Tipp 1	einen Kurs machen	
Tipp 2	vor dem Kurs: nichts essen	*Essen Sie nichts vor dem Kurs.*
Tipp 3	vor dem Kurs: nichts trinken	
Tipp 4	noch einen anderen Sport machen	
Tipp 5	laufen oder Fahrrad fahren	
Tipp 6	das Herz und die Lunge trainieren	

c) **Hören Sie den Podcast noch einmal und kontrollieren Sie.**

15 Mehr Deutsch im Leben. **Schreiben Sie wie im Beispiel. Haben Sie auch Tipps? Ergänzen Sie.**

1 unterwegs Wörter wiederholen

2 in der Freizeit Deutsch im Radio hören

3 in der Pause Deutsch sprechen

4 deutsche Filme sehen

5 deutsche Popmusik hören

6 Bücher auf Deutsch lesen

1 Wiederholt unterwegs Wörter.

Fit für Einheit 14?

Fit für Einheit 14?

1 Mit Sprache handeln

über Sportarten sprechen

Slacken ist ein Trendsport.

Alle wollen Spaß haben und Beine, Herz und Lunge trainieren.

über Gesundheit und Krankheit sprechen

Tut das weh?   Mein Kopf tut weh. / Ich habe Kopfschmerzen.

Ich schreibe Sie drei Tage krank.

Sie bekommen ein Rezept.

Gute Besserung!

berichten, was passiert ist

Ich bin Skateboard gefahren. Ich habe einen Stein nicht gesehen und bin hingefallen. Das war zuerst nicht so schlimm.

Ich bin aufgestanden und ein paar Schritte gelaufen ...

Anweisungen, Ratschläge und Tipps geben

Nimm die Tablette.

Tragen Sie dreimal am Tag die Sportsalbe auf.

Duscht heiß und kalt und geht in die Sauna.

2 Wörter, Wendungen und Strukturen

Körperteile

der Kopf, der Hals, die Schultern, der Rücken, der Bauch, die Arme, die Hände

Schmerzen

Ich habe Kopfschmerzen. / Mein Kopf tut weh.

Ich habe Rückenschmerzen. / Mein Rücken tut weh.

Perfekt mit *sein*

Ich bin den Color Run gelaufen.

Ich bin im Park Fahrrad gefahren.

Ich bin am Wochenende zuhause geblieben.

Imperativ

Mach mehr Sport!

Macht mehr Sport!

Machen Sie mehr Sport!

Modalverb *sollen*

Du sollst mehr Sport machen.

Ihr sollt mehr Sport machen.

Sie sollen mehr Sport machen.

3 Aussprache

das *s* in *st* und *sp*: Sport, gespielt, Hustensaft, hast, Stunden, Verspätung

→ Interaktive Übungen

Kleidung im Job

Was ist die richtige Kleidung im Beruf? Was trägt man wo? Was soll man nicht tragen? In vielen Berufen gibt es einen Dresscode, also Regeln für die Kleidung. In der Bank ist es z. B. formell, im Start-up ist die Kleidung oft nicht so formell.

Vincent arbeitet in Düsseldorf. In der Firma gibt es einen Dresscode. Klar, Anzug muss sein, aber in der Freizeit zieht Vincent gern Pullover und Jeans an.

die Krawatte

» Ich bin Berater und besuche viele Kunden. Ich muss immer dunkle Anzüge, elegante Hemden und Krawatten und schicke Schuhe tragen. «

das Jackett

» Das perfekte Outfit ist für mich modern und elegant. Ich kombiniere gern farbige Hemden und schwarze Anzüge. «

die Hose

der Pullover

das Hemd

die Sandalen (Pl.)

die Shorts

die Lederschuhe (Pl.)

der Anzug

der Pullover

der Blazer

Eva arbeitet als Projektmanagerin bei PanZett. Das ist ein Start-up in Stuttgart. Im Job trägt sie Jeans, T-Shirts und Pullover. Es gibt keinen Dresscode, jeder trägt sein Lieblingsoutfit.

» Ich ziehe gern blaue Jeans, weiße T-Shirts und Turnschuhe an. Manchmal trage ich im Büro eine Bluse und einen Blazer. Einen Hosenanzug trage ich nie. In der Freizeit ziehe ich manchmal Kleider oder Röcke an. «

» Meine Lieblingsfarbe ist gelb oder weiß. Ich mag sportliche Kleidung. «

das T-Shirt

der Rock

die Jeans

die Bluse

der Hosenanzug

die Turnschuhe (Pl.)

das Kleid

---

1 *Die Jeans*, … Welche Wörter kennen Sie? Sammeln Sie.

2 Kleidung im Beruf
a) Hypothesen vor dem Lesen. Beruf oder Freizeit: Was trägt man wo? Ordnen Sie zu.
b) Wer trägt was wo? Lesen Sie die Texte und sammeln Sie.
c) Hypothesen überprüfen: Was tragen Vincent und Eva wann? Vergleichen Sie.

3 **Und Sie?** Was tragen Sie im Beruf / in der Schule / in der Universität / zuhause?

4 Welche Kleidungsstücke passen zusammen? Kombinieren Sie.

5 **Welches Foto passt?**
Partner/in A beschreibt ein Foto, Partner/in B wählt aus. Dann wechseln Sie.

Mode und Farben

1 Farben

a) *Ich sehe was, was du nicht siehst, und das ist ... Spielen Sie.*

rot	
blau	
gelb	
grün	
braun	
orange	
türkis	
beige	
lila	
rosa	
grau	
weiß	
schwarz	
bunt	

Die Jacke von Alia.

Das Wörterbuch?

Ich sehe was, was du nicht siehst, und das ist blau.

Nein.

Richtig, das Wörterbuch.

b) **Fragen und antworten Sie im Kurs. Sprechen Sie schnell.**

	Rot?		Rot		Blau.
	Gelb?		Gelb		Schwarz.
Trägst du gern	Orange?	Ja,	Orange	mag ich. Nein, lieber	Beige.
	Blau?		Blau		Grün.
	Türkis?		Türkis		Lila.

2 Ich trage gern graue T-Shirts

Was tragen Sie gern? Sprechen Sie schnell.

	rote	Pullover		schwarze	Schuhe.	
Ich trage gern	blaue	T-Shirts	und	weiße	Jacken.	
Ich mag	grüne	Blusen		gelbe	Mäntel.	
	braune	Jeans		graue	Anzüge.	

Ich mag ... Und du?

3 Vincent trägt ein weißes Hemd

a) **Adjektive vor Nomen. Vergleichen Sie die Sätze und markieren Sie die Adjektive mit Nomen auf den S. 190–191 wie im Beispiel.**

Ich trage gern ein weißes T-Shirt, eine blaue Jeans und weiße Schuhe.

Mein Lieblingsoutfit: Ich trage gern einen schwarzen Anzug und ein weißes Hemd.

26

b) Ergänzen Sie die Tabelle mit den Farben aus a).

	den	das	die
Singular	einen ___ Anzug	ein ___ Hemd	eine ___ Jeans
Plural	___ Anzüge	___ Hemden	___ Blusen

Grammatik

c) Was ist Ihr Lieblingsoutfit? Beschreiben Sie.

4 Wer ist das?

a) Beschreiben Sie. Die anderen raten.

Sie trägt einen schwarzen Blazer und rote Stiefel.

Das ist Neida.

b) Sehen Sie die Bilder an und wählen Sie eine Person. Die anderen fragen und raten wie im Beispiel. Sie antworten nur mit *Ja* oder *Nein*.

Trägt die Person einen Hut?

Ja.

Trägt die Person einen braunen Hut?

Nein.

Trägt die Person einen roten Hut?

Ja.

5 Kleidung kommentieren

a) Lesen Sie und ergänzen Sie weitere Adjektive.

schön • toll • langweilig • elegant • modern • unmöglich • cool • altmodisch • ...

b) Kommentieren Sie das Foto.

Wie findest du den Mantel?

Der Mantel geht gar nicht!

Ich finde den Mantel toll! Und der Hosenanzug links ist cool, oder?

6 Was ist Ihr Stil?

a) Modefragen. Antworten Sie.

b) Präsentieren Sie Ihr Ergebnis.

c) Wählen Sie einen Star. Wie ist sein/ihr Stil? Beschreiben Sie.

Im Mode-geschäft

1 Die Jeans ist im Angebot

a) Welches Bild passt? Lesen Sie die Sätze und ordnen Sie zu.

1. Entschuldigung, der Pullover ist zu klein.

2. Welcher Rock ist besser? Dieser oder dieser?

3. Haben Sie die Hose auch in Größe 38?

4. Diese Jeans finde ich nicht schön.

5. Die Ärmel sind zu lang.

6. Die Jeans ist im Angebot. Sie kostet nur 59,99 Euro.

b) Hören Sie die Dialoge? Welche Bilder aus a) passen? Ordnen Sie zu.

Dialog 1: ◯   Dialog 2: ◯   Dialog 3: ◯

c) Hören Sie und lesen Sie den Dialog laut.

💬 Guten Tag. Ich suche eine blaue Jeans.

💬 Ja, gern. Welche Größe haben Sie?

💬 Ich trage eine 32.

💬 Einen Moment, bitte. Gefällt Ihnen diese Jeans?

💬 Nein, die gefällt mir nicht. Aber diese hier gefällt mir gut.

💬 Wollen Sie die anprobieren?

💬 Ja, gern.

💬 Die Jeans passt doch super.

💬 Ich weiß nicht. Die Hose ist zu kurz, oder? Haben Sie die auch in 34?

💬 Ich bringe Ihnen gern die Jeans in 34. Dann können Sie vergleichen.

💬 Danke. Wie teuer ist die Jeans?

💬 Die ist im Sale und kostet 59,99 Euro.

Silvio, 23, kauft eine Jeans

d) Andere Größe, Preise, Kleidung, Farben. Variieren Sie.

2 Kleidung kaufen

Schreiben Sie einen Dialog und spielen Sie.

3 Den? Nein, diesen.

4.11

a) Hören Sie und lesen Sie den Comic laut.

1 Wie findest du die Jacke?   Welche?

2 Diese hier.   Nein, die nicht. Die ist zu elegant.

Den mag ich nicht. Der ist zu altmodisch.

3 Wie findest du diesen Mantel?

4 Welches T-Shirt möchtest du kaufen?   Dieses hier.

Bist du sicher? Ich finde das viel zu klein. Und die Farbe mag ich auch nicht.

23.2

b) Markieren Sie die Formen in a) und ergänzen Sie die Tabelle.

Grammatik

Akkusativ	
den Rock, den …	diesen Rock, diesen …
das T-Shirt, …	dieses T-Shirt, …
die Jacke, …	diese Jacke, …

4 Trends und Mode

2.16

a) Sehen Sie das Interview. Welche Fragen hören Sie? Kreuzen Sie an.

1. ◯ Was ist dein Lieblingskleidungsstück?
2. ◯ Interessierst du dich für Mode?
3. ◯ Welche Kleidung trägst du im Beruf?

4. ◯ Wo kaufst du Kleidung?
5. ◯ Was trägst du gern?
6. ◯ Was ist aktuell im Trend?

b) Frieda, Lorenzo, Erik oder Patrizia? Wählen Sie eine Person und notieren Sie die Antworten.

	Frieda	Lorenzo	Erik	Patrizia
Frage 1				

Frieda   Lorenzo   Erik   Patrizia

c) Vergleichen Sie dann mit einem Partner / einer Partnerin und ergänzen Sie die Tabelle.

5 Genau mein Stil!

Beantworten Sie die Fragen aus 4 a) und machen Sie ein eigenes Video.

1 Kleidungsstücke

a) Ergänzen Sie die Singular- und Pluralformen.

Singular	Plural
1 der Mantel	die Mäntel

b) Welche Kleidungsstücke passen zusammen? Kombinieren Sie.

das Hemd und die Hose, der Rock und ...

2 Kleidung in der Freizeit und im Job

a) Was tragen Mira und Patrick? Ergänzen Sie die Kleidungsstücke und Farben.

die Jeans   *blau*

Mira, 23, Verkäuferin

Patrick, 20, Automobilkaufmann

b) *Ihr T-Shirt, sein Anzug.* Beschreiben Sie.

Mira: Ihr T-Shirt ist gelb. Ihre ...

Patrick: Sein Anzug ist ...

c) Patrick trifft Mira. Hören Sie den Dialog. Was ist richtig? Kreuzen Sie an.

4.12

1 ◯ Mira trägt ihr Outfit für die Arbeit.

2 ◯ Patrick findet die Kleidung von Mira schön.

3 ◯ Mira trägt immer elegante Kleidung.

4 ◯ Patrick trägt immer Turnschuhe.

d) Hören Sie den Dialog noch einmal und korrigieren Sie die Fehler in a).

Mira ...

3 Das Leben ist bunt!

a) **Welche Farbe ist das? Ergänzen Sie.**

1 rot + blau = *lila* _____

2 gelb + blau = _____

3 gelb + rot = _____

4 rot + weiß = _____

5 rot + gelb + blau = _____

b) **Welche Farbe sehen Sie? Lesen Sie die Wörter und sagen Sie die Farben laut.**

○	Grün	○	Gelb	○	Schwarz
○	Blau	○	Lila	○	Grau

Hatten Sie Probleme? Das ist normal. Viele Menschen sehen zuerst das Wort und nicht die Farbe!

c) **Welche Wörter haben die richtige Farbe? Kreuzen Sie in b) an.**

4 Modetrends

a) **Patrick spricht über aktuelle Trends. Lesen Sie das Interview. Welches Wort passt? Kreuzen Sie an und ergänzen Sie.**

Interviewerin: „Guten Tag. Haben Sie einen Moment für ein paar _____*Fragen*_____ ¹ zu Modetrends?"

Patrick: „Ja, klar."

Interviewerin: „Welche _____ ² ist diesen Sommer in?"

Patrick: „Das ist einfach! Grün! Grün kann man gut _____ ³ aber auch für die Freizeit _____ ⁴."

Interviewerin: „Und wie finden Sie Grün? Ist das Ihre _____ ⁵?"

Patrick: „Nein, ich mag Blau. Blau _____ ⁶ ich sehr oft."

1 a ○ Interviews   b ○ Tipps   c ⊗ Fragen

2 a ○ Hose   b ○ Farbe   c ○ Anzüge

3 a ○ für den Sport   b ○ für die Arbeit   c ○ für Partys

4 a ○ anziehen   b ○ kaufen   c ○ bestellen

5 a ○ Lieblingsfarbe   b ○ Hose   c ○ Größe

6 a ○ benutze   b ○ trage   c ○ spiele

Nachgefragt. Interviews auf Radio 1 mit Julia Basler.

◀)) 4.13 b) **Hören Sie das Interview und kontrollieren Sie Ihre Antworten in a).**

5 Berufskleidung in Deutschland. **Ein Kleidungsstück passt nicht zu den Berufen. Welches? Streichen Sie durch wie im Beispiel.**

1 Eine Ärztin trägt … bequeme Schuhe. – ~~ein elegantes Kleid~~. – eine weiße Bluse.

2 Eine Bankkauffrau trägt … einen eleganten Anzug. – einen schwarzen Rock. – bunte T-Shirts.

3 Ein Physiotherapeut trägt … eine rote Krawatte. – helle Turnschuhe. – eine bequeme Hose.

4 Bäcker und Bäckerinnen tragen … helle T-Shirts. – weiße Jacken. – rote Hosen.

5 Ein Kellner trägt … einen blauen Mantel. – eine dunkle Hose. – ein bequemes Hemd.

6   Mode beschreiben

a) Welches Adjektiv passt? Ergänzen Sie wie im Beispiel.

kurz • elegant • altmodisch • leicht • ~~interessant~~ • dunkel • günstig • alt

1   langweilig – *interessant* _____

2   modern – _____

3   hell – _____

4   sportlich – _____

5   teuer – _____

6   neu – _____

7   lang – _____

8   schwer – _____

b) Mira und Patrizia sind Freundinnen. Sie kaufen gern zusammen ein. Ergänzen Sie passende Adjektive aus a).

1   Patrizia kauft einen eleganten Mantel. Mira nimmt *einen sportlichen Mantel.* _____   *der Mantel*

2   Mira braucht eine kurze Hose. Patrizia sucht _____   _____

3   Patrizia sucht ein teures T-Shirt. Mira kauft _____   _____

4   Mira findet dunkle Blusen toll. Patrizia mag lieber _____   _____

c) *Der, die, das* oder *Plural* (Pl.)? Markieren Sie die Nomen in b) und ergänzen Sie wie im Beispiel.

7   Einen blauen Pullover, eine rote Hose oder kurze Mäntel? **Lesen Sie und ergänzen Sie die Sätze wie im Beispiel. Die Sätze aus 6b) helfen.**

1   Ich suche *einen blauen Pullover* _____ .   (blau, der Pullover)

2   Mein Freund mag _____ .   (bunt, die T-Shirts)

3   Haben Sie _____ in Größe 38?   (grün, die Jacken)

4   Anna braucht _____ für die Arbeit.   (elegant, das Kleid)

5   Entschuldigung, gibt es hier auch _____ ?   (kurz, die Hosen)

6   Ich möchte _____ kaufen.   (hell, das Hemd)

7   Ich kombiniere gern _____ und Hosen.   (schick, die Turnschuhe)

8   Es muss immer schick sein!

🔊 4.14   **a)** Mira spricht über ihre Lieblingskleidung. Welches Foto passt? Hören Sie und kreuzen Sie an.

1 ○   2 ○   3 ○

b) Hören Sie noch einmal und beantworten Sie die Fragen.

1   Welche Kleidung trägt Mira gern auf Partys? *Sie* _____

2   Was ist die Lieblingsfarbe von Mira? *Ihre* _____

9 Die Geburtstagsparty

2.17

a) Videokaraoke. Sehen Sie und antworten Sie.

b) **Was zieht Jannis zur Party an? Kreuzen Sie an.**

a  b  c  d

c) *Zu groß, zu ...* Warum zieht Jannis die anderen Hemden nicht an? Sehen Sie das Video noch einmal und ergänzen Sie.

1 Zuerst probiert Jannis ein blaues Hemd an, aber *das Hemd ist zu groß.*

2 Dann zieht er ein schwarzes T-Shirt an, aber

3 Danach trägt Jannis noch ein Hemd, aber

10 *Das ist zu ...* Sehen Sie die Bilder an und ergänzen Sie wie im Beispiel.

1  2  3

4  5 6

1 Du gehst zur Arbeit? Das geht nicht. Du bist *zu krank* . Geh lieber zum Arzt.

2 Ich kann Sie nicht verstehen. Hier ist es . Ich rufe Sie in fünf Minuten an.

3 Wie bitte? 52.000 Euro für das Auto? Das finde ich .

4 Was trägst du denn? Das kannst du nicht anziehen. Die Sandalen sind .

5 Diese Suppe kann ich nicht essen. Die ist .

6 Kannst du hier lesen? Ich finde, es ist .

Lösung: 1 = zu krank, 2 = zu laut, 3 = zu teuer, 4 = zu scharf, 5 = zu sportlich, 6 = zu dunkel

11 *Welch- ...? – Dies- ...*

a) **Ergänzen Sie die Minidialoge wie im Beispiel.**

1	💬 Der Anzug ist schön.	💬 *Welcher Anzug ist schön?*	💬 *Dieser.*
2	💬 Das Hemd ist sportlich.	💬 *Welches* _____	💬 _____
3	💬 Die Bluse ist in Größe S.	💬 _____	💬 _____
4	💬 Die Schuhe sind bequem.	💬 _____	💬 _____

⎫ Nominativ

5	💬 Ich finde den Rock schön.	💬 *Welchen Rock findest du schön?*	💬 *Diesen.*
6	💬 Ich nehme das T-Shirt.	💬 *Welches* _____	💬 _____
7	💬 Ich kaufe die Hose.	💬 _____	💬 _____
8	💬 Ich mag die Stiefel.	💬 _____	💬 _____

⎫ Akkusativ

🔊 4.15 b) *-er, -es, -e* oder *-en*. **Hören Sie. Achten Sie auf die Endungen und antworten Sie schnell.**

💬 *Welcher Anzug ist schön?*   💬 ...   💬 *Dieser? Ja, ...*

12 Modetrends

▶ 2.16 a) **Frieda, Erik, Lorenzo und Patrizia sprechen über Mode. Wer sagt was? Lesen Sie die Aussagen, sehen Sie das Video von S. 195 noch einmal und kreuzen Sie an.**

	Frieda	Erik	Lorenzo	Patrizia
1 Ich finde schwarze oder graue Kleidung langweilig.	○	○	Ⓧ	○
2 Ich finde Turnschuhe nicht schön.	○	○	○	○
3 Ich finde bunte Mode gut.	○	○	○	○
4 Ich kombiniere gern sportliche Anzüge mit Turnschuhen.	○	○	○	○
5 Ich gehe gern einkaufen.	○	○	○	○
6 Ich ziehe bei der Arbeit gern elegante Kleidung an.	○	○	○	○
7 Ich finde Mode und Trends nicht interessant.	○	○	○	○

✶✶✶ b) **Modewörter. Was bedeutet...? Sagen Sie es anders. Das Video hilft.**

1 Erik geht gern shoppen.

_____

2 Lorenzo mag einen Mix aus sportlich und elegant.

Lorenzo kombiniert gerne sportliche und elegante Kleidung.

3 Für Männer sind sportliche Anzüge total im Trend.

_____

4 Patrizia findet Übergrößen nicht schön.

_____

Fit für Einheit 15?

über Kleidung, Farben und Größen sprechen

Trägst du gern Rot?	Nein, lieber Blau. / Ja, Rot ist meine Lieblingsfarbe.
Wie findest du das Kleid?	Das Kleid gefällt mir. / Ich finde das Kleid toll.
Welches Hemd gefällt dir?	Dieses ist sehr schön!
Welches T-Shirt steht mir besser?	Das grüne T-Shirt steht dir besser.
Welche Größe haben Sie?	Ich trage eine 38.
Wollen Sie den Pullover anprobieren?	Ja, ich probiere ihn gern an.

Die Kombination geht gar nicht. Das finde ich unmöglich.
Ich ziehe gern Röcke an. / Ich trage lieber Röcke.

Kleidung kaufen

Was kostet das T-Shirt?	Das kostet 15 Euro.
Sind diese Schuhe im Sale?	Ja, die Schuhe sind im Sale.
Wie teuer ist die Jeans?	Die Jeans kostet 49,99 Euro. Sie ist im Angebot.

Kleidung

die Krawatte, der Rock, der Pullover, die Lederschuhe, das T-Shirt

Farben

rot, grün, weiß, grau, schwarz, braun, rosa

Adjektive für Kleidung

elegant, schick, altmodisch, modern, cool

unbestimmter Artikel + Adjektive im Akkusativ

Eva trägt einen braunen Pullover.
Simon kauft ein weißes T-Shirt.
Mario kauft eine blaue Jeans.
Sandra sucht weiße Turnschuhe.

Demonstrativ-Artikel

Welcher Rock gefällt dir? – Dieser.
Welches Hemd ziehst du gerne an? – Dieses.
Was gefällt dir? – Diese Hose und diese Schuhe.

-er, -es, -e oder *-en*:
Welch**er** Anzug ist schön? – Dies**er**.
Welch**e** Bluse ist in Größe S? – Dies**e**.
Welch**en** Rock findest du schön? – Dies**en**.
Welch**es** T-Shirt nimmst du? – Dies**es**.

→ Interaktive Übungen

Konstanzer Seenachtsfest

Beelitzer Spargelkönigin 2019

Stadtgartenfest und Seenachtsfest in Konstanz

Direkt am Bodensee feiert man seit über 60 Jahren im Juni drei Tage lang das Stadtgartenfest. Zum Schluss findet dann das Konstanzer Seenachtsfest statt. Es gibt vier Festplätze und ein großes Programm für Kinder und Erwachsene. Ein Puppentheater, ein großer Markt mit regionalen Spezialitäten, eine Kletterwand und die Band von Radio SWR3 warten auf die 150.000 Besucherinnen und Besucher.

Beelitz ist die „Spargelhauptstadt" in Brandenburg

Die Stadt liegt südwestlich von Berlin. Spargel aus Beelitz ist berühmt. 2019 war Kristin Reich „Spargelkönigin". Die Spargelsaison ist im Mai und im Juni. In der ersten Juniwoche feiert man das Spargelfest. Mehr als 30.000 Menschen besuchen dieses Fest. Es gibt natürlich überall Spargel. Hier schmeckt er am besten.

Sommerfeste in Deutschland	
5.-7. Juni	Beelitzer Spargelfest
21. Juni	Johannisfest in Mainz
22.-30. Juni	Kieler Woche
26. Juni	Parade der Kulturen in Frankfurt am Main
4.-8. Juli	Heimat- und Strandfest in Rotenburg/Fulda
12.-14. Juli	Internationales Samba-Festival in Coburg
2.-5. August	Stuttgarter Sommerfest
9.-11. August	Sommerfest in Koblenz

Kiel
Hamburg
Beelitz
Köln
Rotenburg
Koblenz
Frankfurt
Coburg
Mainz
Stuttgart
Konstanz

1 **Sommerfeste in Deutschland**
a) Was feiern die Menschen wann und wo?
b) Sammeln Sie Informationen in einer Tabelle: Namen/Termine/Orte/Aktivitäten.

2 **Sommerfestlandkarte.** Markieren Sie die Orte in den Magazinartikeln und beschreiben Sie.
🗨 Beelitz liegt nördlich/östlich/südlich/westlich von …

3 **Interviews mit Fest-Besuchern**
🔊 4.16 a) Welches Fest ist das? Hören und notieren Sie.
➡ b) Wählen Sie ein Interview. Woher kommen die Besucher? Warum besuchen sie das Fest? Berichten Sie.

4 **Sommerfestkalender.** Wählen Sie ein Fest, recherchieren und berichten Sie.

Rhein in Flammen

Parade der Kulturen

Sommerfest in Koblenz

Seit 40 Jahren feiert man hier das Sommerfest in der Altstadt und am Rhein. Das Highlight ist das große Feuerwerk mit dem Motto „Rhein in Flammen". Es gibt ein Weltmusikfest, Theater-Bühnen und einen Markt mit regionalen Produkten. Koblenz erwartet jedes Jahr mehr als 100.000 Gäste.

Parade der Kulturen in Frankfurt

In Frankfurt am Main leben Menschen aus mehr als 140 Nationen. 45 internationale Gruppen und Kulturvereine organisieren im Juni die Parade der Kulturen. 2000 aktive Teilnehmerinnen und Teilnehmer zeigen Tänze und Kleidung aus ihren Ländern.

HIER LERNEN SIE:

- ein Fest beschreiben
- einen Wetterbericht verstehen
- über das Wetter sprechen
- etwas vergleichen
- Smalltalk

Sommerfeste

Sommer, Sonne, Feiern

Zwischen Juni und August ist in Deutschland die Zeit für Sommerfeste. Am 21. Juni ist der längste Tag. Danach sind die Tage wieder kürzer. In vielen Ländern feiert
5 man diesen Tag. In vielen Städten und Regionen feiern die Menschen Ende Juni das Johannisfest. Danach beginnen meistens die langen Sommerferien. In Regionen mit Flüssen und Seen feiern die Menschen gern am Wasser. Meistens gibt 10 es ein Feuerwerk. An vielen Orten feiert man regionale Produkte. Es gibt Weinfeste an Rhein, Main und Mosel, Kirsch- und Erdbeerfeste und Bratwurstfeste. Warum im Sommer? Das Wetter ist in diesen 15 Tagen einfach besser als im Herbst und im Winter. Und es ist abends wärmer.

Sommerfest der Firma Schneider & Co.

Maya und Moritz planen das Sommerfes[...]

1 Ein Sommerfest planen

4.17
4.18

a) Hören Sie Dialog A oder Dialog B. Wie ist das Wetter? Vergleichen Sie.

b) Lesen Sie die Dialoge. Wer kauft was? Machen Sie eine Liste.

💬 O. k. Was brauchen wir für das Sommerfest im Park?

💬 Also, wir grillen. Ich kaufe Brot, Würstchen und 30 Steaks.

💬 30? Das ist zu viel für 10 Personen. Kauf ein paar weniger.

💬 Gut, und du kaufst Grillkartoffeln und Gemüse für die Vegetarier?

💬 Ja, und du kaufst dann die Getränke, Moritz.

💬 Ja, gern. Und wie wird das Wetter am Samstag?

A 💬 Es wird morgen warm, wärmer als heute. Es regnet nicht.

💬 Gibt es ein Gewitter?

💬 Keine Sorge. Es sieht gut aus. Es wird schön.

B 💬 Es wird bewölkt und kälter. Vielleicht regnet es.

💬 Mist! Das sieht schlecht aus. Wir müssen Schirme mitnehmen und ein Zelt.

2 Wie wird das Wetter am Sonntag?

🔍 20

a) Die Wetter-App. Ergänzen Sie die Wochentage und fragen Sie.

Wie wird das Wetter am Sonntag?

Am Sonntag regnet es. Es sind 27 Grad.

1 Am _____ regnet es. Wir haben schlechtes Wetter.
Nachts sind es nur 13 Grad.

2 Am _____ haben wir schönes Wetter. Es ist sonnig,
Wir haben 27 Grad.

3 Am _____ ist es bewölkt. Sonne und Wolken bei
29 Grad.

4 Am _____ ist es heiß. Es sind 31 Grad.

Jena
Freitag
meist bewölkt **27°** ▼ 19 ▲ 31

Samstag		27	14
Sonntag		23	13
Montag		27	13
Dienstag		29	17
Mittwoch		31	18
Donnerstag		29	17

b) 7-Tage-Wetter. Arbeiten Sie mit einer Wetter-App.
Wählen Sie einen Ort und berichten Sie.

3 Sommerfest im Kurs

Machen Sie ein Plakat. Ort? Essen? Trinken? Gäste? ... Stellen Sie Ihr Fest vor.

1 Europawetter

a) Beschreiben Sie das Wetter.

In München ist es …

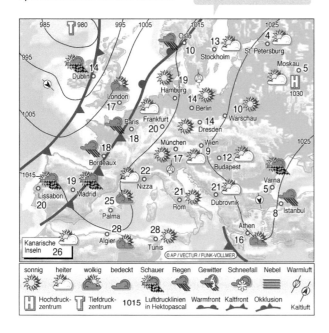

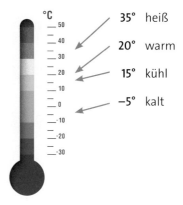

Jahreszeiten und Wetter in Europa

b) Vergleichen Sie.

1 In Paris ist es wärmer als in Dublin.
2 In Frankfurt ist es genauso warm wie in …
3 In Wien ist es wärmer als in …
4 In Warschau ist es kälter als in …

°C

35°	heiß
20°	warm
15°	kühl
−5°	kalt

2 Vergleiche

🔍 28

Sammeln Sie Adjektive im Komparativ auf den S. 202–205 und ergänzen Sie.

regelmäßig	schön	schöner als …
	heiß	heißer als …
	teuer	teurer (!) als …
mit Umlaut	warm	wärmer als ….
	groß	größer als …
	kalt	…
	kurz	…
unregelmäßig	viel	mehr als …
	gut	besser als …
	gern	…

Minimemo

ungleich	**gleich**
schöner/besser/**als** …	genauso/so schön **wie** …

Lieber Feste feiern, als feste arbeiten!

3 *kälter* in vielen Sprachen

a) Welche Sprachen kennen Sie? Ordnen Sie zu.

a Norwegisch **b** Französisch **c** Englisch **d** Spanisch **e** Tamil **f** Rumänisch **g** Deutsch

1 ◯ colder   **3** ◯ kälter   **5** ◯ kaldere   **7** ◯ குளிர்ச்சியான

2 ◯ más frío   **4** ◯ mai rece   **6** ◯ plus froid

b) Vergleichen Sie. Was ist ähnlich?

4 Das Wetter

Das Wetter in Mitteleuropa und bei Ihnen. Vergleichen Sie.

Bei uns ist das Wetter …

1 Jahreszeiten international

a) Lesen Sie die Aussagen und sammeln Sie Informationen zu den Jahreszeiten und den Orten.

„Der Sommer ist mir lieber als der Winter. Im Winter regnet es oft, aber es ist nicht kalt. Von Dezember bis Februar ist es sehr heiß, und wir haben Semesterferien."
Joy aus Salvador

„Bei uns ist der Winter länger als der Sommer. Er dauert von Ende September bis Ende April. Der Frühling und der Herbst sind sehr kurz, der Sommer beginnt schon Ende Mai."
Anna aus Nowosibirsk

„Jahreszeiten wie in Europa kennen wir nicht. Wir haben Trockenzeit und Regenzeit. In der Regenzeit haben wir ein paar Monate Monsun-Regen. Dann sind viele Straßen unter Wasser."
Sonya aus Mumbay

Brasilien	Russland	Indien
Im Winter ...		

b) Wie ist das bei Ihnen? Vergleichen Sie.

2 Die vier Jahreszeiten in Mitteleuropa

Kleidung, Aktivitäten, Wetter. Arbeiten Sie in vier Gruppen. Machen Sie ein Wortschatzplakat und präsentieren Sie es im Kurs. Die Wortliste auf S. 278 hilft.

der Sommer
Juni, Juli, August
die Ferien, schwimmen gehen, Eis essen, das T-Shirt

der Herbst
September, Oktober, November
bunte Blätter, Äpfel und Birnen, der Sturm

der Frühling
März, April, Mai
die Blumen, spazieren gehen, die Jacke

der Winter
Dezember, Januar, Februar
Regen und Schnee, der Wintersport

3 Wortfamilien

Suchen Sie und notieren Sie. Kontrollieren Sie mit der Wortliste.

der Regen, es regnet, das Regenwetter

die Wohnung, wohnen, die Wohngemeinschaft, der Wohnort, ...

die Studentin, studieren, das Studium, ...

> **Lerntipp 1**
>
> **Wörter in Paaren lernen:**
> es blitzt und donnert
> der Schnee und das Eis
> der Sommer und der ...

> **Lerntipp 2**
>
> Wortfamilien kennen heißt Texte besser verstehen.

4 Die Endung *-er*

Lesen Sie die Wörter laut.

Sommer – Sommerfest, Oktober – Oktoberfest, Winter – Winterurlaub, Donner – Wetter – Donnerwetter

1 Smalltalk-Themen

a) Smalltalk-Themen in Ihrem Land. Sammeln Sie.

b) Lesen Sie den Magazinartikel. Welche Themen sind Smalltalk-Themen? Markieren Sie.

Smalltalk – sechs Tipps für Anfänger

Das Wort ist englisch und international. Smalltalk ist ein kleines Kontaktgespräch. In der U-Bahn, im Fahrstuhl, im Supermarkt oder an der Kasse muss man nichts sagen. Aber auf einer Party und im Café an der Bar ist Nichts-Sagen unhöflich. Was kann man sagen?
5 Wie macht man Smalltalk? Hier sind sechs Tipps.

1. **Das Wetter ist das Top-Thema in Mitteleuropa.** Das ist immer ein guter Start. Typische Sätze: *Ganz schön kalt heute. – So ein Mistwetter! Ich habe meinen Schirm vergessen. – Ist das heiß*
10 *hier! – Seit drei Wochen nur Regen. Furchtbar. – Der letzte Sommer war besser, oder?*

2. **Ein Thema ist auch das Essen:** *Das schmeckt gut. Isst du oft hier? – Haben Sie hier schon mal gegessen? Was schmeckt hier gut? – Magst*
15 *du / Mögen Sie auch asiatisches (italienisches, ...) Essen? – Ich liebe Pasta. Und Sie?*

3. **Sport, Kino, Theater, Urlaub und Musik sind auch gute Themen.** Es kommt auf die Situation an. *Ich finde die Musik von ... super, und du? –*
20 *Bist du oft hier im Theater? – Hast du schon den neuen Film mit ... gesehen? – Warst du schon mal in Berlin (Zürich, ...)? Ich finde die Stadt fantastisch.*

4. **Geld und Politik sind keine guten Themen.**
25 Das ist in vielen Ländern eher privat. Es gibt zu viele Meinungen und oft Streit.

5. **Wichtig ist: Nicht zu viel erzählen.** Besser ist: Fragen. Man soll lieber zuhören und Interesse zeigen.

30 6. **Niemals negativ über andere Menschen sprechen.** Smalltalk muss positive oder neutrale Themen haben.

c) Ordnen Sie die Tipps. Was macht man (+), was macht man nicht (–)?

2 Smalltalk

a) Sommerfest im Sportverein **ODER** Grillfest in der Firma. Wählen Sie eine Situation und notieren Sie Fragen und Antworten.

b) Machen Sie Smalltalk. Stellen Sie sich vor. Fragen und antworten Sie.

> *Schönes Wetter heute, oder?*

1 Jahreszeiten und Feste

a) Lesen Sie den Magazinartikel „Sommerfeste" auf S. 203 noch einmal und beantworten Sie die Fragen.

1 Wann ist in Deutschland die Zeit für Sommerfeste?
2 Welchen Tag feiert man im Sommer besonders gern? Warum?
3 Wo feiert man gern?
4 Was gibt es oft bei den Sommerfesten?
5 Warum feiert man so gern im Sommer?

1 In Deutschland ...

b) Welches Fest passt? Lesen Sie die Texte und ordnen Sie zu. Die Informationen auf S. 202 und 203 helfen.

| **a** Konstanzer Seenachtsfest | **b** Beelitzer Spargelfest | **c** Koblenzer Sommerfest | **d** Parade der Kulturen |

1 ◯ Dieses Fest feiert man in Frankfurt. Menschen aus 140 Nationen zeigen Tänze und Kleidung aus ihrer Heimat.

2 ◯ Das Fest ist bekannt für sein großes Feuerwerk. Es gibt auch viel Musik, Theater und einen Markt mit regionalen Produkten.

3 ◯ Das Fest findet am Bodensee statt. Jedes Jahr kommen 150 000 Besucherinnen und Besucher zu dem dreitägigen Stadtgartenfest. Es gibt vier Festplätze und ein großes Programm für Jung und Alt.

4 ◯ Man feiert das Fest in der ersten Juniwoche. Das Thema ist Essen. Es gibt einen Umzug und eine Königin.

2 Das Stadtfest

▶ 2.18

a) Videokaraoke. Sehen Sie und antworten Sie.

b) Richtig oder falsch? Kreuzen Sie an.

	richtig	falsch
1 Ben war am Wochenende auf dem Sommerfest.	◯	◯
2 Die ganze Stadt war auf dem Fest.	◯	◯
3 Das Fest war toll.	◯	◯
4 Es gab viel Musik und gutes Essen.	◯	◯

3 Feste planen

a) Lesen Sie den Dialog. Was planen Amir und Basti?

💬 Hey Amir, wie geht's?

💬 Hallo Basti, mir geht's gut und dir?

💬 Ja, mir auch. Ich habe eine Frage. Ich habe in zwei Wochen Geburtstag. Was wollen wir machen? Hast du eine Idee?

💬 Ach ja ... Also, das Wetter bleibt gut. Du kannst draußen feiern.

💬 Ja, das habe ich auch schon gedacht. Was meinst du: ein Fußballspiel und danach grillen?

💬 Ja, das ist doch super! Ich helfe bei der Planung.

b) Was planen Amir und Basti? Sammeln Sie und machen Sie eine Liste: Ort/Zeit/Essen/Aktivität ...

Ort: im Park, auf dem Fußballplatz ...   *Essen*

Zeit: ...   *Aktivitäten*

4 Morgen ist es …

a) Welche Wetterwörter passen? Ordnen Sie zu.

kühl • warm • heiß • kalt

 -10° **8°** **22°** **37°**

_____ _____ _____ _____

b) Lesen Sie die Fragen und schreiben Sie eine Antwort.
Die Wetterapp hilft.

1 Wie ist das Wetter am Freitag?

_____

2 Regnet es am Dienstag?

Nein, am Dienstag ist es …

_____

3 Scheint am Montag die Sonne?

_____

4 Gibt es am Sonntag Gewitter?

_____

5 Wie ist das Wetter am Donnerstag?

_____

6 Ist es am Mittwoch bewölkt?

_____

Freiburg
Donnerstag

37° ▼ 18 ▲ 38

sonnig

Freitag		34	17
Samstag		32	18
Sonntag		31	
Montag		27	
Dienstag			
Mittwoch			

5 Wetterbericht

🔊 a) **Wie wird das Wetter in …? Hören und notieren Sie.**
4.19

Oslo: Regen, 23 Grad

Bremen: Regen, Wind, …

München: ....

Lugano: ....

Faro/Rom: ....

Nizza/Athen: ....

Filzmoos: ....

b) Wie ist das Wetter? Sehen Sie die Fotos an und beschreiben Sie.

Es ist	sonnig		heiß.		Es	regnet.
Das Wetter ist	bewölkt	und	warm.			schneit.
			kalt.			gibt Gewitter.

1

Es ist heiß.

Es sind 40 Grad.

2

3

4

5

6

6 **Das Wetter vergleichen. Lesen Sie und schreiben Sie Sätze mit den Adjektiven.**

kalt • heiß • bewölkt • sonnig

1 Stockholm: Minus 10 Grad, Hamburg: Minus 2 Grad

In Stockholm ist es kälter als in ...

2 Bremen: , Basel:

In Basel ist es ...

3 Bozen: 34 Grad, Innsbruck: 28 Grad

In Bozen ist es ...

4 Frankfurt: , Graz:

In Frankfurt ist es ...

5 Zürich: , Wien:

In Wien ist es ...

6 Berlin: 5 Grad, Dresden: 5 Grad

In Dresden ist es ...

7 Alt oder jung?

a) Ergänzen Sie wie im Beispiel. Ein Adjektiv passt nicht.

kurz • uninteressant • ~~jung~~ • kalt • schwer • groß • modern • langsam • hell • unpraktisch • teuer • scharf

Adjektive in Gegen-satzpaaren lernen!

1 alt – *jung* _____

2 warm – _____

3 lang – _____

4 klein – _____

5 schnell – _____

6 altmodisch – _____

7 praktisch – _____

8 günstig – _____

9 dunkel – _____

10 leicht – _____

11 interessant – _____

b) Hören und kontrollieren Sie in a).
4.20

c) Über Wohnungen sprechen. Ergänzen Sie die Minidialoge mit den Adjektiven aus a).

1 💬 Die Wohnung kostet nur 620 Euro im Monat.

💬 Oh, das ist nicht billig! Ich finde das ist zu _____ [1].

2 💬 Nur zwei Zimmer? Das ist wirklich nicht _____ [2]. Ich finde die Wohnung zu _____ [3].

💬 Ja, aber sie kostet nur 220 Euro! Das ist wirklich nicht zu _____ [4].

3 💬 Die Wohnung hat nur ein Fenster. Ich finde, sie ist ziemlich _____ [5].

💬 Ja, aber das Fenster ist sehr _____ [6]. Ich finde, die Wohnung ist ziemlich _____ [7].

4 💬 Ach, die Wohnung ist in der fünften Etage und es gibt keinen Fahrstuhl? Das ist ziemlich _____ [8], oder?

💬 Nein, das ist doch gar kein Problem. Sie sind doch nicht _____ [9], Sie sind _____ [10] und sportlich.

d) Hören und kontrollieren Sie in c).
4.21

8 Zwölf Monate – ein Jahr

a) Ergänzen Sie die Monatsnamen.

Januar, _____, März, _____,

Mai, _____, Juli, _____,

September, *Oktober* _____, November, _____

b) Ergänzen Sie die Monatsnamen.

1 Von _____ bis _____ ist in Deutschland Frühling.

2 Von _____ bis _____ haben wir in Deutschland Sommer.

3 Herbst ist von _____ bis _____.

4 In den Monaten _____, _____ und _____ ist Winter.

9 Jahreszeiten und Aktivitäten

a) Im Sommer oder im Winter? Was passt besser? Ordnen Sie die Aktivitäten zu. Es gibt mehrere Möglichkeiten.

schwimmen gehen • Tee trinken • ~~rodeln~~ • Slackline laufen • Ski fahren •
Sommerfeste besuchen • im Park grillen • Eis essen • spazieren gehen •
Wintersport machen • in den Bergen wandern • eislaufen

im Sommer	im Winter
	rodeln

🔊 4.22

b) Jahreszeiten in anderen Ländern. Hören und notieren Sie.

Winter in Chile: Juni, …

10 -ig, -ch und -sch am Wortende

🔊 4.23

a) Hören Sie die Wörter und achten Sie auf das Wortende.

b) Hören Sie noch einmal. Was hören Sie am Wortende: ch oder sch? Kreuzen Sie an.

	1	2	3	4	5	6	7	8	9	10	11
ch	Ⓧ	◯	◯	◯	◯	◯	◯	◯	◯	◯	◯
sch	◯	◯	◯	◯	◯	◯	◯	◯	◯	◯	◯

c) Wortdiktat. Hören Sie und schreiben Sie die Wörter.

windig, …

11 Smalltalk

a) Welche Themen sind in Deutschland für Smalltalk geeignet? Kreuzen Sie an.

1 Ⓧ Wetter   5 ◯ Kino   9 ◯ Familie

2 ◯ Essen & Trinken   6 ◯ Theater   10 ◯ Probleme

3 ◯ Musik   7 ◯ Urlaub   11 ◯ Hobbys

4 ◯ Geld   8 ◯ Krankheiten

b) Was passt zu welchem Thema? Ordnen Sie die Themen aus a) zu.

a ① Kalt und Regen. So ein Mistwetter!

b ◯ Was machst du in der Freizeit?   c ◯ Gibt es hier eine Spezialität?

d ◯ Wir waren zwei Wochen in Griechenland. Und ihr? Wart ihr auch weg?

e ◯ Siehst du gern japanische Filme?   f ◯ Spielen Sie auch Tennis?

g ◯ Mögen Sie Shakespeare?   h ◯ Hast du auch Kinder?

i ◯ Ist das kalt heute!   j ◯ Waren Sie auch auf dem Filmfestival in Berlin?

k ◯ Ich höre gern Mozart, und du?   l ◯ Was schmeckt hier gut?

m ◯ Was machen deine Eltern?   n ◯ Fahrt ihr im Sommer wieder nach Spanien?

Fit für Einheit 16?

1 Mit Sprache handeln

ein Fest beschreiben

Name	Wie heißt das Fest?	Das ist die Parade der Kulturen.
Ort	Wo findet das Fest statt?	Die Parade der Kulturen ist in Frankfurt.
Termin	Wann ist das Fest?	Das Fest ist im Juni.
Gäste	Wie viele Gäste kommen?	Mehr als 30.000 Menschen besuchen dieses Fest.
Aktivitäten	Was macht man?	Sie zeigen Tänze aus ihren Heimatländern.

über das Wetter sprechen

Wie ist das Wetter am Montag?	Am Montag regnet es.
Scheint am Dienstag die Sonne?	Nein, es ist bewölkt.
Wie viel Grad haben wir am Sonntag?	Es ist heiß. 37 Grad!
Gibt es morgen ein Gewitter?	Ja, und es ist windig mit viel Regen.

etwas vergleichen

In Oslo ist es kälter als in Rom.

2 Wörter, Wendungen und Strukturen

Jahreszeiten

der Frühling	März, April, Mai	Im Mai gibt es viele Frühlingsfeste.
der Sommer	Juni, Juli, August	Im Sommer fahre ich immer an den Strand.
der Herbst	September, Oktober, November	Im Herbst trinke ich viel Tee.
der Winter	Dezember, Januar, Februar	Im Winter gehe ich gern eislaufen.

Komparation

	ungleich:	gleich:
schön	In Berlin ist es schöner als in Bremen.	In Berlin ist es genauso schön wie in Bremen.
warm	In Paris ist es wärmer als in Moskau.	In Hamburg ist es genauso warm wie in Bremen.

Smalltalk

Ist das kalt hier! Ich habe meinen Mantel vergessen.	Ja, es ist sehr kalt heute. Möchtest du einen Tee?
Mögen Sie auch asiatisches Essen?	Ja, aber ich mag italienisches Essen lieber.

3 Aussprache

-ig, *-ch* und *-sch* am **Wortende:** wind**ig**, sportl**ich**, italieni**sch**

→ Interaktive Übungen

ZELT- UND CAMPING-PLÄTZE FRÜH BUCHEN!

Zelten ist sehr beliebt! Viele Menschen sind im Alltag drinnen, zum Beispiel im Büro oder in der Schule. Im Urlaub sind sie lieber Tag und Nacht draußen. Sie kochen, essen und schlafen in der Natur und lernen garantiert viele interessante Menschen kennen. Schlechtes Wetter? Kein Problem! Dann fahren die Camper einfach weiter.

Zelten auf dem Campingplatz

1 der Schlafsack

2 die Straßenkarten

Endlich Zeit für mich!

NATUR PUR!

Im Urlaub an die Nordsee, die Ostsee, in die Berge oder in den Wald? Immer mehr Menschen fahren nach Deutschland, Österreich oder in die Schweiz. Dort wollen sie Radtouren machen oder wandern, sagen Experten aus der Tourismusbranche.

Kinder lieben Ferien auf dem Bauernhof

FERIEN AUF DEM BAUERNHOF

Zwischen Juni und September haben die Kinder Sommerferien. Bei uns in Österreich können sie den ganzen Tag draußen spielen, Ziegen, Kühe, Schweine, Pferde und Hühner füttern und viel über die Natur lernen. Eltern und Hunde sind auch willkommen! ☺

Aktivurlaub am Meer

3 die Erste-Hilfe-Tasche

Theresa

HIER LERNEN SIE:

• über Urlaubsaktivitäten sprechen

• über Reiseziele sprechen

• einen Urlaub planen

• eine Postkarte schreiben

KOFFER PACKEN
DAS NEHME ICH MIT!

Peter

Theresa (26) arbeitet als Physiotherapeutin in Köln.

Sie reist besonders gern mit dem Rucksack nach Afrika, Asien oder Australien.

☐ „Dieses Souvenir ist aus Tokio. Ich finde es sehr praktisch und nehme es jetzt immer für Kleingeld mit."

☐ „Ich schreibe im Urlaub viel. Zu Hause lese ich meine Notizen, schließe die Augen und bin wieder unterwegs. Das ist mein Lieblingsbuch. Ich habe es in China geschrieben."

☐ „Die Tasche ist klein und nicht schwer. Zum Glück habe ich sie noch nicht oft gebraucht, aber unterwegs kann viel passieren, und so bin ich immer gut vorbereitet."

☐ „Ich lese sehr gern und benutze ihn jeden Tag, besonders unterwegs. Viele Bücher sind zu schwer für einen Rucksackurlaub."

4 der Kopfhörer

5 der E-Reader

6 das Portemonnaie

7 das Notizbuch

8 die Schwimmbrille

Peter (34) aus Bern ist Mechatroniker.

Er fährt fast immer mit dem Motorrad ans Meer und nimmt dann sein Zelt mit.

☐ „Ich fahre oft an einen Strand, liege in der Sonne und schwimme auch viel. Im Meer trage ich sie immer. So kann ich die Fische besser sehen."

☐ „Der ist schon ziemlich alt, aber ich nehme ihn immer noch mit. Er braucht nicht viel Platz, ist schön warm und ich kann draußen schlafen."

☐ „Ohne Musik möchte ich nicht leben! Aber nicht jeder findet meine Musik cool. Also setze ich ihn auf den Kopf, genieße den Sound und störe die Nachbarn nicht."

☐ „Meine Freunde finden das altmodisch, aber ich nehme sie immer wieder mit, sitze abends vor dem Zelt und plane die nächste Route."

---

1 **Endlich Urlaub!** Sammeln Sie Orte und Urlaubsaktivitäten.

2 **Aktivitäten drinnen oder draußen.** Wo kann man das machen? Was meinen Sie?

3 **Das ist mein Urlaub!** Wählen Sie ein Urlaubsziel. Was kann man dort machen?

4 **Theresa und Peter reisen gerne.** Wer nimmt was mit? Lesen Sie und ordnen Sie die Gegenstände zu.

5 **Und Sie? Spielen Sie „Koffer packen"**
Ich packe meinen Koffer. Ich nehme ...
💬 Ich packe meinen Koffer und nehme meine Schwimmbrille mit.
💬 Ich packe meinen Koffer und nehme meine Schwimmbrille und meinen Schlafsack mit.

Ich mache Urlaub!

1 Mein Lieblingsurlaub

a) Wer sagt was? Theresa (T), Peter (P) oder beide (b)?
Lesen Sie die Aussagen und dann das Reisejournal.

1 ◯ „Ich habe im Zelt geschlafen."

2 ◯ „Wir hatten auch schlechtes Wetter."

3 ◯ „Wir sind gewandert."

4 ◯ „Wir haben zusammen gekocht."

5 ◯ „Ich war am Wasser."

6 ◯ „Wir haben eine Ausstellung gesehen."

Lieblingsziele

Bodensee bei Konstanz, 2017

San José, 2016

KONSTANZ

Was war dein Lieblingsurlaub?

Ich mache am liebsten Rucksacktouren und reise dann meistens alleine. Aber mein Lieblingsurlaub war 2017. Ich bin mit der Bahn nach Konstanz gefahren und habe dort eine Freundin getroffen. Wir haben im Hotel übernachtet, sind oft an den Bodensee gegangen oder sind mit dem Bus in die Berge gefahren und gewandert. Nur einmal hat es geregnet, und wir sind ins Museum gegangen. Die Ausstellung war toll!

Wohin geht deine nächste Reise?

Nach Argentinien. Ich lerne seit drei Monaten Spanisch und habe auch schon Pläne gemacht. Ich will in Buenos Aires einen Tangokurs machen und dann ans Meer weiterreisen. Meine Freundin kommt auch wieder mit!

SAN JOSÉ

Was war dein Lieblingsurlaub?

Das war ganz klar vor drei Jahren. Ich bin spontan mit dem Motorrad ans Mittelmeer gefahren. Zuerst war ich in Frankreich und dann in Spanien. In San José bin ich einfach auf den Campingplatz gefahren und hatte Glück. Ich habe dort gezeltet und nette Niederländer kennengelernt. Wir sind mit den Motorrädern in den Naturpark gefahren. Abends sind wir oft zusammen auf den Markt gegangen und haben leckere Salate und Suppen gemacht. Toll!

Wohin geht deine nächste Reise?

Mal sehen. Ich habe jetzt wieder eine Freundin, und wir möchten beide gern in die USA fliegen, zum Beispiel nach Las Vegas. Dort wollen wir Motorräder mieten und ans Meer fahren. Das ist unser Traum.

b) *Wohin ...?* Markieren Sie im Reisejournal wie im Beispiel.

c) Ergänzen Sie die Tabelle mit den Angaben aus dem Text.

	Wohin?
Städte	
Länder	
Regionen	*in die Berge, ...*
Plätze	
Gewässer	*an den Bodensee, ...*
Gebäude	

Minimemo
die Nordsee
die Ostsee
der Bodensee

2 Urlaubsaktivitäten

Partner/in A nennt ein Ziel. B nennt so viele Aktivitäten wie möglich. Die Vorschläge helfen.

> *Ich fahre in die Berge.*

Volleyball spielen • zelten • draußen kochen • die Altstadt besichtigen • Eis essen • Leute kennenlernen • schwimmen gehen • klettern • in der Sonne liegen • eine Radtour machen • ins Museum gehen • wandern • lesen • an den Strand gehen • Freunde einladen • Musik hören • …

> *Schön! Dort kannst du …*

3 Wollen wir …?

30

Fragen und antworten Sie wie im Beispiel.

> *Willst du / Wollt ihr im Herbst in die Berge fahren?*
>
> *Ja, in die Schweiz.*
>
> *Nein, wir wollen im Herbst lieber nach London fahren.*

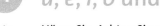

Willst du	nächste Woche	in die Schweiz/Türkei/USA …	fliegen?
Wollen wir	nächstes Jahr	nach London/Marokko …	reisen?
Wollt ihr	im Januar/Februar/März/…	ans Meer	fahren?
Wollen Sie	im Frühjahr/Sommer/…	in die Berge	

4 *a, e, i, o* und *u*

4.24

Hören Sie. Achten Sie auf die Vokale. Sprechen Sie dann die Sätze nach.

Ella ist im Oktober im Urlaub. Anna fährt zur Ostsee. Otto isst viel Eis in Italien. Unterwegs beobachtet er die Natur. Ina und Ute machen immer Aktivurlaub in Österreich.

5 Smalltalk-Thema Urlaub

a) *Hast/Bist du schon mal …?* Fragen und antworten Sie wie im Beispiel.

> *Hast du im Urlaub schon mal gezeltet?*
>
> *Ja, ich habe schon mal/zweimal/oft gezeltet.*
>
> *Nein, ich habe noch nie gezeltet.*

b) Wer hat was gemacht? Sprechen Sie über den Urlaub wie im Beispiel.

> *… hat schon mal im Urlaub gezeltet.*

> *Das ist interessant. Wo warst du?*
>
> *Wie war das Wetter?*
>
> *Was hast du dort (noch) gemacht?*
>
> *War der Urlaub teuer?*
>
> *…?*

> *Ich war in der Schweiz.*
>
> *Es war sonnig, aber nicht zu heiß.*
>
> *Ich bin viel gewandert.*
>
> *…*

Vor dem Urlaub

1 Julia und Carsten planen ihren Urlaub

🔊 4.25

a) Wer will was im Urlaub machen? Hören Sie den Dialog und ergänzen Sie.

Julia will …	Carsten will …	Beide wollen …
		nicht zu Hause bleiben, …

b) Hören Sie noch einmal und kontrollieren Sie Ihre Ergebnisse.

c) Wohin können Julia und Carsten zusammen reisen?
Machen Sie Vorschläge wie im Beispiel.

> *Sie können an den Thunersee fahren. Julia kann dort … und Carsten kann …*

Urlaub am Thunersee in der Schweiz (2020)

2 Koffer packen

🔊 4.26

a) Endlich! Heute geht es los! Wohin reisen Julia und Carsten?
Hören Sie und kreuzen Sie an.

1 ◯ Sie fliegen in die USA.

2 ◯ Sie fahren nach Italien, an den Gardasee.

3 ◯ Sie machen eine Radtour an den Rhein.

4 ◯ Sie fliegen nach Spanien.

b) Julia packt ihren Koffer. Was packt sie ein? Hören Sie noch einmal und kreuzen Sie in der Checkliste an.

⊗ *Kleid*	◯ *Schuhe*
◯ *Schwimmbrille*	◯ *Hosen*
◯ *T-Shirts*	◯ *Reiseführer*
◯ *Sonnenbrille*	◯ *Mantel*
◯ *Tickets*	◯ *Notizbuch*
◯ *E-Reader*	◯ *Kopfhörer*

3 Hast du den E-Reader gesehen?

🔍 24

a) Fragen und antworten Sie schnell.

Hast du den E-Reader gesehen?

> Ich glaube, ich habe ihn gesehen.
> Nein, ich habe ihn nicht gesehen.

Ich suche das Notizbuch.

> Ich habe es gefunden.
> Ich kann es auch nicht finden.

Ich kann die Sonnenbrille nicht finden.

> Gestern hattest du sie doch noch.
> Ich habe sie auch nicht gesehen.

Wer hat die Tickets eingepackt?

> Hast du sie nicht eingepackt?
> Keine Ahnung. Ich habe sie nicht.

b) Variieren Sie.

4 Was nehmen Sie immer in den Urlaub mit?

🚩 Machen Sie eine Liste und berichten Sie. ODER Fotografieren Sie drei Gegenstände und beschreiben Sie wie auf S. 215.

1 Kommunikation im Urlaub

a) Ordnen Sie den Situationen passende Aussagen zu.

A  **B**  **C**  **D**  **E**

Im Urlaub

1 ( ) Ich möchte ein Erinnerungsfoto. Fotografierst du mich?

2 (F) Hier bist du. Ich habe dich überall gesucht!

3 ( ) Wir müssen schneller laufen. Der Bus fährt gleich ohne uns ab!

F

b) **Was sagen die Personen? Ergänzen Sie die Personalpronomen.**
Ordnen Sie dann passende Bilder aus a) zu.

4 ( ) Entschuldigung, ich verstehe _____ nicht. Sprichst du Englisch?

5 ( ) Ja, hier ist es sehr laut. Ich bin im Restaurant. Hörst du _____ jetzt besser?

6 ( ) Guten Tag! Bringen Sie _____ bitte zum Flughafen. Wir müssen zum Terminal 2.

2 Eine Postkarte schreiben

a) **Lesen Sie die Karte und ordnen Sie die Zahlen zu.**

( ) Anrede

( ) Aktivität(en)

( ) Gruß

( ) Wetter

( ) Ort

die Hausnummer

Liebe Gülay **1** ,
ich bin in Berlin **2** ! Die Stadt
ist toll! Gestern habe ich eine
Tour mit dem Fahrrad
gemacht **3** . Wir waren auch
am Alexanderplatz. Das Wetter
ist sehr schön **4** .

Viele Grüße **5**
Rajeev

Briefmarke
hier

Gülay Tan
Seeweg (39)
78462 Konstanz

b) **Was kennen Sie noch? Ergänzen Sie wie im Beispiel.**

c) **Wählen Sie ein Urlaubsziel aus. Schreiben Sie einem Partner / einer Partnerin aus dem Kurs eine Postkarte wie in a).**

3 Das war's ...

Wie sagt man *„Bis zum nächsten Mal!*
Auf Wiedersehen!" in ...?
Sammeln Sie Abschiedsformeln
in verschiedenen Sprachen.

Bei uns / In Irland /
Auf Englisch sagt man „See
you next time! Goodbye!"

1 Ab in die Ferien!

a) **Ordnen Sie den Fotos passende Titel zu.**

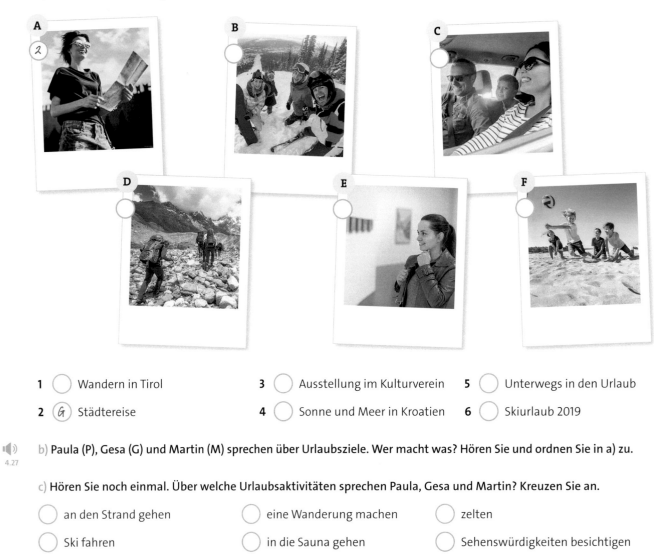

1 ◯ Wandern in Tirol	**3** ◯ Ausstellung im Kulturverein	**5** ◯ Unterwegs in den Urlaub
2 Ⓖ Städtereise	**4** ◯ Sonne und Meer in Kroatien	**6** ◯ Skiurlaub 2019

🔊 4.27 b) **Paula (P), Gesa (G) und Martin (M) sprechen über Urlaubsziele. Wer macht was? Hören Sie und ordnen Sie in a) zu.**

c) **Hören Sie noch einmal. Über welche Urlaubsaktivitäten sprechen Paula, Gesa und Martin? Kreuzen Sie an.**

◯ an den Strand gehen ◯ eine Wanderung machen ◯ zelten

◯ Ski fahren ◯ in die Sauna gehen ◯ Sehenswürdigkeiten besichtigen

◯ eine Ausstellung besuchen ◯ die Natur genießen ◯ Volleyball spielen

2 Koffer packen. **Lesen Sie, wählen Sie eine Situation aus und machen Sie eine Liste.**

1 Campingurlaub
Sie mögen Sonne und Camping-
urlaub. Sie fahren mit dem Auto.
Was nehmen Sie mit?

2 Radtour
Sie haben fünf Tage Urlaub und
machen eine Radtour an der
Nordsee. Was packen Sie ein?

3 Aktivurlaub
Sie fliegen eine Woche nach
Finnland. Was nehmen Sie mit?

Campingurlaub:

– Zelt

– ...

3 Reiseziele

a) **Lesen Sie und ordnen Sie die Reiseziele zu.**

			Reiseziele	Wohin?
1	◯	Susanne möchte eine Städtereise machen.	**a** das Meer	*ans Meer*
2	◯	Hanna macht eine Radtour.	**b** die Berge	
3	◯	Angélique besucht ihre Eltern in Lyon.	**c** London und Barcelona	
4	◯	Robert und Eva klettern gern.	**d** der Bodensee	
5	(*a*)	Anne und Christoph lieben den Strand.	**e** Frankreich	

b) **Wohin? Ergänzen Sie in a). Die Tabelle auf S. 216 hilft.**

c) **Wohin fahren die Personen? Berichten Sie wie im Beispiel.**

Susanne fährt nach London und Barcelona. Hanna ...

4 Das Reisetagebuch von Theresa. **Lesen Sie die Notizen von Theresa und schreiben Sie einen Reisebericht.**

Konstanz, August 2017

Donnerstag:
5:00 aufstehen
mit dem Zug von München nach Konstanz
12:30 Pizza mit Marina
am Nachmittag: Altstadt, Regen, dann Museum

Freitag:
sonnig
kleine Radtour an den Bodensee
Sonne und Strand, super! -☼-
am Abend: in die Stadt, tolles Konzert

Theresa ist im August 2017 nach Konstanz gefahren. Am Donnerstag ...

5 Urlaubspläne. **Schreiben Sie Fragen und Antworten wie im Beispiel.**

1 💬 Willst du im Juli nach Spanien fahren?

💬 Nein, *das ist zu heiß. Ich will nach Dänemark fahren.* _____ (heiß/Dänemark)

2 💬 Wollt ihr in Málaga im Hotel übernachten?

💬 Nein, _____ (teuer/Zelt)

3 💬 Wir wollen im August mit dem Auto nach Istanbul fahren. Und was macht ihr?

💬 _____ (mit dem Fahrrad / Paris)

4 💬 _____ (ihr / im Urlaub / Ostsee)

💬 Ja. Wir finden es dort sehr schön und es ist für die Kinder nicht zu weit.

5 💬 _____ (dein Freund / nächste Woche / Berlin)

💬 Ja, er fährt mit dem Auto. Willst du mitfahren?

6 💬 _____ (deine Eltern / Sommerferien / Italien / fahren)

💬 Nein, sie wollen dieses Jahr zu Hause bleiben.

6 Monate und Jahreszeiten in Europa

a) **Ordnen Sie die Monatsnamen und Jahreszeiten den Bildern zu.**

④ Winter • ◯ November • ◯ August • ◯ Mai • ◯ Sommer •
◯ Januar • ◯ Juni • ◯ September • ◯ Frühling • ◯ Februar • ◯ April •
◯ Herbst • ◯ März • ◯ Juli • ◯ Oktober • ◯ Dezember

 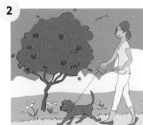  

b) **Mein Jahr. Was haben Sie im Frühling gemacht? Wo waren Sie im August? Schreiben Sie einen Ich-Text.**

Mein Jahr war (nicht) sehr schön. Von ... bis ... habe ich den Deutschkurs ...

....

7 Urlaub auf dem Bauernhof

2.19

a) **Videokaraoke. Sehen Sie und antworten Sie.**

Wir waren auf einem Bauernhof.

b) **Was ist richtig? Sehen Sie das Video noch einmal und kreuzen Sie an.**

1 Wer hat das Reiseziel gewählt?
◯ Tina
◯ Tina und Sebastian
◯ die Kinder

3 Wo waren Tina und die Kinder?
◯ in Deutschland
◯ in Österreich
◯ in der Schweiz

5 Was haben die Kinder gemacht?
◯ Pferde und Kühe füttern
◯ Brot backen
◯ ein Museum besuchen

2 Wie war das Wetter?
◯ bewölkt und kühl
◯ warm und sonnig
◯ zu heiß

4 Wie war das Essen?
◯ nicht so gut
◯ zu teuer
◯ super lecker

c) Welche Fotos hat Tina gemacht? Sehen Sie das Video noch einmal und kreuzen Sie an.

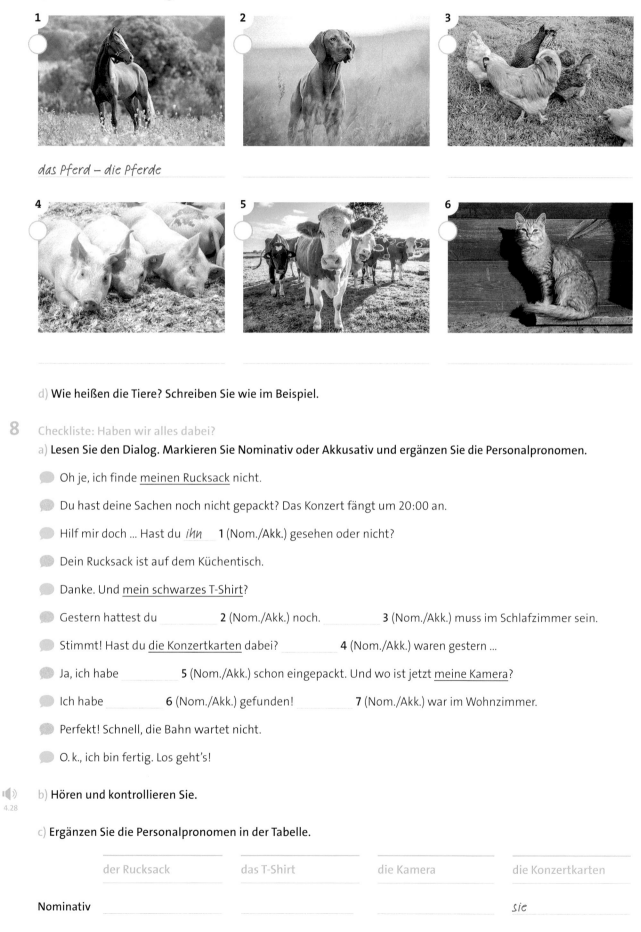

1

2

3

das Pferd – die Pferde

4

5

6

d) Wie heißen die Tiere? Schreiben Sie wie im Beispiel.

8   Checkliste: Haben wir alles dabei?

a) **Lesen Sie den Dialog. Markieren Sie Nominativ oder Akkusativ und ergänzen Sie die Personalpronomen.**

💬 Oh je, ich finde <u>meinen Rucksack</u> nicht.

💬 Du hast deine Sachen noch nicht gepackt? Das Konzert fängt um 20:00 an.

💬 Hilf mir doch ... Hast du *ihn* **1** (Nom./Akk.) gesehen oder nicht?

💬 Dein Rucksack ist auf dem Küchentisch.

💬 Danke. Und <u>mein schwarzes T-Shirt</u>?

💬 Gestern hattest du _____ **2** (Nom./Akk.) noch. _____ **3** (Nom./Akk.) muss im Schlafzimmer sein.

💬 Stimmt! Hast du <u>die Konzertkarten</u> dabei? _____ **4** (Nom./Akk.) waren gestern ...

💬 Ja, ich habe _____ **5** (Nom./Akk.) schon eingepackt. Und wo ist jetzt <u>meine Kamera</u>?

💬 Ich habe _____ **6** (Nom./Akk.) gefunden! _____ **7** (Nom./Akk.) war im Wohnzimmer.

💬 Perfekt! Schnell, die Bahn wartet nicht.

💬 O. k., ich bin fertig. Los geht's!

🔊 b) **Hören und kontrollieren Sie.**
4.28

c) **Ergänzen Sie die Personalpronomen in der Tabelle.**

	der Rucksack	das T-Shirt	die Kamera	die Konzertkarten
Nominativ				*sie*
Akkusativ	*ihn*			

9 Unterwegs

a) **Ergänzen Sie die Personalpronomen im Akkusativ.**

1 Entschuldigung, können Sie _____ (wir) fotografieren?

2 Ich verstehe _____ (Sie) nicht. Sprechen Sie Deutsch?

3 💬 Wo seid ihr gerade? Ich höre _____ (ihr) sehr schlecht.

💬 Wir rufen _____ (du) lieber später an.

4 Wann kommen deine Eltern am Bahnhof an? Ich kann _____ (sie) dort abholen.

5 Es ist so warm! Dieses Wetter macht _____ (ich) müde.

b) **Ordnen Sie den Fotos passende Sätze aus a) zu.**

a  **b** 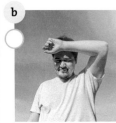 **c**  **d**  **e**

10 Urlaubsgrüße. **Sie machen Urlaub auf dem Bauernhof und lernen dort eine nette Familie kennen. Sehen Sie die Fotos an und schreiben Sie eine Postkarte an einen Freund/eine Freundin. Die Fragen helfen.**

– Wo sind Sie?
– Wie ist das Wetter?
– Wie ist das Essen?
– Was machen Sie / die anderen Gäste gern / lieber / am liebsten?

Fit für A2?

über Urlaubsaktivitäten sprechen

Wie war dein Urlaub?

Super! Das Wetter war toll, wir hatten viel Schnee und Sonne.

Wo wart ihr im Urlaub?

Wir waren wieder in Kroatien. Es war toll!

Und was habt ihr in Kroatien gemacht?

Wir sind jeden Tag an den Strand gegangen und haben viel Volleyball gespielt.

Hast du im Urlaub schon mal gezeltet?

Ja, ich habe schon mal/zweimal/oft gezeltet.

über Reiseziele sprechen

Wohin geht deine nächste Reise?

Ich möchte im Sommer gern in die USA / in die Türkei fliegen.

Wir wollen nächste Woche in die Berge / ans Meer / an den Gardasee fahren.

einen Urlaub planen

Ich möchte schwimmen, viel schlafen und lesen.

Ich möchte wandern, klettern und gut essen gehen.

eine Postkarte schreiben

Die Stadt ist toll!

Gestern habe ich eine Tour mit dem Fahrrad gemacht.

Das Wetter ist sehr schön.

Präpositionen mit Akkusativ

an den Bodensee / ans Meer / an die Nordsee
in die Schweiz / in die Berge / in den Wald

Personalpronomen im Akkusativ

Hast du den E-Reader gesehen?

Nein, ich habe ihn nicht gesehen.

Ich suche das Notizbuch.

Ich habe es gefunden.

Ich kann die Sonnenbrille nicht finden.

Gestern hattest du sie doch noch.

Wer hat die Tickets eingepackt?

Keine Ahnung. Ich habe sie nicht.

Ich möchte ein Erinnerungsfoto. Fotografierst du mich?

Hier bist du. Ich habe dich überall gesucht!

Wir müssen schneller laufen. Der Bus fährt gleich ohne uns ab!

Modalverb *wollen*

Wohin willst du fahren?

Ich will nach Köln fahren.

Wollt ihr eine Radtour machen?

Ja, wir wollen eine Radtour an die Ostsee machen.

a, e, i, o und *u*: Ella ist im Oktober im Urlaub. Otto isst viel Eis in Italien. Unterwegs beobachtet er die Natur. Ina und Ute machen immer Aktivurlaub in Österreich.

→ Interaktive Übungen

1 Das steht dir gut!

a) Kleidung für den Winter. Sehen Sie die Angebote an und kommentieren Sie.

> *Schau mal, der Pullover ist schön und auch nicht teuer. Er kostet nur 39 Euro.*

2.20

b) Was kaufen Nico und Selma? Sehen Sie das Video und berichten Sie.

> *Sie kaufen ...*

Die Jacke steht dir gut!

c) Kleidung auswählen, anprobieren und kommentieren. Wählen Sie eine Situation und schreiben Sie einen Dialog. Spielen Sie Ihren Dialog im Kurs vor.

d) *Eigentlich wollte ich gar nichts kaufen!* Kennen Sie das auch? Berichten Sie.

> *Ja, das kenne ich. Ich habe einmal im Sommer eine Skihose gekauft. Sie hat mir gut gefallen und war sehr günstig.*

----

2 Das Fußballtraining

a) Acht Freunde wollen trainieren. Was brauchen sie? Sammeln Sie.

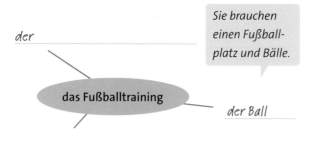

der _____

das Fußballtraining

> *Sie brauchen einen Fußball- platz und Bälle.*

der Ball

_____

b) Nico hat keine Fußballschuhe. Wie kann er das Problem lösen? Sammeln Sie Ideen.

2.21
c) Wie hat Nico sein Problem gelöst? Sehen Sie das Video und berichten Sie.

4.29
d) Zwei Wetterberichte. Welcher passt zum Video? Hören Sie und berichten Sie.

e) *Ab morgen ...!* Was möchten Sie anders machen? Schreiben Sie wie im Beispiel. Sammeln Sie die Sätze und lesen Sie vor. Wer hat das geschrieben? Raten Sie.

> *Ab morgen esse ich weniger Süßigkeiten!*

> *Ich glaube, Samira hat das geschrieben.*

f) *Kartoffelsalat macht auch gar nicht dick!* Sehen Sie das Video noch einmal. Was meint Tarek? Kreuzen Sie an.

1 ◯ Kartoffelsalat ist auch gesund.

2 ◯ Kartoffelsalat macht auch dick.

g) *Sagen* und *meinen.* Lesen Sie die Mini- dialoge wie im Video. Was meint der Sprecher / die Sprecherin? Diskutieren Sie.

3 Du musst dich ausruhen!

a) Welche Verletzungen sind beim Fußball typisch? Sammeln Sie.

> *Es gibt oft Verletzungen an der Schulter.*

>> *Ich spiele auch Fußball. Einmal hatte ich eine Verletzung an der/am…*

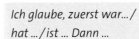

b) *Zuerst, dann, danach.* Was ist nach Nicos Unfall passiert? Sehen Sie das Video. Wählen Sie drei Aussagen aus und vergleichen Sie im Kurs.

> *Ich glaube, zuerst war… / hat … / ist … Dann …*

>> *Das kann (nicht) sein. Ich meine, das war so: Zuerst…*

c) Lisa fragt die Ärztin. Lesen Sie den Dialog und schreiben Sie die Fragen. Vergleichen Sie im Kurs.

1 _____   3 _____

2 _____   4 _____

d) Nico muss zu Hause bleiben. Er findet das langweilig. Was kann Nico machen? Geben Sie Tipps wie im Beispiel.

> *Lern Vokabeln!*

>> *Richtig, lern Vokabeln oder hör Musik!*

> *Richtig, lern Vokabeln, hör Musik oder …*

e) Selma schickt Nico eine Nachricht. Schreiben Sie den Dialog weiter und vergleichen Sie.

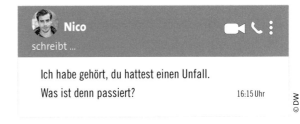

4 Was machst du hier?

a) Sie sind im Urlaub. Ihr Freund / Ihre Freundin hat die Schlüssel für Ihre Wohnung. Was soll er/sie machen? Sammeln Sie im Kurs. Die Bilder helfen.

> *Sie soll die Blumen gießen.*   *Er soll …*

b) Nico und Tarek sind im Fahrradladen. Was machen sie dort? Sehen Sie das Video und berichten Sie.

c) Fahrräder, Kunden, Rechnungen. Was muss man im Fahrradladen machen? Sammeln Sie.

> *Man muss freundlich sein. Das finden die Kunden wichtig.*

>> *Man muss Rechnungen …*

d) Wer ist Yara und wie geht die Geschichte weiter? Erzählen Sie im Kurs.

 Die Serie „Nicos Weg" in voller Länge mit interaktiven Übungen und zahlreichen weiteren Materialien gibt es kostenlos bei der Deutschen Welle: dw.com/nico

1 Yoga für Anfänger – komm mach mit!

a) Der Hund , der Baum , die Kobra . Welches Foto passt?

der ...

b) Hören Sie die Anleitung. Wie heißt die Übung?

4.30

c) Ordnen Sie die Sätze.

◯ Die Arme und das Bein nach unten nehmen und die Übung mit dem anderen Bein wiederholen.

◯ Die Arme zur Seite ausstrecken, den linken Fuß anheben, das Knie nach links drehen und den Fuß an das rechte Bein legen.

◯ Die Füße schließen, gerade stehen, tief ein- und ausatmen.

◯ Die Arme strecken, die Hände schließen und alles 15 Sekunden halten.

d) Machen Sie die Yoga-Übung.

2 Konzentration, bitte! *Das ist mein Knie ...* Spielen Sie wie im Beispiel.

Das ist sein Arm.

3 Erfahrungen im Urlaub

a) Was wollen Sie auf jeden/keinen Fall ausprobieren? Was probieren Sie lieber? Sprechen Sie schnell.

Ich Wir	will wollen	auf jeden Fall auf keinen Fall lieber	Slacken/einen Color Run/Barre ausprobieren/Yoga machen. Fußball/Basketball spielen. einen Sportkurs besuchen. mehr/weniger Sport machen. Schritte mit einer App zählen. das Handy ausschalten. in der Sonne/am Strand liegen. einen Marathon laufen. mehr Gemüse und weniger Fleisch essen.

> *Wollt ihr … ausprobieren?*
>
> *Willst du auch …?*

b) Willst du auch …? Fragen Sie und finden Sie einen Urlaubspartner / eine Urlaubspartnerin.

4 Der Kaffee ist schwarz wie die Nacht!

a) Lesen Sie die Wendungen und ordnen Sie die Bilder zu.

1 weiß wie der Schnee	4 grün wie das Gras	7 grün vor Neid
2 schwarz wie die Nacht	5 rosarot sehen	8 rot vor Wut
3 rot wie die Liebe	6 schwarz sehen	9 blau sein

b) Wie sagt man das bei Ihnen?

5 „Grün, grün, grün sind alle meine Kleider" – ein Volkslied

a) Berufe haben oft typische Farben. Welche kennen Sie? Ordnen Sie zu.

 1    2    3    4    5

der Jäger   die Reiterin   der Schornsteinfeger   der Müller   die Malerin

 a   b   c   d   e

 4.31

b) Hören Sie das Lied und kontrollieren Sie.

c) Neue Berufe, neue Farben. Schreiben Sie 1–2 Strophen und singen Sie.

DAS SCHWERSTE WORT

1 Wie heißt Ihr schwerstes Wort?

a) Sammeln Sie.

Mein schwerstes Wort heißt ... / ... ist schwer.

b) Warum ist das Wort schwer?

Ich sage es nicht gern. *Es ist so anders.* *Es ist zu lang.* *Ich kann es nicht aussprechen.* *Ich vergesse es immer.*

2 Namen und Orte. **Hören Sie die Namen und sprechen Sie nach.**

4.32

1 Popocatépetl   **2 Ouagadougou**   **3 Chichicastenango**

3 a) Lesen Sie das Zitat und verbinden Sie.

Das schwerste Wort heißt nicht
Popocatépetl wie der Berg in Mexiko und nicht Chichicastenango wie der Ort
in Guatemala und nicht Ouagadougou wie die Stadt in Afrika.
Das schwerste Wort heißt für viele:
„Danke".
Josef Reding

Wort	Was?	Wo?
1 Popocatépetl	eine Stadt	in Afrika
2 Ouagadougou	ein Berg	in Mexiko
3 Chichicastenango	ein Ort	in Guatemala

b) **In welchem Land liegt Ouagadougou? Recherchieren Sie im Internet.**

c) Josef Reding sagt, das schwerste Wort heißt für viele *danke*. Was meinen Sie?

4 Welches Wort ist für Sie das schwerste auf Deutsch?
Schreiben Sie das Wort und Ihren Namen auf eine Karte.
Tauschen Sie dann die Karten. Die anderen lesen vor.

> Mila findet, Schreibtisch *ist das*
> *schwerste Wort. Es beginnt und*
> *endet mit* sch.

der Schreibtisch

Das Wort beginnt und endet mit <u>sch</u>.

5 *Danke* in den Sprachen der Welt
a) **Welche Sprachen spricht man in den Ländern im Zitat in 3 a)? Wie heißt** *danke* **in den Sprachen?**
Recherchieren Sie im Internet und ergänzen Sie die Weltkarte.

b) **Wie heißt** *danke* **in Ihrer Sprache?**

6 *Danke* in Ihrem Alltag. **Wann haben Sie das letzte Mal** *danke* **gesagt? In welcher Situation?**
Sprechen Sie mit Ihrem Partner / Ihrer Partnerin.

> *Das war heute in der Bäckerei.*

> *Und wann hast du das*
> *letzte Mal* danke *gesagt?*

> *Ich habe gestern*
> danke *gesagt.*

✦ Das kann ich mit dem Zitat machen
- das Zitat mit neuen Orten und neuen
  Ländern variieren
- in Ihrer Sprache diskutieren: Ist *danke*
  ein schweres Wort?
- andere schwere Wörter wie *danke*
  sammeln

Hören (ca. 20 Minuten)

Der Test hat drei Teile. Sie hören kurze Gespräche und Ansagen. Lesen Sie zuerst die Aufgaben, hören Sie dann die Texte und kreuzen Sie die richtige Antwort auf dem Antwortbogen an.

Teil I. Was ist richtig: a), b) oder c)? Sie hören jeden Text **zweimal**.

4.33

Beispiel:

0 Wo wohnt Frau Kirsch?

a) ◯ im Erdgeschoss   b) (X) in der ersten Etage   c) ◯ in der zweiten Etage

4.34

1. Wie wird das Wetter heute?

a) ◯ warm und sonnig   b) ◯ kühl und windig   c) ◯ bewölkt und warm

2. Wo ist das Büro von Frau Henne?

a) ◯ im ersten Stock links   b) ◯ gleich links   c) ◯ rechts und dann links

3. Was kostet die Jeans?

a) ◯ 30 Euro   b) ◯ 98,90 Euro   c) ◯ 89,90 Euro

4. Wie viele Zimmer hat die Wohnung?

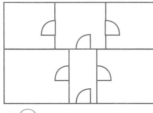

a) ◯ fünf Zimmer   b) ◯ vier Zimmer   c) ◯ ein Zimmer

5. Von wann bis wann ist der Schwimmkurs?

a) ◯ 17:45–18:30   b) ◯ 18:45–19:45   c) ◯ 17:45–18:45

6. Was bestellt der Gast?

a) ◯ einen Salat mit Pilzen und eine kleine Apfelschorle

b) ◯ Nudeln mit Pilzen und eine kleine Apfelschorle

c) ◯ Nudeln mit Pilzen und eine kleine Weinschorle

Teil II. Kreuzen Sie an: richtig oder falsch? Sie hören jeden Text nur **einmal**.

	richtig	falsch
🔊 4.35 **Beispiel:** Der ICE nach Hamburg verpätet sich heute um sieben Minuten.	◯	Ⓧ
🔊 4.36 **7.** Ein Zugteil fährt nach Bonn.	◯	◯
8. Die Mutter von Marie soll ihre Tochter abholen.	◯	◯
9. Die Bahn fährt heute bis zum Haupbahnhof.	◯	◯
10. Heute gibt es keinen Flug nach Düsseldorf.	◯	◯

Teil III. Was ist richtig: a, b oder c? Sie hören jeden Text **zweimal**.

🔊 4.37 **Beispiel:**

0 Wann treffen sich die Leute?

a) ◯ um 7 Uhr

b) Ⓧ um 17 Uhr

c) ◯ um um 9:17 Uhr

🔊 4.38 **11.** Was soll Anna mitnehmen?

a) ◯ ein Zelt

b) ◯ eine Schlafmütze

c) ◯ einen Schlafsack

12. Wie ist die Nummer?

a) ◯ 89222

b) ◯ 89323

c) ◯ 89333

13. Wann kommt Tom?

a) ◯ in einer Stunde

b) ◯ in 15 Minuten

c) ◯ in 30 Minuten

14. Was bestellt Kira?

a) ◯ Tee

b) ◯ Wasser

c) ◯ Eistee

15. Wann ist der neue Termin?

a) ◯ am Dienstag

b) ◯ am Donnerstag

c) ◯ am Freitag

Lesen (ca. 25 Minuten)

Der Test hat drei Teile. Sie lesen kurze Briefe, Anzeigen, Mitteilungen usw. Zu jedem Text gibt es Aufgaben. Kreuzen Sie die richtige Lösung auf dem Antwortbogen an.

Teil I. Lesen Sie die E-Mails und die Aufgaben 1 bis 5. Sind die Aussagen richtig oder falsch? Kreuzen Sie an.

Neue Nachricht
An
Betreff **Treffen**
Hallo Tom, danke für deine Nachricht! Wir können uns im Café „Lola" in der Kölner Straße treffen. Ich arbeite bis 16:30 Uhr und komme gleich nach der Arbeit. Kannst du diesen Donnerstag? Liebe Grüße Kira

	richtig	falsch
Beispiel:		
0 Kira kann sich gegen Mittag mit Tom treffen.	◯	Ⓧ
1. Kira arbeitet bis halb fünf.	◯	◯
2. Kira möchte Tom abholen.	◯	◯

Hallo Ina,
morgen kochen wir zusammen! Bring bitte Pilze und
Butter mit! Alles andere habe ich da und den Wein
kaufe ich heute schon.
Ich warte zu Hause auf dich.
Bis dann!
Elisabeth

3. Ina kocht heute mit Elisabeth. ◯ ◯

4. Elisabeth möchte noch etwas
kaufen. ◯ ◯

5. Ina und Elisabeth kaufen
gemeinsam ein. ◯ ◯

Teil II. Lesen Sie die Texte und die Aufgaben 6 bis 10. Wo finden Sie Informationen? Kreuzen Sie an: a) oder b).

Beispiel:

0 Sie möchten Konzertkarten online kaufen.

● ● ● www.kartenonline.example.com

Viele Landkarten oder Stadtpläne. Ideal zum
Drucken und Mitnehmen!

● ● ● www.eventonline.example.net

Karten kaufen für
• Kino   • Festival
• Konzert • Events aller Arten
Online bezahlen, ausdrucken oder als QR-Code
mitnehmen! Schnell und zuverlässig!

a ◯ www.kartenonline.example.com   **b** (X) www.eventonline.example.net

6. Sie möchten online eine Führung in Berlin buchen.

● ● ● www.berlinheute.example.edu

Berlin live erleben:
zu Fuß, mit der Bahn, im Bus oder luxuriös in
einem schicken Auto.
Rufen Sie uns an unter +49 3068831748 oder
buchen Sie online.

● ● ● www.berlininteraktiv.example.org

Berlin zu Hause kennenlernen. Bereiten Sie
Ihre Reise online vor. Wir haben viele
Angebote in acht Sprachen.

a ◯ www.berlinheute.example.edu   **b** ◯ www.berlininteraktiv.example.org

7. Sie suchen ein WG-Zimmer.

● ● ● www.gesucht.example.net

Neu in der Stadt? Wir suchen Studierende
für einen Nebenjob. Gut bezahlt und flexibel.
Melde dich!

● ● ● www.mitbewohner.example.com

Bist du jung und kommunikativ? Suchst du einen
Platz zum Wohnen? Wir suchen dich! Komm
vorbei und schau dir alles an!

a ◯ www.gesucht.example.net   **b** ◯ www.mitbewohner.example.com

8. Sie wollen besser Deutsch sprechen und suchen einen Lernpartner / eine Lernpartnerin.

● ● ● ● www.deutschlernen.example.edu

- Gruppenkurse
- Konversationskurse
- Grammatiktraining
- Wissenschaftliches Schreiben
- Prüfungsvorbereitung

a ◯ www.deutschlernen.example.edu

● @michelle_in_berlin ···

Hallo! Ich wohne in Berlin und suche neue Kontakte. Ich zeige dir Berlin, und wir sprechen viel Deutsch, ok? Melde dich schnell!

b ◯ @michelle_in_berlin

9. Sie suchen eine Online-Bibliothek.

● ● ● ● www.lesunginternational.example.com

Wir veranstalten Lesungen in verschiedenen Sprachen. Hier geht es zu unserem **Veranstaltungsplan**.

a ◯ www.lesunginternational.example.com

● ● ● ● www.lese-app.example.org

Zu viele Bücher und kein Platz mehr im Regal? Mit der Lese-App lesen Sie Bücher online. Egal wo, egal wann. Das Jahresabonnement kostet nur 19,90 Euro.

b ◯ www.lese-app.example.org

10. Sie suchen einen Online-Supermarkt mit Lieferservice.

● ● ● ● www.rowi.example.edu

Online bestellen – zu Hause genießen. Wir liefern Ihren Einkauf direkt nach Hause. Ohne Aufpreis! Egal, ob Lebens-, Putz- oder Waschmittel, Getränke oder Hygieneartikel. Einfach alles!

a ◯ www.rowi.example.edu

● ● ● ● www.lieferhero.example.net

Ihr Restaurant liefert nicht? Wir machen das! Bestellen Sie online oder telefonisch unter +49 211 87547827.

b ◯ www.lieferhero.example.net

Teil III. Lesen Sie die Texte 11 bis 15. Sind die Aussagen richtig oder falsch?

Beispiel:

0 In der Messehalle:

Waffeln sind ausverkauft. Der nächste Waffelstand befindet sich in Halle 3.

Heute kann man keine Waffeln mehr kaufen.

◯ richtig   ⊗ falsch

11. Am Kiosk:

Bin gleich zurück!

Der Verkäufer kommt in wenigen Minuten.

◯ richtig   ◯ falsch

12. Am Kindergarten:

Heute ist Konzeptionstag. Der Kindergarten bleibt geschlossen.

Der Kindergarten ist morgen geschlossen.

◯ richtig   ◯ falsch

13. An der Haltestelle:

Achtung! Die Buslinie 7 hält vom 01.11. bis 30.11. in der Marktstraße.

Der Bus hält im November in der Marktstraße.

◯ richtig   ◯ falsch

14. Im Internet:

● ● ●

Die Seite wird aktualisiert.
Wir sind bald wieder für Sie da.

Diese Interseite ist bald wieder online.

◯ richtig   ◯ falsch

15. An der Post:

Diese Postfiliale ist seit November 2019 geschlossen. Die Post am Markt ist bis zum 30. Mai geschlossen. Bitte nutzen die Filiale in der Paulusstraße.

Die Post in der Paulusstraße ist geöffnet.

◯ richtig   ◯ falsch

Schreiben (ca. 20 Minuten)

In Teil I sollen Sie ein Formular ausfüllen, in Teil II einen kurzen Text schreiben. Sie dürfen keine Wörterbücher benutzen. Schreiben Sie Ihre Antworten auf den Antwortbogen.

Teil I. Der Sohn Ihrer Freundin, Anton, möchte am 6. Oktober 2022 am Color Run in Wien teilnehmen. Anton ist noch nicht 16 Jahre alt. Seine Mutter muss ihn begleiten. Sie heißt Mila Janosch. Anton ist am 16.05.2008 geboren. Seine E-Mail-Adresse lautet antonjanosch-dererste@example.com. Bitte helfen Sie Ihrer Freundin und füllen Sie die fehlenden Information in das Anmeldeformular.

Anmeldung Teilnehmer

Vorname:	Anton	⓪
Nachname:	*Janosch*	①
E-Mail:		①
Geburtsdatum:		②
Begleitperson:		③
Startgruppe:	*14:30–15:00*	
Datum der Veranstaltung:		④
Ort der Veranstaltung:		⑤

☒ AGB   **Senden**

Teil II. Sie haben eine Reise gewonnen. Schreiben Sie an den Veranstalter:

– Warum schreiben Sie?
– Wann genau soll die Reise sein?
– Wer kann mitkommen?

Schreiben Sie zu jedem Punkt ein bis zwei Sätze (ca. 30 Wörter) auf den Antwortbogen. Vergessen Sie nicht die Anrede und den Gruß.

Sprechen (ca. 15 Minuten)

Dieser Test hat drei Teile. Bitte sprechen Sie in der Gruppe.

Teil I. Sich vorstellen.

Name? • Alter? • Land? • Beruf? • Sprachen? • Freizeit?

Teil II. Um Informationen bitten und Informationen geben

Freizeit	Freizeit	Wetter	Wetter
Sport	Smartphone	Winter	Sommer

Freizeit	Freizeit	Wetter	Wetter
Fernsehen	Wochenende	Kälte	Regen

Freizeit	Freizeit	Wetter	Wetter
Hobby	Freunde	Sonne	Hitze

Teil III. Bitten formulieren und darauf reagieren.

Grammatik im Überblick

Einheiten 1–8

Grammatik in Sätzen

1 Der Satz
2 Die Satzfrage
3 W-Fragen
4 Die Satzklammer
5 Zeitangaben im Satz
6 Ortsangaben im Satz: *hier, dort/da*
7 *es* im Satz
8 Adjektive im Satz
9 Sätze verbinden
    9.1 *und, aber*
    9.2 Pronomen
    9.3 *das*
10 Verneinung im Satz

Grammatik in Wörtern

11 Nomen und Artikel
    11.1 Bestimmter Artikel im Nominativ: *der, das, die*
    11.2 Unbestimmter Artikel im Nominativ: *ein, eine*
    11.3 Negationsartikel: *kein, keine* im Nominativ
    11.4 Bestimmter, unbestimmter Artikel und Verneinung im Akkusativ
    11.5 Possessivartikel im Nominativ
12 Nomen im Plural
13 Präpositionen
    13.1 *am, um, bis, von … bis, seit* + Zeit
    13.2 *mit, zu* + Dativ
    13.3 *an, in, auf, neben, unter, vor, hinter, über, zwischen* + Ort
14 Pronomen *man*
15 Wie oft? *immer, meistens, oft, manchmal, nie*
16 Verben
    16.1 Verben: Grundform
    16.2 Regelmäßige Verben: Verbstamm und Endungen
    16.3 Verben mit Vokalwechsel im Präsens
    16.4 Trennbare Verben
    16.5 Modalverb: *können*
    16.6 *sein* und *haben*

Einheiten 9–16

Grammatik in Sätzen

17 Die Satzklammer
18 *Zuerst, dann, danach, zum Schluss* im Satz
19 Zeitangaben im Satz
20 *es* im Satz

Grammatik in Wörtern

21 Komposita
22 Possessivartikel: Nominativ und Akkusativ
23 Fragewort *welch-*
    23.1 Fragewort *welch-* im Nominativ
    23.2 Fragewort *welch-* und Demonstrativartikel *dies-* im Akkusativ
24 Personalpronomen
25 Präpositionen: *in, an, nach, auf* + Akkusativ
26 Adjektive vor dem Nomen: unbestimmter Artikel im Akkusativ
27 Graduierung
28 Vergleiche: der Komparativ
29 Imperativ
30 Modalverben: *können, möchten, mögen, wollen, sollen, müssen*
31 Perfekt: regelmäßige und unregelmäßige Verben
    31.1 Perfekt mit *haben* und *sein*
    31.2 Das Partizip der regelmäßigen Verben
    31.3 Das Partizip der unregelmäßigen Verben

Einheiten 1–8

Grammatik in Sätzen

1 ## Der Satz ▶ E1, E2, E4

Position 2

Ich	komme	aus Leipzig.
Ich	heiße	Titima.
Zoe	lernt	Deutsch.
Der Sommerkurs	ist	in Leipzig.

2 ## Die Satzfrage ▶ E1, E4

Kommst	du	aus Leipzig?
Wohnen	Sie	auch in Basel?
Können	Sie	das wiederholen?
Ist	Auckland	in Neuseeland?
Hast	du	die Konzertkarten?

3 ## W-Fragen ▶ E1, E2, E4

Position 2

Wo	wohnst	du?	In Leipzig.
Woher	kommst	du?	Aus Spanien.
Was	bestellt	Matti?	Er bestellt Pizza.
Wer	ist	das?	Das ist Titima.
Wie	heißt	das auf Deutsch?	Keine Ahnung.
Welche Sprachen	sprechen	Sie?	Englisch und Deutsch.

4 ## Die Satzklammer ▶ E5, E6, E8 ▶ GR 16.4, 17

Position 2   Satzende

Ich	rufe	Frau Möller am Freitag	an.	Aussagesatz
Sie	steigen	am Theaterplatz	um	
Ich	stehe	um 7 Uhr	auf.	
Ich	kann	gut	Ski fahren.	
Wann	holst	du das Auto	ab?	W-Frage
Wo	steigst	du	um?	
Können	Sie	das	buchstabieren?	Satzfrage
Kannst	du		Ski fahren?	

5 Zeitangaben im Satz ▸E5, E8

Es	ist		halb neun.
Ich	stehe		um 8:30 Uhr auf.
Ich	habe	am Freitag	Fußballtraining.
Um 19 Uhr	habe	ich	Fußballtraining.
Ich	habe	am Freitag um 19 Uhr	Fußballtraining.
Morgen	habe	ich	einen Friseurtermin.
Heute	habe	ich	keine Zeit.
Gestern	hatte	ich	Geburtstag.

6 Ortsangaben im Satz: *hier, dort/da* ▸E6, E8

hier   dort

Das ist das Brandenburger Tor. Hier treffe ich meine Freundin.

Wir sind hier am Brandenburger Tor.

Ich	lebe	in Innsbruck.
Hier	studiere	ich Biologie.
Warst	du	schon mal in Innsbruck?
In Innsbruck	war	ich noch nie.
Dort/Da	war	ich noch nie.

Dort liegt Innsbruck.

7 *es* im Satz ▸E4, E5, E7, E8

- 🗨 Wie spät ist es? 🗨 Es ist kurz nach 12.
- 🗨 Wie viel Uhr ist es? 🗨 Es ist Viertel nach acht.
- 🗨 Wie geht's (geht es) dir? 🗨 Super, danke.

Es gibt eine interessante Club-Szene.
Rezepte für Currywurst gibt es im Internet.

8 Adjektive im Satz ▸E4, E8

Die Universität ist attraktiv.
Das Sportangebot ist echt gut.

🗨 Ist das scharf?   🗨 Nein, das ist süß.

9 Sätze verbinden

9.1 *und, aber* ▸E1, E4

	Information 1		Information 2
	Ich komme aus Spanien.		Ich lebe in Berlin.
	Ich komme aus Spanien	und	(ich) lebe in Berlin.
	Ich esse gern Fisch.		Ich mag kein Fleisch.
Gegensatz	Ich esse gern Fisch,	aber	ich mag kein Fleisch
	Ich esse gern Fleisch,	aber	keinen Fisch.

9.2 Pronomen ▶E2

Frieda kommt aus Schweden. Sie arbeitet oft im Café Glück.

Zwei Kaffee und zwei Orangensaft. Das macht 7 Euro.

9.3 *das* ▶E3, E4, E6, E7

Zwei Kaffee und zwei Orangensaft. Das macht 7 Euro.

Es gibt Gemüsecurry. Das ist vegetarisch.

💬 Wo ist das Sekretariat? 💬 Das (Sekretariat) ist in der ersten Etage.

Am Dienstag um 9:00? Das geht leider nicht.

10 Verneinung im Satz ▶E4

Ich finde das nicht interessant.
Nudeln mag ich nicht.
Das glaube ich nicht.
Das kann ich nicht essen. Das ist nicht vegetarisch.

Grammatik in Wörtern

11 Nomen und Artikel ▶E2

11.1 Bestimmter Artikel im Noinativ: *der, das, die*

Singular   der Hund

das Paket

die Straße

Plural   die Hunde

die Pakete

die Straßen

Regel: Der bestimmte Artikel im Plural ist immer die.

Lerntipp

Nomen immer mit Artikel
und Plural lernen.

11.2 Unbestimmter Artikel im Noinativ: *ein, eine* ▶E3

Singular   ein Hund

ein Paket

eine Straße

Plural   Hunde

Pakete

Straßen

Regel: Es gibt keinen unbestimmten Artikel im Plural.

11.3 Negationsartikel: *kein*, *keine* im Nominativ ► E3

die Katze	Das ist eine Katze.	Das ist keine Katze.
die Fahrrad	Das ist ein Fahrrad.	Das ist kein Fahrrad.
der Hund	Das ist ein Hund.	Das ist kein Hund.

die Katze   Das ist eine Katze.   Das ist keine Katze.

das Fahrrad   Das ist ein Fahrrad.   Das ist kein Fahrrad.

der Hund   Das ist ein Hund.   Das ist kein Hund.

11.4 Bestimmter, unbestimmter Artikel und Verneinung im Akkusativ ► E4

der/(k)ein Salat		den/einen Salat?		keinen Salat.
das/(k)ein Schnitzel	Nimmst du ...	das/ein Schnitzel?	Nein, ich nehme ...	kein Schnitzel.
die/(k)eine Suppe	Bestellst du ...	die/eine Suppe?	Nein, ich bestelle ...	keine Suppe.
die/keine Kartoffeln		die/keine Kartoffeln?		keine Kartoffeln.

11.5 Possessivartikel im Nominativ ► E3, E6

Personalpronomen	Singular		Plural
	der Hund, das Haus	die Brille	die Hunde, Häuser, Brillen
ich	mein		meine
du	dein		deine
er, es	sein		seine
sie	ihr		ihre
wir	unser		unsere
ihr	euer		eure
sie/Sie	ihr/Ihr		ihre/Ihre

12 Nomen im Plural ► E2

	-s	-n	-e	-(n)en	-(ä/ö/ü) -e	-(ä/ö/ü) -er
der Artikel die Artikel	der Euro die Euros	die Tafel die Tafeln	der Hund die Hunde	die Zahl die Zahlen	der Stuhl die Stühle	das Land die Länder
der Lehrer die Lehrer	das Handy die Handys	die Regel die Regeln	das Paket die Pakete	die Lehrerin die Lehrerinnen	die Stadt die Städte	das Wort die Wörter
der Spieler die Spieler	der Kuli die Kulis	die Lampe die Lampen	das Konzert die Konzerte	die Brille die Brillen	der Koch die Köche	das Buch die Bücher
das Hähnchen die Hähnchen	das Video die Videos	die Kartoffel die Kartoffeln	der Fisch die Fische	die Suppe die Suppen	der Saft die Säfte	das Haus die Häuser

13 Präpositionen

13.1 *am, um, bis, von ... bis, seit* + Zeit ▶ E2, E5

am	Am Montag gehe ich in den Kurs.	**Zeitpunkt** am + Tag
um	Wir haben um 9:30 Uhr einen Termin.	↓ um + Uhrzeit/Zeitpunkt
bis	Ich arbeite bis 17 Uhr.	
	Bis später!	

		Zeitraum
von ... bis	Ich arbeite von Montag bis Freitag, von 8 bis 16 Uhr.	◄――――►
seit	Der Graz-Marathon findet seit 1993 statt.	――――►

13.2 *mit, zu* + Dativ ▶ E6

Wie komme ich zum Hauptbahnhof?

der Bus, der Bahnhof	mit dem Bus	zum Bahnhof	zum = zu dem
das Fahrrad, das Museum	mit dem Fahrrad	zum Museum	
die U-Bahn, die Kantstraße	mit der U-Bahn	zur Kantstraße	zur = zu der

13.3 *an, in, auf, neben, unter, vor, hinter, über, zwischen* + Ort ▶ E6, E7

Wo treffen wir uns?

der Bahnhof	am Bahnhof	an dem = am
das Brandenburger Tor	am Brandenburger Tor	
die Universität	an der Universität	
der Zoo	im Zoo	in dem = im
das Café	im Café Einstein	
die Marktstraße	in der Marktstraße	

Wo liegt das Handy?

der Schreibtisch	auf/neben/unter/über/vor/hinter dem Schreibtisch
das Regal	auf/neben/unter/über/vor/hinter dem Regal
die Tastatur	auf/neben/unter/über/vor/hinter der Tastatur

Das Regal steht zwischen der Tür und dem Schreibtisch.

Lerntipp

Wo? Auf dem Tisch.

14 Pronomen *man* ▶ E8

In Tirol kann man gut wandern.
Man lernt in Innsbruck schnell andere Menschen kennen.
Man kann hier auch gut studieren.

3. Person Singular: er/sie/es/man

15 Wie oft? *immer, meistens, oft, manchmal, nie* ▶ E6, E11

Ich stehe immer früh auf.	(jeden Tag um 5 Uhr)
Ich stehe meistens früh auf.	(nicht am Wochenende)
Ich stehe oft früh auf.	(zweimal oder dreimal in der Woche)
Ich stehe manchmal früh auf.	(einmal in der Woche)
Ich stehe nie früh auf.	(jeden Tag um 12 Uhr)

‒ ◄――――――――► +
nie manchmal oft meistens immer

16 Verben

16.1 Verben: Grundform ▶ E0, E1

hören • lesen • sprechen • schreiben

16.2 Regelmäßige Verben: Verbstamm und Endungen

	verstehen	heißen	hören	kommen	ankommen
ich	verstehe	heiße	höre	komme	komme … an
du	verstehst	heißt	hörst	kommst	kommst … an
er/es/sie	versteht	heißt	hört	kommt	kommt … an
wir	verstehen	heißen	hören	kommen	kommen … an
ihr	versteht	heißt	hört	kommt	kommt … an
sie/Sie	verstehen	heißen	hören	kommen	kommen … an

16.3 Verben mit Vokalwechsel im Präsens ▶ ab E1

	sprechen	helfen	lesen	laufen	fahren	einladen
ich	spreche	helfe	lese	laufe	fahre	lade … ein
du	sprichst	hilfst	liest	läufst	fährst	lädst … ein
er/es/sie	spricht	hilft	liest	läuft	fährt	lädt … ein
wir	sprechen	helfen	lesen	laufen	fahren	laden … ein
ihr	sprecht	helft	lest	lauft	fahrt	ladet … ein
sie/Sie	sprechen	helfen	lesen	laufen	fahren	laden … ein

Bei Verben mit Vokalwechsel: 2. und 3. Person: e → i, a → ä, au → äu

16.4 Trennbare Verben ▶ E5, E6

ankommen • abfahren • umsteigen • abholen • abbiegen • einladen • mitbringen • stattfinden • vorbereiten

	Position 2		Satzende	
Ich	komme	um 9:30 Uhr am Hauptbahnhof	an	.
Holst	du	mich am Hauptbahnhof	ab	?
Der Bus	fährt	am Stuttgarter Platz	ab	.
Du	steigst	am Potsdamer Platz in die Linie 1	um	.
Sie	schaltet	den Computer am Abend	aus	.
Bringst	du	deine Freundin	mit	?
Biegst	du	am Potsdamer Platz links	ab	?
Ich	lade	Sie zum Essen	ein	.
Der Marathon	findet	am Samstag	statt	.

16.5 Modalverben: *können, mögen* ▸ E8

	können
ich	kann
du	kannst
er/es/sie	kann
wir	können
ihr	könnt
sie/Sie	können

	Position 2		Satzende
Ich	kann	(nicht)	Ski fahren.
Wo	kann	man hier gut	klettern?
Kannst	du	Gitarre	spielen?

16.6 *sein* und *haben* ▸ E3, E6, E8

		Präsens	Präteritum	Präsens	Präteritum
Singular	ich	bin	war	habe	hatte
	du	bist	warst	hast	hattest
	er/sie/es	ist	war	hat	hatte
Plural	wir	sind	waren	haben	hatten
	ihr	seid	wart	habt	hattet
	sie/Sie	sind	waren	haben	hatten

Einheiten 9–16

Grammatik in Sätzen

 ## Die Satzklammer ▸ E10, E11, E12, E13, E16

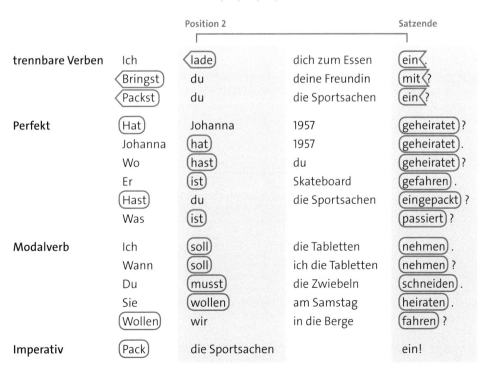

		Position 2		Satzende
trennbare Verben	Ich	lade	dich zum Essen	ein.
	Bringst	du	deine Freundin	mit?
	Packst	du	die Sportsachen	ein?
Perfekt	Hat	Johanna	1957	geheiratet?
	Johanna	hat	1957	geheiratet.
	Wo	hast	du	geheiratet?
	Er	ist	Skateboard	gefahren.
	Hast	du	die Sportsachen	eingepackt?
	Was	ist		passiert?
Modalverb	Ich	soll	die Tabletten	nehmen.
	Wann	soll	ich die Tabletten	nehmen?
	Du	musst	die Zwiebeln	schneiden.
	Sie	wollen	am Samstag	heiraten.
	Wollen	wir	in die Berge	fahren?
Imperativ	Pack	die Sportsachen		ein!

18 *Zuerst, dann, danach, zum Schluss* im Satz ▶E12

Das schmeckt gut! Wie hast du das denn gemacht?

1.   2.

Zuerst musst du <u>die Zwiebeln schneiden</u>. Dann musst du <u>das Öl in die Pfanne tun</u>.

3.   4.

Danach brätst du <u>die Zwiebeln</u>. Zum Schluss machst du <u>die Soße</u>.

19 Zeitangaben im Satz ▶E10, E16

	Position 2	
Von 1954 bis 1957	hat	Johann einen Beruf gelernt.
Johann	hat	von 1954 bis 1957 einen Beruf gelernt.
Jetzt	arbeitet	er als Bäcker.
Er	arbeitet	jetzt als Bäcker.
Nächste Woche	fahren	wir nach München
Wir	fahren	nächste Woche nach München.
Im Mai	feiert	man Frühlingsfeste.
Wir	fahren	im Winter Ski.

20 *es* im Satz ▶E15 ▶GR7

Es regnet in Rostock.   In Rostock regnet es.   In Berlin ist es kalt.   Es ist kalt in Berlin. Es schneit.

Grammatik in Wörtern

21 Komposita ▶E9

	das Bestimmungswort	das Grundwort
<u>der</u> Kartoffelsalat	die Kartoffel	<u>der</u> Salat
<u>das</u> Badezimmer	das Bad	<u>das</u> Zimmer
<u>die</u> Bergbahn	der Berg	<u>die</u> Bahn

Regel: In Komposita steht das Grundwort am Ende. Der Artikel von Komposita ist der Grundwort-Artikel.

22 Possessivartikel: Nominativ und Akkusativ ▶ E10, E13 ▶ GR 11.3, 11.4

	Nominativ	*Das ist …*	Akkusativ	*Ich suche … Ich habe …*		
				Singular		Plural
	der Hund das Haus	die Brille	den Hund	das Haus	die Brille	die Brillen die Hunde die Häuser
ich	mein	meine	meinen	mein	meine	
du	dein	deine	deinen	dein	deine	
er/sie/es	sein	seine	seinen	sein	seine	
wir	unser	unsere	unseren	unser	unsere	
ihr	euer	eure	euren	euer	eure	
sie/Sie	ihr/Ihr	ihre/Ihre	ihren/Ihren	ihr/Ihr	ihre/Ihre	

Lerntipp

Artikel *der:* im Akkusativ
Endung immer *-en:*
*den Sport, einen Sohn,
keinen/meinen Mann.*

23 Fragewort *welch-*

23.1 Fragewort *welch-* im Nominativ ▶ E12, E14

Welche Tomaten sind aus Deutschland?

Diese (Tomaten) hier.

23.2 Fragewort *welch-* und Demonstrativartikel *dies-* im Akkusativ ▶ E12, E14

*Welchen Salat magst du? Den Tomaten-
salat oder den Kartoffelsalat?*

*Diesen Salat hier, den Tomatensalat.
Kartoffelsalat mag ich nicht.*

Singular	der Salat	Welchen Salat magst du?	Diesen Salat hier. Den Tomatensalat.
	das Öl	Welches Öl nimmst du?	Dieses Öl hier. Ich nehme das Olivenöl.
	die Suppe	Welche Suppe nimmst du?	Diese Suppe. Ich nehme die Kartoffelsuppe.
Plural	die Nudeln	Welche Nudeln isst du?	Diese Nudeln, die Spaghetti.
Singular	der Anzug	Wie findest du den Anzug?	Diesen hier? Toll.
	das Hemd	Wie findest du das Hemd?	Dieses hier? Schön.
	die Bluse	Wie findest du die Bluse?	Diese hier? Langweilig.
Plural	die Schuhe	Wie findest du die Schuhe?	Diese hier? Unmöglich!

24 Personalpronomen ▶ E16

Nominativ	Akkusativ	Personalpronomen in Wendungen
ich	mich	Rufst du mich an?
du	dich	Ich kann dich nicht hören. Sprich bitte lauter.
er	ihn	Wo ist mein Autoschlüssel? Hast du ihn?
es	es	Das Deutschbuch? Nein, ich habe es vergessen.
sie	sie	Du triffst meine Freundin Pina? Bitte grüße sie.
wir	uns	Wir sehen uns am Wochenende.
ihr	euch	Ich rufe euch heute Abend an.
sie/Sie	sie/Sie	Kennst du Sven und Anna? Ja, ich habe sie im Café gesehen.
		Auf Wiedersehen, ich sehe Sie dann im Kurs.

25 Präpositionen: *in, an, nach, auf* + Akkusativ ▸ E16

Wohin wollen wir fahren?

Ich möchte ans Meer, und du?

an den Rhein	in den Zoo	auf den Markt	nach Spanien
ans Meer	ins Museum	auf das Fest	nach Italien
an die Nordsee	in die Stadt	auf die Party	nach Zürich
	in die Alpen		
	in die USA		
an das = ans	in das = ins		

26 Adjektive vor dem Nomen: unbestimmter Artikel im Akkusativ ▸ E14

der Pullover ist rot	Ich trage gern …	einen roten Pullover
das T-Shirt ist weiß	Er/Sie braucht …	ein weißes T-Shirt
die Hose ist grau		eine graue Hose.
die Schuhe sind schwarz (Pl.)	Wir kaufen oft/nie …	schwarze Schuhe, graue Hosen, rote Pullover

27 Graduierung ▸ E9, E14

Das Kleid ist lang.
Das Kleid ist sehr lang.
Das Kleid ist zu lang.
Das Kleid ist viel zu lang.

28 Vergleiche: der Komparativ ▸ E12, E15

Ich esse Spaghetti viel lieber als Hamburger.

	Adjektiv	Komparativ	Gleichheit
regelmäßig	schön	schöner als …	genauso schön wie …
	heiß	heißer als …	genauso heiß wie …
	schlecht	schlechter als …	
	wenig	weniger als …	
	teuer	teurer als …	
	dunkel	dunkler als …	
mit Umlaut	warm	wärmer als …	
	lang	länger als …	
	groß	größer als …	genauso groß **wie** …
	kalt	kälter als …	
	kurz	kürzer als …	
unregelmäßig	gut	besser als …	
	viel	mehr als …	genauso viel wie …
	gern	lieber als …	

29 Imperativ ▸E13

Präsens	Imperativ
du gehst	Geh nach Hause.
du nimmst	Nimm bitte die Tabletten.
ihr geht	Geht nach Hause.
ihr nehmt	Nehmt bitte die Tabletten.
Sie gehen	Gehen Sie bitte nach Hause.
Sie nehmen	Nehmen Sie die Tabletten.

Du musst zum Arzt gehen!

Geh bitte zum Arzt!

Ja, ja, ich gehe zum Arzt!

Lerntipp

Bitte macht Imperativsätze höflich.

30 Modalverben: *können, möchten, mögen, wollen, sollen, müssen* ▸E13, E16 ▸GR 16.5

	können	möchten	mögen	wollen	sollen	müssen
ich	kann	möchte	mag	will	soll	muss
du	kannst	möchtest	magst	willst	sollst	musst
er/es/sie	kann	möchte	mag	will	soll	musst
wir	können	möchten	mögen	wollen	sollen	müssen
ihr	könnt	möchtet	mögt	wollt	sollt	müsst
sie/Sie	können	möchten	mögen	wollen	sollen	müssen

Der Arzt sagt, du sollst diese Tabletten jeden Morgen nehmen.

Muss ich wirklich?

31 Perfekt: regelmäßige und unregelmäßige Verben ▸E10, E11, E12, E13 ▸GR 17

31.1 Perfekt mit *haben* und *sein*

		Position 2		Partizip II
Perfekt mit haben	Wir	haben	ein Haus	gebaut.
Perfekt mit sein	Wir	sind	in die Ferien	gefahren.

Lerntipp

Die meisten Verben bilden das Perfekt mit *haben*. Lernen Sie das Perfekt mit *sein*.

31.2 Das Partizip der regelmäßigen Verben

ge..(e)t	... ge..t	...(e)t	....t
gebaut	aufgeräumt	bestimmt	probiert
gekocht	hingelegt	bestellt	kopiert
gearbeitet **!**	abgeholt	erklärt	programmiert
gezeigt	eingekauft	beantwortet	massiert
	trennbare Vorsilben	untrennbare Vorsilben	Verben mit *...ieren*
	ab-, ein-, auf-, ...	*er-, be-, ver-, ...*	

31.3 Das Partizip der unregelmäßigen Verben

schreiben	hat geschrieben	**ankommen**	ist angekommen	**bleiben**	ist geblieben
gehen	ist gegangen	**ausgeben**	hat ausgegeben	**sein**	ist gewesen
finden	hat gefunden	**umsteigen**	ist umgestiegen	**mitbringen**	hat mitgebracht

Lerntipp

Lernen Sie die unregelmäßigen Verben in der Liste auf S. 252/253.

Wortakzent

das Kind – die Kinder   die Uhr – die Uhren   der Garten – die Gärten

der Lehrer – die Lehrer – die Lehrerin – die Lehrerinnen   der Student – die Studenten – die Studentin – die Studentinnen

Spanisch – Japanisch – Indonesisch – Englisch – Niederländisch – Chinesisch

Wortakzent in trennbaren Verben

anrufen, einkaufen, abholen, ausschalten, abfahren, umsteigen

Wortakzent in Komposita

das Bestimmungswort	das Grundwort	das Kompositum
die Wand	die Uhr	die Wanduhr
die Kinder	das Zimmer	das Kinderzimmer
der Garten	das Haus	das Gartenhaus
die Blume	der Topf	der Blumentopf

Satzakzent

Wir lernen Französisch.

Du wohnst in Genf.

Wer ist denn das?

Wie ist deine Handynummer?

💬 Dieser?   💬 Ja, der ist schön.

💬 Welchen? Diesen?   💬 Ja, den.

Lange und kurze Vokale

	Vokal + 1 Konsonant	Vokal + h	Vokal + e	Vokal + Doppelkonsonant
lang	Tag, Regen, Ofen	sehr, Uhr, ihre	Wien, sieben, spielen	
kurz				Mutter, offen, kennen

Das e

[eː] Eva, der Tee, das Café, das Portemonnaies, Mehl

[ɛ] Jens, der Kellner, es, sprechen, Spätzle, Nächte

[ɛː] spät, Verspätung, Atmosphäre, sie fährt

[ə] bitte, danke, Liebe, Sprache, bekommen, Besuch, Geschenk

a, e, i, o, u am Wortanfang

Ella ist im Oktober im Urlaub. Ina und Ute machen immer Aktivurlaub in Österreich.

Das *ö* und *ü*

 +

[e:] Frau Kehler   +   [o:] Herr Kohler   →   [ø:] Frau Köhler
[ɛ] Herr Meller   +   [ɔ] Frau Moller   →   [œ] Herr Möller

 +

[i:] Frau Kieler   +   [u:] Herr Kuhler   →   [y:] Frau Kühler
[ɪ] Herr Miller   +   [ʊ] Frau Muller   →   [ʏ] Herr Müller

Unbetonte Vokale

[ɐ] – [ə]   dieser – diese   meiner – meine   roter – rote

Wörter mit und ohne *h* am Wortanfang

[ʔ] – [h]   Ella – Hella   Anne – Hanne   alle – Halle   aus – Haus   ihr – hier

Die Aussprache von *ch*

ch	[x]	nach *a, o, u, au*	wie in	Sprache, acht, Koch, Tochter, suchen Buch, brauchen, auch
	[ç]	nach *i, e, ä, ö, ü*		ich, sprechen, Nächte, Köche, Bücher
		nach Konsonanten		welche, Milch, manchmal

Die Endung *-en*

Wir sitz(e)n im Gart(e)n und lach(e)n. Am liebst(e)n möcht(e)n wir ein(e)n Kuch(e)n ess(e)n. Sie mal(e)n gern. Sie geh(e)n ins Kino. Komm(e)n Sie her!

Die Aussprache von *z, tz, ts*

[ts]   zehn, Zoo, Pilz   Platz, jetzt, Katze   rechts, Potsdam, Arbeitsplatz

Das *r*

[ɐ]   Hallo Robert. Bis später! Wandern Sie im Sommer? Fahren Sie weiter! Ich bin Lehrer. Ralf ist Bäcker.

[ʀ]   Hallo Robert. Richtig! Ich wandere im Sommer. Fahren Sie weiter! Ich bin Lehrerin. Ralfs Frau ist Bäckerin.

Das *s* in *sp* und *st*

[ʃ]   Sport, spielen, Stress, gestresst, Stadt, Student, spät, Verspätung.

[s]   gestern, Prospekt, Post, System, Obst, Hustensaft, hast

-ig und *-isch* am Wortende

[ç]   windig, wolkig, sonnig, richtig

[ʃ]   italienisch, regnerisch, praktisch

angeben	*er gibt an*	*er hat angegeben*
ankommen	er kommt an	er ist angekommen
anrufen	er ruft an	er hat angerufen
anziehen (sich)	er zieht sich an	er hat sich angezogen
aufschreiben	*er schreibt auf*	*er hat aufgeschrieben*
aufstehen	er steht auf	er ist aufgestanden
auftragen	*er trägt auf*	*er hat aufgetragen*
ausfallen	*er fällt aus*	*er ist ausgefallen*
ausgehen	*er geht aus*	*er ist ausgegangen*
ausschlafen	*er schläft aus*	*er hat ausgeschlafen*
aussehen	er sieht aus	er hat ausgesehen
ausziehen (sich)	er zieht sich aus	er hat sich ausgezogen
beginnen	er beginnt	er hat begonnen
backen	er backt	er hat hat gebacken
beraten	*er berät*	*er hat beraten*
bleiben	er bleibt	er ist geblieben
braten	*er brät*	*er hat gebraten*
bringen	er bringt	er hat gebracht
denken	er denkt	er hat gedacht
einladen	er lädt ein	er hat eingeladen
essen	er isst	er hat gegessen
fahren	er fährt	er ist gefahren
finden	er findet es	er hat es gefunden
fliegen	er fliegt	er ist geflogen
geben	er gibt	er hat gegeben
geboren	er ist geboren	er ist geboren worden
gefallen	es gefällt	es hat gefallen
gehen	er geht	er ist gegangen
genießen	*er genießt*	*er hat genossen*
gießen	*er gießt*	*er hat gegossen*
haben	er hat	er hatte
hängen	er hängt	er hat gehangen
helfen	er hilft	er hat geholfen
hinfallen	*er fällt hin*	*er ist hingefallen*
kennen	er kennt	er hat gekannt
krankschreiben	*er schreibt krank*	*er hat krankgeschrieben*
laufen	er läuft	er ist gelaufen
leidtun	es tut leid	es hat leidgetan
lesen	er liest	er hat gelesen
liegen	er liegt	er hat gelegen
mitkommen	er kommt mit	er ist mitgekommen
mitnehmen	er nimmt mit	er hat mitgenommen
nachsehen	*er sieht nach*	*er hat nachgesehen*
nehmen	er nimmt	er hat genommen
nennen	*er nennt*	*er hat genannt*
schlafen	er schläft	er hat geschlafen
schließen	er schließt	er hat geschlossen
schneiden	er schneidet	er hat geschnitten
schreiben	er schreibt	er hat geschrieben
schwimmen	er schwimmt	er ist geschwommen
sehen	er sieht	er hat gesehen
sein	er ist	er war (Präteritum)

sitzen	er sitzt	er hat gesessen
sprechen	er spricht	er hat gesprochen
stattfinden	es findet statt	es hat stattgefunden
stehen	er steht	er hat gestanden
treffen (sich)	er trifft sich	er hat sich getroffen
trinken	er trinkt	er hat getrunken
tun	er tut	er hat getan
umsteigen	*er steigt um*	*er ist umgestiegen*
vergessen	er vergisst	er hat vergessen
vergleichen	er vergleicht	er hat verglichen
verstehen	er versteht	er hat verstanden
waschen	er wäscht	er hat gewaschen
wehtun (sich)	er tut sich weh	er hat sich wehgetan
werden	er wird	er ist geworden
werfen	er wirft	er hat geworfen
wissen	er weiß	er hat gewusst

Einheit Start: Willkommen

1.02
Transport – Musik – Natur – Sport – Technik –
Schokolade

1.04
A B C D E F G

H I J K L M N O P

Q R S T U V W

X Y Z

Ä Ö Ü

Ä Ö Ü ß

Ä Ö Ü

und ß

Das ist das Alphabet.
So geht das Alphabet.

1.06
1 Berlin – B-E-R-L-I-N – Berlin

2 Zürich – Z-Ü-R-I-C-H – Zürich

3 Innsbruck – I-N-N-S-B-R-U-C-K – Innsbruck

4 Bern – B-E-R-N – Bern

5 Linz – L-I-N-Z – Linz

6 Frankfurt – F-R-A-N-K-F-U-R-T – Frankfurt

7 Luzern – L-U-Z-E-R-N – Luzern

8 Wien – W-I-E-N – Wien

9 Köln – K-Ö-L-N – Köln

1.10
1 Hören Sie. – 2 Schreiben Sie. – 3 Lesen Sie. –
4 Antworten Sie. – 5 Buchstabieren Sie. –
6 Fragen Sie. – 7 Ordnen Sie zu. – 8 Ergänzen Sie. –
9 Sammeln Sie. – 10 Markieren Sie.

Einheit 1: Sommerkurs in Leipzig

1.13
1 Guten Tag. Ich heiße Thijs, und ich komme aus den
Niederlanden. Woher kommst du?

2 Hi! Ich heiße Magnus, und ich komme aus Dänemark.
Woher kommst du?

3 Hallo. Ich bin Andrea. Ich komme aus Tschechien,
und woher kommst du?

4 Guten Tag. Ich heiße Agnieszka, und ich komme aus
Polen. Woher kommst du?

5 Guten Tag. Ich bin Louis, und ich komme aus
Frankreich. Woher kommst du?

6 Hallo. Ich heiße Verena. Ich komme aus der Schweiz,
und woher kommst du?

1.14
💬 Je m'appelle Karim Dubois. Je suis de Genève.
Je parle Francais et j'apprends l'allemand.

💬 Ich bin die Dorli Jeger und wohne in Bern. Ich
spreche Deutsch und Italienisch, und ich lerne
Englisch.

💬 Mi chiamo Enrico Battelli. Vengo da Lugano. Vivo a
Zurigo. Parlo italiano, tedesco, francese e inglese.

1.15
💬 Das sind Luba und Costa, sie kommen aus
Bulgarien. Sie leben in der Schweiz.

💬 Wo wohnen sie in der Schweiz?

💬 Sie wohnen in Zürich. Sie lernen Deutsch.

💬 Und wer ist das?

💬 Das sind Paula und Antonio.

💬 Woher kommen sie?

💬 Sie kommen aus Spanien. Sie sprechen Spanisch
und Englisch.

💬 Wo wohnen sie?

💬 Sie wohnen in Berlin.

Einheit 2: Möller oder Müller?

1.22
0 – 1 – 2 – 3 – 4 – 5 – 6 – 7 – 8 – 9 – 10 – 11 – 12 – 13 –
14 – 15 – 16 – 17 – 18 – 19 – 20

1.23
1 – 3 – 8 – 10 – 12 – 15 – 17 – 20 – 21 – 24

1.24
30 – 40 – 50 – 60 – 70 – 80 – 90 – 100

1.25
1 Meine Handynummer ist 0162 2083640.

2 Meine Telefonnummer in Deutschland ist
0049 22 184659510.

3 Die Nummer in Berlin ist 030 68831748.

4 Die Handynummer von Lena ist 0162 2090503.

1.28
1 Frau Müller – 2 Herr Rosler – 3 Frau Krämer –
4 Herr Kiebler – 5 Frau Förster – 6 Frau Kühn

Einheit 2 Übungen

1.30
💬 Ja, hallo? Wer ist da?

💬 Guten Morgen, hier ist die Post. Ich habe das …

💬 Entschuldigung, wie bitte?

💬 Ich habe ein Paket für Frau Schmidt. Sind Sie Frau Schmidt?

💬 Ja, das bin ich. Einen Moment bitte, ich komme!

💬 O. k., super!

1.32

1 die Adressen — **2** die Bücher — **3** das Bild — **4** der Brief — **5** die Städte — **6** die Sprache — **7** die Briefkästen — **8** der Hund — **9** die Straßen — **10** die Wörter

1.33

💬 Hallo Max. Hast du die Nummer von Jenny?

💬 Ja, Moment. Also die Nummer von Jenny ist 0162 2089465.

💬 0162 2089465, richtig?

💬 Ja.

💬 Hast du auch die Nummer von Fabian?

💬 Ja, klar, ... hier Fabian, 0621 39158707.

💬 Kannst du das bitte wiederholen?

💬 0621 39158707.

💬 Super, danke. Und sag mal, hast du auch die Nummer von Thorsten?

💬 Ja, die Nummer von Thorsten habe ich auch! Das ist 0341 25659113. Noch einmal?

💬 Ja, bitte.

💬 0341 25659113.

💬 O. k., danke!

1.34

13 − 19 − 7 − 12 − 5 − 13 − 10 − 5 − 10 − 3 − 7 − 3 − 19

1.36

💬 Frau Garrido, wie ist Ihre Adresse?

💬 Johann-Stelling-Straße 26 in 17489 Greifswald.

💬 Ja ... können Sie das bitte wiederholen?

💬 Johann-Stelling-Straße 26 in 17489 Greifswald.

💬 Danke. Und Sie, Herr Otte?

💬 Meine Adresse ist Moorlandstraße 47, 49088 Osnabrück.

💬 Moorlandstraße 47, und wie ist die Postleitzahl bitte?

💬 49088 Osnabrück.

💬 O. k., danke sehr. Und Sie, Frau Weller? Wo wohnen Sie?

💬 Meine Adresse ist Rheinstraße 78 in 31134 Hildesheim. Ich wiederhole: Rheinstraße 78 in 31134 Hildesheim.

💬 Sehr gut. Vielen Dank!

1.37

1 330 — **2** 69 — **3** 156 — **4** 895 — **5** 549 — **6** 712 — **7** 990 — **8** 432 — **9** 678

Einheit 3: Arbeiten im Café

1.38

der Cappuccino – der Tee – der Espresso – das Wasser – der Orangensaft – die Brille – der Laptop – der Latte Macchiato – die Kopfhörer – der Kaffee – der Kakao – der Eistee

1.40

💬 Ich möchte zahlen, bitte.

💬 Milchkaffee, ein Wasser und zwei Croissants. Das macht 8,30 Euro.

💬 7, 8, 9 ... Hier, 9 Euro.

💬 Und 70 Cent zurück. Danke.

1.41

Hallo. Danke für die Nachricht. Super. Ich komme gern. Ich freue mich auch. Bis später!

Einheit 3 Übungen

1.42

Ich bin Jonas und ich bin 33. Ich komme aus Bremen und wohne jetzt in Hamburg. Ich arbeite auch im Café Glück, ich bin Kellner. Ich trinke Cappuccino.

1.44

💬 Hi Erhan.

💬 Hallo Bahar. Wie geht's?

💬 Mir geht's gut, und dir?

💬 Ja, mir auch. Was trinkst du? Orangensaft?

💬 Nein, ich trinke lieber Mineralwasser. Und du?

💬 Ich mag Orangensaft, aber ich mag auch Wasser und Kaffee.

💬 Gut. Ich bestelle Mineralwasser und Kaffee, ok?

💬 Ja, danke.

1.45 und 1.46

1 💬 Guten Tag. Was nehmen Sie?
💬 Ich nehme Kaffee mit viel Milch und viel Zucker.

2 💬 Ich möchte Cola mit wenig Eis, bitte.

3 💬 Eistee, bitte.

4 💬 Ich nehme Kaffee ohne Milch, bitte.

5 💬 Ich nehme Wasser ohne Eis.

1.47

💬 Guten Tag. Was trinken Sie?

💬 Wir nehmen Cappuccino, zwei Mineralwasser, Kaffee und Tee.

💬 Kaffee schwarz?

💬 Nein, Kaffee mit Milch, bitte.

💬 Ja, sehr gern. Also Cappuccino, zwei Mineralwasser, Kaffee mit Milch und Tee.

1.48

🗨 Heute ist ein Konzert. Hast du Lust?

⚫ Wie heißt die Band?

🗨 Luigi e Andrea. Sie sind aus Italien.

⚫ Cool. Wann und wo ist das Konzert?

🗨 Um 20 Uhr in der Bar Fuchs.

⚫ Wo ist die Bar Fuchs?

🗨 In Altona. Hast du die Adresse?

⚫ Ich habe die Adresse. Bis heute Abend! Tschüss!

🗨 Tschüss!

1.49

1 🗨 Das macht bitte 2,40 Euro.

2 🗨 Ich möchte bitte zahlen.

⚫ Das sind 4,70 Euro, bitte.

3 🗨 Zahlen Sie zusammen?

⚫ Ja, zusammen bitte.

🗨 Dann sind das 12,10 Euro.

4 🗨 Ich zahle zwei Espresso.

⚫ Gerne, das macht 3,60 Euro.

1.50

1 Das sind 12,90 Euro, bitte.

2 Das macht 2,70 Euro, bitte.

3 Das sind zusammen 17,60 Euro, bitte.

4 Zwei Croissants und zwei Kaffee sind 7 Euro, bitte.

5 14,89 Euro, bitte.

6 Das macht 6,99 Euro, bitte.

Einheit 4 Übungen

1.58

Dialog 1

🗨 Was nimmst du?

🗨 Ich nehme das Hähnchen. Und du?

Dialog 2

🗨 Was bestellst du?

🗨 Ich bestelle die Suppe.

Dialog 3

🗨 Was nimmst du?

🗨 Ich bestelle das Steak.

Dialog 4

🗨 Und Sie, Frau Meier, was nehmen Sie?

🗨 Ich nehme das Curry.

1.59

🗨 Was bestellst du?

🗨 Ich nehme einen Milchkaffee. Und du?

🗨 Ich nehme einen Espresso. Und was isst du?

🗨 Ich möchte einen Kuchen. Und du?

🗨 Ich nehme ein Croissant.

1.60

🗨 Hallo Lea.

🗨 Hallo Paula. Wie geht's dir?

🗨 Super, danke. So ... Hier ist die Speisekarte.

🗨 Also. Ich nehme eine Tomatensuppe. Und ein Wasser. Und du, Paula? Nimmst du auch eine Tomatensuppe?

🗨 Nein. Ich nehme keine Tomatensuppe. Ich nehme lieber eine Gemüsesuppe. Oder eine Kartoffel-suppe? Hm, nein. Ich nehme keine Kartoffelsuppe. Ich nehme eine Nudelsuppe. Und einen Orangensaft.

🗨 Ja?

🗨 Ja. Ich nehme eine Nudelsuppe und einen Orangensaft.

🗨 Und ich eine Tomatensuppe und ein Wasser.

Plateau 1

1.62

23 – 1 – 49 – 33 – 43 – 50 – 45 – 25 – 31 – 12 – 37 – 11 –
3 – 26 – 42 – 28 – 46 – 8 – 47 – 35 – 41 – 7 – 36 – 17 – 5 –
27 – 15 – 21 – 48 – 32 – 16 – 6 – 22 – 14 – 24 – 10 – 34 –
4 – 44 – 29 – 30 – 13 – 2 – 38 – 39 – 40 – 20 – 19 – 9 – 18

Einheit 5: Hast du Zeit?

2.03

Montag – Dienstag – Mittwoch – Donnerstag –
Freitag – Samstag – Sonntag

2.06

🗨 Alice und Murat, wie sieht bei euch ein ganz normaler Donnerstag aus?

⚫ Also, ich bin Bäcker und stehe immer sehr früh auf, von 4:30 Uhr bis 13 Uhr arbeite ich. Dann schlafe ich. Um 17 Uhr hole ich meine Tochter vom Kinder-garten ab. Donnerstags um 18 Uhr spiele ich immer Fußball. Um 20 Uhr essen wir und sehen dann fern. Ich gehe früh ins Bett. Um 4:30 Uhr beginnt die Arbeit, aber dann ist ja zum Glück schon Freitag!

🗨 Bei mir ist das anders. Ich bin Studentin. Ich stehe um 8:30 Uhr auf, frühstücke und fahre zur Uni. Am Donnerstag habe ich Sprachkurse von 10 bis 14 Uhr. Dann mache ich Hausaufgaben und bereite Tests vor. Ich bin bis 16 Uhr in der Uni. Um 18 Uhr gehe ich dann einkaufen. Donnerstags gehe ich oft weg, zu Freunden oder um 20 Uhr ins Kino. Ich komme oft um 1 Uhr nachts nach Hause. Das ist aber nicht schlimm. Am Freitag habe ich keine Kurse. Dann schlafe ich aus.

Einheit 5 Übungen

2.08

1 💬 Ach, entschuldigen Sie bitte, wie spät ist es?
💬 Es ist 17:15 Uhr.
💬 Oh, Viertel nach fünf, schon so spät! Danke!

2 💬 Nein, nein, tut mir leid, Herr Stampe ist heute nicht da. Bitte rufen Sie morgen um 8 Uhr an.

3 💬 19 Uhr: Die Nachrichten, heute mit Carolin Fischer.

4 💬 Der IC 3477 nach München Hbf wartet am Gleis 3. Planmäßige Abfahrt 17:20 Uhr.

5 💬 Guten Tag, mein Name ist Yurina Nakashima. Ich habe um halb drei einen Termin bei Frau Dr. Winkler.

2.09

💬 Hallo Lukas.
💬 Hey Karina, ich mache Samstagabend eine Party. Hast du Lust?
💬 Super! Wann denn?
💬 Wir fangen um 21 Uhr an.
💬 Um 21 Uhr kann ich leider nicht. Ich komme ein bisschen später.
💬 Ja, kein Problem. Bis Samstag!
💬 Bis dann. Ich freue mich!

Einheit 6: Meine Stadt

2.10

💬 Tschüss, Leon! Sag mal, Sina, machen wir die Tour auch mit dem Fahrrad?
💬 Nein. Wir gehen zu Fuß und fahren mit dem Bus.
💬 Gut. Und was schlägst du vor?
💬 Ich habe schon ein paar Ideen. Wir beginnen unsere Tour am Potsdamer Platz.
💬 Das ist nicht weit, oder?
💬 Nein. Vom Potsdamer Platz gehen wir zu Fuß weiter zum Checkpoint Charlie.
💬 Aha. Und dann?
💬 Dann gehen wir zur Museumsinsel.
💬 Klasse! Die kenne ich noch nicht.
💬 O. k. Jetzt ist es zwei Uhr, und wir haben bis halb fünf Zeit. Kein Problem.
💬 Und wie kommen wir dann zum Alexanderplatz?
💬 Wir gehen zu Fuß oder wir nehmen den Bus. Die Fahrt dauert nur ein paar Minuten. Zahlen, bitte!

2.13

Geradeaus in Richtung Nürnberger Straße. Rechts abbiegen in die Nürnberger Straße. Links abbiegen in die Budapester Straße. Rechts abbiegen. Das Ziel ist links.

2.15

Dialog 1

💬 Entschuldigung, können Sie mir helfen? Ich möchte zum Museum.
💬 Zum Museum? Das ist nicht weit. Sie gehen hier rechts in die Bahnhofstraße und dann gleich links in die Schillerstraße. Das Museum ist rechts.
💬 Also hier rechts in die Bahnhofstraße?
💬 Genau. Und dann gleich links in die Schillerstraße. Da sehen Sie rechts das Museum.
💬 Vielen Dank.

Dialog 2

💬 Entschuldigung, ich suche einen Supermarkt.
💬 Einen Supermarkt? Moment. Ach, ja. Biegen Sie hier links ab in die Bahnhofstraße. Gehen Sie geradeaus in Richtung Parkstraße weiter. Biegen Sie dann rechts ab in die Parkstraße und gehen Sie geradeaus in Richtung Humboldtstraße. Biegen Sie dann links in die Humboldtstraße. Der Supermarkt ist rechts.
💬 Moment. Ich gehe also hier links in die Bahnhofstraße, geradeaus in Richtung Parkstraße und dann rechts in die Parkstraße. Richtig?
💬 Ja, das ist richtig. Dann gehen Sie in Richtung Humboldtstraße weiter und biegen links in die Humboldtstraße ab.
💬 Und der Supermarkt ist rechts?
💬 Genau.

Dialog 3

💬 Kannst du mir helfen? Ich möchte zur Post.
💬 Zur Post? Kein Problem. Du gehst hier links in die Goethestraße und biegst dann links in die Berliner Straße ab. Die Post ist rechts. Die siehst du dann schon.
💬 Danke!

Einheit 6 Übungen

2.17

Siehe 2.10

2.19

Geradeaus in Richtung Hotel Berlin. Rechts abbiegen in die Rosenheimer Straße. Links abbiegen in die Max-Sabersky-Allee. Rechts abbiegen in An den Ritterhufen. Rechts abbiegen in den Heinersdorfer Weg. Links abbiegen in die Jahnstraße. Das Ziel ist rechts.

2.20

💬 Entschuldigung, können Sie mir helfen? Wie komme ich zum Brandenburger Tor?
💬 Moment, bitte. Ich sehe mal im Handy nach. Wir sind jetzt an der U-Bahn-Station Friedrichstraße.

Hier, sehen Sie? Sie gehen geradeaus und biegen dann rechts in die Dorotheenstraße ab. Sie gehen die Dorotheenstraße weiter geradeaus und biegen links in die Schadowstraße ab. Danach biegen Sie rechts in die Straße Unter den Linden ab. Sie gehen weiter geradeaus zum Pariser Platz. Und da sehen Sie das Brandenburger Tor.

🗨 Alles klar. Vielen Dank.

2.21

🗨 Sina, sind das deine Bücher?

🗨 Nein, das sind nicht meine Bücher. Leon?

🗨 Oh ... Ja, das sind meine Bücher.

🗨 Aha, ist das auch deine Brille, Leon?

🗨 Ja, genau. Aber das sind nicht meine Schlüssel. Sind das deine Schlüssel, Sina?

🗨 Ah, super, das sind meine Schlüssel. Und da ist mein Handy.

🗨 Nein, das ist mein Handy.

🗨 Oh, stimmt. Entschuldigung.

Einheit 7: Der neue Job

2.22

🗨 Hier sind wir in der Empfangshalle. Hier im Erdgeschoss sind auch die Konferenzräume.

🗨 Ah, und hier ist die Küche?

🗨 Ja, genau, die Küche ist auch im Erdgeschoss. Hier gibt es Kaffee und Tee. Es gibt auch eine Kantine.

🗨 Wo ist die Kantine?

🗨 In der dritten Etage.

🗨 Gehen Sie dort essen?

🗨 Manchmal.

🗨 Ist die Kantine nicht gut?

🗨 Och, sie ist o. k. Wir fahren jetzt mit dem Fahrstuhl zu Ihrem Büro.

🗨 Und wo genau ist mein Büro?

🗨 In der zweiten Etage. Und hier ist das Büro. Das ist die Nummer 207.

🗨 Danke. Wo sitzen Sie?

🗨 Ich sitze im Büro 105, in der ersten Etage rechts. Ach, und die Toiletten sind links.

🗨 Vielen Dank.

2.23

🗨 Matias, du bist Mitarbeiter Nummer 1 im April. Herzlichen Glückwunsch!

🗨 Danke.

🗨 Was machst du denn bei der Agentur SANA?

🗨 Ich arbeite hier als Assistent.

🗨 Was sind deine Aufgaben?

🗨 Ich habe ganz verschiedene Aufgaben: Ich telefoniere viel. Ich schreibe viele E-Mails. Ich organisiere Konferenzen und ich kopiere Dokumente.

🗨 Spannend. Und was noch?

🗨 Ich mache auch Termine für die Chefin.

🗨 Warum bist du Mitarbeiter Nummer 1?

🗨 Also, wir haben jetzt ...

2.25

das Regal – die Maus – der Computer – die Tastatur – der Notizblock – der Stift – das Telefon – das Handy – die Pflanze – der Ordner – die Lampe – das Bild – das Magazin – der Papierkorb – das Fenster – die Tür – das Tablet – die Tasche – der Schlüssel – das Buch

Einheit 7 Übungen

2.27
Dialog 1
🗨 Hallo, ich habe ein Paket für die Firma Ott & Co.
🗨 Die Firma Ott & Co. ist in der ersten Etage links.

Dialog 2
🗨 Guten Tag, wo finde ich bitte die Firma Bülow?
🗨 Die Firma Bülow ist in der zweiten Etage links.

Dialog 3
🗨 Guten Tag. Ich suche das Büro von Frau Möller.
🗨 Moment, Frau Möller arbeitet noch nicht lange hier ... Ach ja, das Büro von Frau Möller ist in der dritten Etage rechts.

Dialog 4
🗨 Entschuldigung, wo sind hier bitte die Toiletten?
🗨 Die Toiletten sind in der ersten Etage rechts

Dialog 5
🗨 Guten Tag, mein Name ist Glaser. Ich bin neu hier und suche den Kopierraum.
🗨 Guten Tag, Herr Glaser. Der Kopierraum ist in der dritten Etage links

Dialog 6
🗨 Ich habe um 14 Uhr einen Termin mit Frau Uhl im Konferenzraum. Wo ist das, bitte?
🗨 Der Konferenzraum ist in der vierten Etage rechts.

Dialog 7
🗨 Guten Tag, ich habe hier einen Brief für das Sekretariat Miele. Wo finde ich das?
🗨 Miele? Sind Sie sicher? Ein Sekretariat Miele haben wir hier nicht, aber das Sekretariat Meile mit E I ist in der zweiten Etage.
🗨 Ach so, stimmt. Meile mit E I. Das ist in der zweiten Etage?
🗨 Genau.

Dialog 8

💬 Wo ist denn bitte die Kantine?

💬 Die ist hier im Erdgeschoss rechts.

2.28

💬 Hallo Erik, willkommen im Team! Ich bin Matias. Wir sagen einfach du, oder?

⚫ Gerne, Matias. Bist du auch Programmierer?

💬 Programmierer? Ich? Nein, ich bin Assistent.

⚫ Aha. Und was machst du so?

💬 Im Moment organisiere ich eine Konferenz und bereite mit Frau Henne eine Präsentation vor. Das ist viel Arbeit, macht aber auch Spaß!

⚫ Interessant. Und wo ist dein Büro?

💬 In der ersten Etage in Raum 136. Aber ich bin auch oft im Kopierraum oder in der Bibliothek. Ach, da kommt unsere Sekretärin Frau Kramer. Kennst du sie schon?

⚫ Nein.

💬 Hallo Frau Kramer. Das ist Erik Schulte. Er ist Programmierer. Heute ist sein erster Tag hier.

⚫ Guten Tag, herzlich willkommen! Dann kommen Sie mal gleich mit. Frau Henne sagt, Sie brauchen noch Stifte, Notizblöcke und Ordner.

⚫ Ja, das stimmt. Bis später, Matias!

💬 Bis später.

2.29

Dialog 1

💬 Guten Tag, wie ist Ihr Name?

⚫ Guten Tag, mein Name ist Müller. Und wer sind Sie?

💬 Mein Name ist Bergmann. Norbert Bergmann.

⚫ Freut mich, Herr Bergmann.

Dialog 2

💬 Hey, bist du auch neu hier?

⚫ Hallo. Nein, ich arbeite schon ein Jahr in der Agentur. Und du? Ist heute dein erster Tag?

💬 Ja.

Dialog 3

💬 Hallo, bist du auch Grafikdesignerin?

⚫ Nein, ich bin Fotografin. Und du bist Grafikdesignerin?

Dialog 4

💬 Guten Morgen, liebe Kolleginnen und Kollegen. Ich begrüße Sie heute zur dritten Konferenz. Wir beginnen mit einer Präsentation von Frau Meyer.

Dialog 5

💬 Guten Morgen, Frau Brandler. Wie geht es Ihnen?

⚫ Guten Morgen, Frau Simonis. Mir geht es gut und Ihnen?

Dialog 6

💬 Hallo Kai, hallo Michael! Kommt ihr mit? Wir gehen in die Kantine.

⚫ Klar. Was gibt's denn heute?

💬 Pizza!

Dialog 7

💬 Guten Morgen, Ahrens mein Name. Ich habe einen Termin.

⚫ Guten Morgen, Herr Ahrens. Einen Moment, Frau Meyer kommt gleich.

Dialog 8

💬 Hallo Mark, wie geht's?

⚫ Hi Tom, na ja geht so. Ich habe viel Arbeit.

💬 Ja, ich auch. Trinken wir heute Nachmittag einen Kaffee?

💬 Ja, gerne.

2.30

Der Schreibtisch steht vor dem Fenster. Links auf dem Schreibtisch steht eine Lampe, und rechts steht eine Pflanze. Der Computer steht zwischen der Lampe und der Pflanze. Vor dem Computer liegt ein Buch. Unter dem Schreibtisch steht der Papierkorb. Rechts neben dem Schreibtisch steht ein Regal. In dem Regal stehen Ordner und Bücher. Links neben dem Regal hängt ein Bild an der Wand.

Einheit 8: Freizeit und Hobbys

2.31

Ski fahren – Tennis spielen – Tanzen – Gitarre spielen – Computerspiele spielen – Fußball spielen

Einheit 8 Übungen

2.38

💬 Claudia, was machst du gerne in der Freizeit?

💬 Ich mag die Kombination von Sport und Natur. Ich wandere oft. Ich wohne in Jena. Hier kann man gut wandern. Und ich fahre oft Rad. An der Saale kann man sehr schön Rad fahren. Ich mache aber auch gerne drinnen Sport. Ich mache manchmal Yoga oder gehe zum Tanzen. Das macht auch viel Spaß. Ja … und ich lese gerne, am Abend oder manchmal auch in der Bahn zur Arbeit.

2.39

💬 Wie war dein Tag, Jenny?

💬 Es geht. Am Vormittag war ich in der Universität. Ich hatte viele Seminare. Und du?

💬 Ich hatte heute keine Seminare. Aber ich war im Handletteringkurs. Wo warst du denn?

💬 Ach … Mist, der Handletteringkurs … Ich war am Nachmittag noch in der Bibliothek. Das war sehr wichtig.

💬 Kein Problem. Wie war dein Treffen mit Aurica?

💬 Sehr schön. Wir waren im Café … Haben wir eigentlich noch Milch?

💬 Ja, ich war heute im Supermarkt.

💬 Super, vielen Dank, Pedro! Wie war denn dein Tag?

💬 Ich war im Kino. Also, super.

💬 💬 Im Kino?

💬 Ja, ich hatte frei.

Plateau 2

2.40

1 Wie soll ich das erklären? Ach so, ja: Also, das sind zum Beispiel die Großeltern, die Eltern und Geschwister und deine Onkel und Tanten.

2 Das Wort kennst du nicht? Hm. Dort arbeiten Mechatroniker. Sie reparieren Autos, zum Beispiel Motoren oder die Elektronik. Verstehst du das Wort jetzt?

Einheit 9: Zuhause

3.04

Herzlich Willkommen im Möbelhaus Möbelmeyer!

💬 Was brauchen wir denn? Hast du die Liste?

💬 Ja, hier ist die Liste. Also wir brauchen noch ein Bücherregal.

💬 Stimmt. Was noch?

💬 Wir brauchen noch Bilder.

💬 Ach ja. Hier Anna, das Bild ist schön.

💬 Hm, das Bild ist schön, aber dunkel.

💬 Dunkel, das ist doch modern.

💬 Modern, aber dunkel. O. k., dann nehmen wir das Bild.

💬 Super. Und im Schlafzimmer fehlt noch eine Kommode.

💬 Ja. Die Kommode hier ist toll, oder?

💬 Nee, die ist zu teuer. 199 Euro. Das ist zu teuer Anna.

💬 Na ja teuer, aber sehr schön.

💬 Und wie findest du die Kommode? Die ist hell, modern und günstig.

💬 Ja, die Kommode ist gut. O. k., ich glaube …

Einheit 9 Übungen

3.06

💬 Hallo Marlen! Willkommen! Das ist unsere neue Wohnung.

💬 Hallo Katja. Danke. Wow! Die Wohnung ist groß!

💬 Ja, wir haben vier Zimmer. Die Zimmer sind groß, hell und gemütlich. Zum Beispiel die Küche, hier. Sie ist hell, modern und hat einen Balkon.

💬 Das ist cool! Und hier rechts? Das ist das Wohnzimmer, ja?

💬 Ja, genau. Ich liebe es. Es ist groß und super gemütlich. Komm, das Badezimmer ist gleich hier rechts neben dem Wohnzimmer. Es ist klein.

💬 Na ja, aber hell.

💬 Und hier, schau mal, das ist mein Arbeitszimmer. Ich arbeite hier gerne.

💬 Das sieht super aus, und es ist schön hell. Und wo ist das Kinderzimmer?

💬 Zwischen dem Badezimmer und dem Arbeitszimmer. Und unser Schlafzimmer ist rechts neben dem Eingang. Na, wie findest du die Wohnung?

💬 Eure Wohnung ist total schön. Ich finde …

3.08

1 Die Zeitung liegt auf dem Sofa.

2 Der Sessel steht neben dem Sofa.

3 Das Radio steht im Regal.

4 Der Teppich liegt unter dem Tisch.

5 Die Lampe steht hinter dem Sofa

6 Die Tasse steht auf dem Tisch.

7 Die Uhr hängt an der Wand.

8 Die Pflanze steht zwischen der Kommode und dem Sofa.

3.09

💬 Also, was brauchen wir?

💬 Wir brauchen ein Bücherregal.

💬 Ein Bücherregal … Ach hier, das Bücherregal ist groß und günstig.

💬 Ja, aber es ist zu dunkel … Jannis, schau mal, die Lampe. Sie ist so schön und groß!

💬 Oh nee, Anna. Sie ist zu modern.

💬 Zu modern? Sie ist super.

💬 Nein, ich finde sie zu modern und zu teuer … Wir brauchen einen Tisch für die Küche.

💬 Hm … Wie findest du den Tisch? Er ist praktisch.

💬 Ja, das stimmt … aber zu klein. Ich finde …

Einheit 10: Familie Schumann

3.10

1 Wer bin ich? Ich bin ledig und habe keine Kinder. Meine Eltern sind geschieden.

2 Wer bin ich? Hör gut zu! Ich bin verheiratet und habe drei Kinder, zwei Söhne und eine Tochter.

Meine Tochter ist noch single. Meine Söhne sind verheiratet. Jeder Sohn hat zwei Kinder. Mein Mann und ich, wir sind also schon Großeltern! Wir haben zwei Enkel und zwei Enkelinnen.

3.13

💬 Hallo, habt ihr einen Moment Zeit? Wir machen eine Umfrage zu Familienwörtern. Wie nennt ihr eure Eltern?

💬 Meine Eltern? Wie jetzt?

💬 Na, so zu Hause, in der Familie.

💬 Ach so. Ja, ganz einfach: Ich nenne meine Mutter Mama und meinen Vater Papa.

💬 Du auch?

💬 Nein, wir sagen Mutti und Vati.

💬 Aha, interessant. Und wie ist das bei euch?

💬 Also, ich nenne meine Eltern Mami und Papi und meine Großeltern Omi und Opi.

💬 Genau, ich nenne meine Großmütter auch Omi und meine Großväter Opi.

💬 Interessant. Und du?

💬 Ich sage Oma und Opa.

💬 Danke, das war's schon. Tschüss.

Einheit 10 Übungen

3.16

Das ist mein Vater. Er heißt Mauro und hat von 1964 bis 1967 den Beruf Fotograf gelernt. Im Jahr 1969 hat er meine Mutter geheiratet. Meine Mutti heißt Lucia. 1971 haben sie in Rom eine Wohnung gemietet. Von 1972 bis 1984 hat mein Vater als Fotograf für eine Zeitung gearbeitet. 1985 hat er dann einen Fotoladen gegründet und den Betrieb bis 2014 geleitet. Mein Bruder Vittorio hat auch Fotograf gelernt und leitet heute den Familienbetrieb.

3.17

1 Ich besuche meine Eltern einmal im Monat.
2 Wir sehen unseren Sohn und unsere Tochter jeden Tag.
3 Ich treffe meine Freunde jedes Wochenende.
4 Ich besuche meinen Opa und meine Oma jede Woche.
5 Ich sehe meine Arbeitskollegin Elke von Montag bis Freitag.

Einheit 11: Viel Arbeit

3.18

💬 Ismail, du bist Physiotherapeut und arbeitest in einer Praxis. Du hast viele Patientinnen und Patienten. Wie sieht dein Vormittag aus?

💬 Ja, ich mache oft die Frühschicht, sehr gerne sogar. Ich bin dann um 7 Uhr in der Praxis. Zuerst poste ich unser Sportprogramm. So ist es immer aktuell. Dann kontrolliere ich den Sportraum. Ist der Raum sauber, und sind alle Gymnastik-Bälle dort? Die ersten Patientinnen und Patienten kommen so ab 7:15 Uhr. Viele brauchen eine Massage. Ich massiere also oft die Patienten und ich leite unseren Gymnastik-Kurs um 10 Uhr. Ich zeige den Patientinnen und Patienten Übungen und erkläre sie genau. Dann können sie die Übungen auch zu Hause machen. Um 12:00 Uhr arbeite ich am Computer. Ich muss die Übungen aufschreiben. Und so gegen 12:30 Uhr mache ich dann Mittagspause.

Einheit 11 Übungen

3.23

1 Mein Name ist Silvia Dimitrova. Ich habe sechs Jahre an der Universität studiert. Jetzt arbeite ich mit Kindern. Ich unterrichte Mathematik. Was ist mein Beruf?

2 Ich heiße Markus Wernicke. Ich habe drei Jahre studiert und ein Volontariat bei der Zeitung gemacht. Ich arbeite oft am Computer. Ich recherchiere Informationen und schreibe Texte. Was mache ich beruflich?

3 Ich bin Sila Pelyn. Ich habe meinen Beruf drei Jahre an der Berufsschule gelernt. Ich backe Brot und Brötchen, Kuchen und Torten. Als was arbeite ich?

3.26

💬 Natalya, du bist Informatikkauffrau. Wie sieht dein Tag aus? Arbeitest du viel am Computer?

💬 Ja, ich arbeite jeden Tag am Computer. Morgens lese und schreibe ich immer Emails. Oft beantworte ich dann auch Fragen am Telefon. Dann treffe ich meine Kollegen und wir planen zusammen neue Projekte. Gegen 12 Uhr mache ich Mittagspause. Ich betreue auch unsere Kunden. Nach dem Mittagessen berate ich sie und informiere sie über unsere Software. Am Nachmittag programmiere ich neue Software. Danach teste ich sie. Um 17 Uhr beende ich meine Arbeit.

Einheit 12: Essen und Trinken

3.27

💬 Also Sophie, zuerst musst du die Pilze putzen und schneiden.

💬 Und dann?

- Dann schneidest du die Zwiebeln klein. Du musst sie so 5 bis 10 Minuten mit Butter in der Pfanne braten.
- Und jetzt?
- Danach gibst du die Pilze in die Pfanne. Du musst rühren. Immer weiter rühren.
- Und danach die Sahne?
- Richtig. Die Sahne und etwas Pfeffer und Salz. Probier mal!
- Mmh, lecker.
- Und jetzt kochst du die Nudeln, maximal 8 Minuten, und dann bist du fertig.

Einheit 12 Übungen

3.29

Bitte beachten Sie unsere Angebote in der Obst- und Gemüseabteilung. Die Tomaten kosten heute nur 2,49 Euro das Kilo und die Kartoffeln nur 1,49 Euro das Kilo. Auch die Paprika sind im Angebot: heute für nur 79 Cent das Stück.
Und jetzt das Obst: Ein Kilo Äpfel gibt es heute für nur 2,29 Euro und die Orangen kosten nur 1,89 Euro das Kilo.

3.30

- Ich gehe in den Supermarkt. Was brauchen wir?
- Zwei Gurken und ein Kilo Tomaten.
- Moment ... Ich schreibe einen Einkaufszettel.
- Also ... Zwei Gurken und ein Kilo Tomaten. Und sonst?
- 250 Gramm Käse und ein Liter Milch und zwei Flaschen Wasser.
- Schokolade?
- Ja. Zwei Tafeln!

3.31

- Welchen Salat machen wir am Wochenende?
- Salat Apollo.
- Super! Was brauchen wir?
- Wir brauchen Gurken, Tomaten, Zwiebeln, Oliven, Käse und Brot.

3.32

- Wir brauchen noch Tomaten.
- Welche Tomaten nehmen wir?
- Wir nehmen die Tomaten aus Italien.
- Dann eine Gurke.
- Welche Gurke nehmen wir?
- Die Salatgurke.
- Dann noch Oliven.
- Und welche Oliven nehmen wir?

- Die Oliven hier sehen lecker aus.
- Dann noch Käse und Brot.
- Hier, wir nehmen den Käse aus Spanien.
- Welches Brot nehmen wir?
- Das Weißbrot.
- Prima. Wir haben alles.

3.33

- Was muss ich zuerst machen?
- Zuerst musst du den Reis kochen.
- Gut. Und dann?
- Dann musst du die Zwiebeln, die Paprika und das Hähnchen klein schneiden.
- Und jetzt?
- Jetzt musst du das Öl in die Pfanne geben.
- Und dann die Zwiebeln anbraten?
- Richtig. Dann die Paprika und das Hähnchen dazugeben und auch anbraten.
- Genau.
- Und zum Schluss musst du den Reis dazugeben.

3.34

- Hallo. Ich bin Karim.
- Hallo. Karim. Was bist du von Beruf?
- Ich bin Koch.
- Bist du gerne Koch?
- Ja. Kochen ist mein Beruf und mein Hobby.
- Warum bist du gerne Koch?
- Ich arbeite gern mit Lebensmitteln und ich kann kreativ sein.
- Und was findest du nicht so gut?
- Ich muss oft am Abend und am Wochenende arbeiten. Meine Freunde haben dann frei.

Einheit 13 Übungen

4.07

- Guten Tag.
- Guten Tag, Frau Schütz. Wie geht es Ihnen?
- Nicht so gut. Ich habe Rückenschmerzen.
- Legen Sie sich mal hin. Tut das weh?
- Ja, sehr.
- Ich schaue mal. Ah ja, der Rücken, hier. Da gehen Sie zum Physiotherapeuten und machen bitte Gymnastik. Sie bekommen ein Rezept.
- Was kann ich noch machen?
- Sie können mehr Sport machen. Gehen Sie schwimmen. Schwimmen ist sehr gut für den Rücken. Oder Yoga? Probieren Sie doch mal Yoga!
- Soll ich noch einmal kommen?
- Ja. Kommen Sie nächste Woche noch einmal vorbei.

💬 Danke, Dr. Lange und auf Wiedersehen.

💬 Auf Wiedersehen und gute Besserung, Frau Schütz!

4.08

Yoga ist ein Trendsport. In jeder Stadt gibt es Yogastudios. Yoga ist gut für den Kopf und den Körper. Aber man muss ein paar Tipps beachten. Machen Sie einen Kurs. Dort lernen Sie Yoga richtig. Essen und trinken Sie zwei Stunden vor dem Kurs nichts. Das ist nicht gut für das Training. Und kombinieren Sie Yoga mit anderen Sportarten. Laufen Sie oder fahren Sie Rad. So trainieren Sie auch das Herz und die Lunge.

Einheit 14: Voll im Trend

4.09

Dialog 1

💬 Wie findest du den Rock?

💬 Welchen?

💬 Diesen. Ich finde die Farbe total schön!

💬 Ja, aber du hast doch schon zwei grüne Röcke.

💬 Stimmt. Aber einen blauen Rock habe ich noch nicht. Ich probiere den mal an.

Dialog 2

💬 Und? Passt das Hemd?

💬 Nein. Schau mal. Die Ärmel sind viel zu lang.

💬 Ah. Schade! Die Farbe ist so schön.

💬 Ja, aber es passt nicht.

💬 Aber es ist im Angebot, es kostet nur 29,99 Euro.

💬 Es passt nicht, Meike.

Dialog 3

💬 Das geht gar nicht. Der Pullover ist zu klein. Die Ärmel sind zu kurz, und er ist auch zu eng.

💬 Das trägt man jetzt aber so.

💬 Ich weiß nicht. Ich finde das nicht so schön.

💬 Haben Sie den Pullover auch in Größe L?

💬 Ja. Einen Moment.

Einheit 14 Übungen

4.12

💬 Hallo Mira. Du siehst schick aus.

💬 Danke ... Das ist mein Outfit für die Arbeit.

💬 Sehr elegant ... Bist du immer so elegant?

💬 Ja, bei der Arbeit immer. Aber zu Hause trage ich Jeans und T-Shirts. Und ich mag Turnschuhe.

💬 Ich trage Turnschuhe auch nur in der Freizeit.

4.13

💬 Guten Tag. Haben Sie einen Moment für ein paar Fragen zu Modetrends?

💬 Ja, klar.

💬 Welche Farbe ist diesen Sommer in?

💬 Das ist einfach: Grün! Grün kann man gut für die Arbeit aber auch für die Freizeit anziehen.

💬 Und wie finden Sie Grün? Ist das Ihre Lieblingsfarbe?

💬 Nein, ich mag Blau. Blau trage ich sehr oft.

4.14

Kleidung? Ja, das finde ich interessant. Ich trage gerne bunte Kleidung. Es muss immer schick sein. Auf Partys oder so. Dann ziehe ich oft eine schwarze Jeans und ein grünes T-Shirt an. Grün ist meine Lieblingsfarbe.

4.15

1 💬 Welcher Anzug ist schön?

   💬 Dieser? Ja, der ist schön.

2 💬 Welches Hemd ist sportlich?

   💬 Dieses? Na ja, ich weiß nicht.

3 💬 Welche Bluse ist in Größe S?

   💬 Diese? Bist du sicher?

4 💬 Welche Schuhe sind bequem?

   💬 Diese? Die sehen aber nicht bequem aus.

5 💬 Welchen Rock findest du schön?

   💬 Diesen? Ich meine, der ist zu groß.

6 💬 Welches T-Shirt nimmst du?

   💬 Dieses? Ist das nicht zu klein?

7 💬 Welche Hose findest du gut?

   💬 Diese? Ja, die sieht gut aus.

8 💬 Welche Stiefel möchtest du kaufen?

   💬 Diese? Sind die nicht zu teuer?

Einheit 15: Jahreszeiten und Feste

4.16

Dialog 1

💬 Woher kommt ihr?

⚫ Aus Berlin, wir sind für das Wochenende hierhergekommen.

💬 Warum kommt ihr auf dieses Fest?

⚫ Wir sind jedes Jahr hier. Das Fest ist immer toll. Wir lieben Spargel! Es gibt so viele Sorten hier und die Stimmung ist super.

Dialog 2

💬 Woher sind Sie?

⚫ Aus Siegburg.

💬 Was ist für Sie das Highlight auf dem Fest?

⚫ Ganz klar, das Feuerwerk am Rhein. Wir sitzen am Fluss und genießen den Sommerabend. Das Wasser und das Feuer – das ist einfach fantastisch! Wir sind zum dritten Mal hier.

Dialog 3

💬 Hallo von der Kieler Woche! Wir haben tolles Wetter an der Ostsee und einen guten Wind. Wir interviewen Besucher. Woher kommt ihr?

⚫ Wir kommen aus Bremen.

💬 Warum kommt ihr nach Kiel?

⚫ Wir machen das jedes Jahr. Wir treffen hier Freunde aus Leipzig und Potsdam. Wir grillen zusammen am Strand, machen Musik und schauen die Schiffe an.

Dialog 4

💬 Hallo, wir melden uns hier von der Parade der Kulturen. Es gibt hier überall Musik- und Tanz-gruppen. Tausende Menschen in bunten Kostümen laufen durch die Stadt. Woher kommt ihr?

⚫ Wir sind vom kolumbianischen Kulturverein aus Berlin.

💬 Und eure Kleidung, woher kommt die?

⚫ Das ist traditionelle Kleidung aus Kolumbien.

💬 Und ihr?

⚫ Wir kommen aus Frankfurt.

💬 Und was tragt ihr?

⚫ Das ist traditionelle Kleidung von der Insel Java in Indonesien.

Einheit 15 Übungen

4.19

13 Uhr, und nun das Europawetter von heute. In Oslo regnet es. Es ist bewölkt, aber warm. Es sind 23 Grad. In Bremen regnerisch und windig bei 18 Grad. In München sind es 24 Grad und es gibt viel Sonne. In Lugano sonnig bei 28 Grad. Genauso warm wie in Faro und Rom mit ebenso 28 Grad. In Nizza und Athen trocken und sonnig bei 30 Grad. Und zum Schluss das Wetter in Filzmoos für unsere Wanderfreunde: 22 Grad und leicht bewölkt. Super Wanderwetter. Und das bleibt so. Freuen Sie sich also auf das Wochenende. Wir machen weiter mit Musik.

4.20

alt oder jung – warm oder kalt – lang oder kurz – klein oder groß – schnell oder langsam – altmodisch oder modern – praktisch oder unpraktisch – billig oder teuer – dunkel oder hell – leicht oder schwer – interessant oder uninteressant

4.21

Dialog 1

💬 Die Wohnung kostet nur 620 Euro im Monat.

⚫ Oh, das ist nicht billig! Ich finde das ist zu teuer.

Dialog 2

💬 Nur zwei Zimmer? Das ist wirklich nicht groß. Ich finde die Wohnung zu klein.

⚫ Ja, aber sie kostet nur 220 Euro! Das ist wirklich nicht zu teuer.

Dialog 3

💬 Die Wohnung hat nur ein Fenster. Ich finde, sie ist ziemlich dunkel.

⚫ Ja, aber das Fenster ist sehr groß. Ich finde die Wohnung ist ziemlich hell.

Dialog 4

💬 Ach, die Wohnung ist in der fünften Etage und es gibt keinen Fahrstuhl? Das ist ziemlich unpraktisch, oder?

⚫ Nein, das ist doch gar kein Problem, Sie sind doch nicht alt, Sie sind jung und sportlich.

4.22

1 Ich komme aus Chile. In meinem Land haben wir im Juni, Juli und August Winter und im Dezember, Januar und Februar ist Sommer.

2 Wir haben keinen Frühling, Sommer, Herbst und Winter wie in Europa. Wir haben eine Regenzeit und eine Trockenzeit in Indien. Der Monsun-Regen beginnt im Juni und geht bis August oder September.

3 Ich komme aus Russland, aus Sibirien. Wir haben fast das ganze Jahr nur Winter. Der Winter dauert bei uns fast neun Monate. Wir haben auch Frühling, Sommer und Herbst, aber diese Jahreszeiten sind sehr kurz.

4.23

1 windig – 2 wolkig – 3 italienisch – 4 sonnig – 5 neblig – 6 regnerisch – 7 sportlich – 8 richtig – 9 altmodisch – 10 unpraktisch – 11 günstig

Einheit 16: Ab in den Urlaub!

4.25

💬 Wir haben bald Urlaub. Was meinst du, fahren wir weg?

⚫ Klar! Ich bleibe im Urlaub doch nicht zu Hause!

💬 Und was möchtest du machen?

⚫ Ich möchte in der Sonne liegen, schwimmen, gut essen gehen, viel schlafen, lesen, …

💬 Das ist wieder typisch! Ich finde Urlaub am Strand total langweilig. Das weißt du doch!

⚫ Ach, was willst du denn machen?

💬 Ich möchte lieber Aktivurlaub machen. Ich möchte wandern, klettern, Radfahren, …

💬 Oh.

💬 Genau.

💬 Aber wir wollen doch zusammen Urlaub machen, oder?

💬 Na klar! Mal sehen. Wo kannst du in der Sonne liegen und ich Sport machen? Wir finden ganz sicher etwas.

4.26

💬 Das gibt's doch nicht! Ich kann meine Sonnenbrille nicht finden. Hast du sie gesehen?

💬 Deine Sonnenbrille? Nein. Gestern hattest du sie doch noch. Ist sie vielleicht in deiner Tasche?

💬 Stimmt. Hier ist sie. Und mein E-Reader …?

💬 … liegt im Wohnzimmer auf dem Sofa. Dort habe ich ihn zuletzt gesehen.

💬 Aha. Ja, hier ist er.

💬 Bist du bald fertig? Wir müssen zum Bahnhof …

💬 Mach jetzt bitte keinen Stress! Ich muss noch mein Kleid einpacken.

💬 Aha. Kannst du es jetzt auch nicht finden?

💬 Doch. Hier ist es. So, ich habe den Reiseführer für Norditalien, den E-Reader, die Sonnenbrille, das Kleid, die Hosen, die T-Shirts, meine Schuhe, … Hm.

💬 Na gut. Hast du die Tickets und die Hotelreservierung?

💬 Ich? Nein, ich habe sie nicht. Sie sind ganz sicher in deiner Mailbox. Schau mal nach. Du hast doch die Reise gebucht! Und jetzt komm endlich! Der Zug wartet nicht!

Einheit 16 Übungen

4.27

💬 Mensch Paula, hallo. Wie war dein Urlaub? Super! Das Wetter war toll, wir hatten viel Schnee und Sonne.

💬 Hast du Fotos gemacht?

💬 Klar!

💬 Zeig mal.

💬 Hier. Das Foto finde ich toll! Wir sind den ganzen Tag Ski gefahren. Das war am Montag.

💬 Echt schön! Und wann war das?

💬 Ach, das war am Mittwoch. Ich bin mit einer Gruppe aus Italien gewandert. Eine ganze Woche Skifahren ist zu viel für mich! So fit bin ich leider nicht.

💬 Ja, das kann ich gut verstehen. Und Wandern macht auch Spaß!

Dialog 2

💬 Na, wie war dein Wochenende?

💬 Ich bin noch total müde. Ich war in Prag. Die Stadt ist sehr interessant!

💬 In Prag? Was hast du denn dort gemacht?

💬 Ich bin in die Stadt gegangen und habe viel fotografiert. Schau mal hier.

💬 Welches Museum ist das?

💬 Das ist kein Museum. Das ist ein Kulturverein. Dort war eine sehr interessante Ausstellung.

Dialog 3

💬 Guten Morgen!

💬 Guten Morgen, Martin. Du siehst gut aus. Warst du im Urlaub?

💬 Ja, wir waren wieder in Kroatien.

💬 Seid ihr geflogen?

💬 Nein, wir fahren immer mit dem Auto.

💬 Finden eure Kinder das nicht zu weit?

💬 Nee, die kennen das schon. Kein Problem.

💬 Und was habt ihr in Kroatien gemacht?

💬 Wir sind jeden Tag an den Strand gegangen und haben viel Volleyball gespielt. Schau mal, ich habe hier ein paar Fotos.

💬 Wie schön! Seid ihr jeden Tag an den Strand gegangen?

💬 Natürlich nicht, wir haben auch ein paar Sehenswürdigkeiten besichtigt.

4.28

💬 Ohje, ich finde meinen Rucksack nicht …

💬 Du hast deine Sachen noch nicht gepackt? Das Konzert fängt um 20 Uhr an!

💬 Hilf mir doch … Hast du ihn gesehen oder nicht?

💬 Dein Rucksack ist auf dem Küchentisch …

💬 Danke. Und mein schwarzes T-Shirt?

💬 Gestern hattest du es noch. Es muss im Schlafzimmer sein.

💬 Stimmt! Hast du die Konzertkarten dabei? Sie waren gestern …

💬 Ja, ich habe sie schon eingepackt. Und wo ist jetzt meine Kamera?

💬 Ich habe sie gefunden! Sie war im Wohnzimmer.

💬 Perfekt! Schnell, die Bahn wartet nicht!

💬 Ok, ich bin fertig. Los geht's.

Plateau 4

4.29

1 Und jetzt das Wetter: Heute ist es noch sonnig, aber mit Temperaturen zwischen acht und 14 Grad schon ziemlich kalt. Am Abend regnet es im Norden und im Osten. In der Nacht fallen die Temperaturen an der Nordsee und in den Bergen auf drei bis sechs Grad.

2 Und jetzt der Wetterbericht für morgen, Freitag. In der Nacht und am Vormittag regnet es bei Temperaturen zwischen sieben und zehn Grad. Am Nachmittag bleibt es bewölkt bei zehn bis zwölf Grad. Am Abend bringt der Wind aus nördlicher Richtung viel Regen für die Nacht mit.

4.30

Die Füße schließen, geradestehen, tief ein- und ausatmen. Die Arme zur Seite ausstrecken, den linken Fuß anheben, das Knie nach links drehen und den Fuß an das rechte Bein legen. Die Arme strecken, die Hände schließen, den Bauch anspannen und alles 15 Sekunden halten. Die Arme, die Beine und den Bauch langsam lösen und die Übung mit dem anderen Bein wiederholen.

4.31

Grün, grün, grün sind alle meine Kleider;
grün, grün, grün ist alles was ich hab.
Darum lieb ich alles, was so grün ist,
weil mein Schatz ein Jäger, Jäger ist.

Rot, rot, rot sind alle meine Kleider,
rot, rot, rot ist alles was ich hab.
Darum lieb ich alles was so rot ist,
weil mein Schatz ein Reiter, Reiter ist.

Schwarz, schwarz, schwarz sind alle meine Kleider,
schwarz, schwarz, schwarz ist alles was ich hab.
Darum lieb ich alles was so schwarz ist,
weil mein Schatz ein Schornsteinfeger ist.

Weiß, weiß, weiß sind alle meine Kleider,
weiß, weiß, weiß ist alles was ich hab.
Darum lieb ich alles was so weiß ist,
weil mein Schatz ein Müller, Müller ist.

Bunt, bunt, bunt sind alle meine Kleider,
bunt, bunt, bunt ist alles was ich hab.
Darum lieb ich alles was so bunt ist,
weil mein Schatz ein Maler, Maler ist.

4.32

Popocatépetl
Ouagadougou
Chichicastenango

Einheit 1: Sommerkurs in Leipzig

Clip 1.01

Marco: Hallo, ich bin Marco.

Reza: Hallo, ich bin Reza. Ich komme aus dem Iran, aus Isfahan. Woher kommst du, Marco?

Marco: Ich komme aus Genf.

Reza: Wo ist das?

Marco: Genf ist in der Schweiz.

Reza: Welche Sprachen sprichst du?

Marco: Ich spreche Französisch, Italienisch und Englisch. Ich lerne auch Deutsch. Und du?

Reza: Meine Muttersprache ist Farsi. Ich spreche auch Englisch und lerne Deutsch.

Reza: Hallo, ich bin Reza. Und ihr?

Mariana: Mein Name ist Mariana. Ich komme aus Brasilien, aus Rio. Das ist Titima. Sie kommt aus Thailand.

Titima: Ja, genau. Ich komme aus Bangkok.

Clip 1.02

Marco: Grüezi, ich bin Marco.

Lerner*in: Hallo, ich bin ... Ich komme aus ... Woher kommst du, Marco?

Marco: Ich komme aus Genf.

Lerner*in: Wo ist das?

Marco: Genf ist in der Schweiz.

Lerner*in: Welche Sprachen sprichst du?

Marco: Ich spreche Deutsch, Englisch, Französisch und Italienisch. Und du?

Lerner*in: Meine Muttersprache ist ... Ich spreche ... und lerne ...

Einheit 2: Möller oder Müller?

Clip 1.03

Zusteller: Hm. Möller.

Lisa Müller: Ja, bitte?

Zusteller: Guten Morgen, ich habe das Paket für Frau Möller.

Lisa Müller: Entschuldigung, ich verstehe Sie nicht. Was haben Sie?

Zusteller: Das Paket für Lena Möller.

Lisa Müller: Möller? Nein, mein Name ist Müller. Müller mit „ü".

Zusteller: Ah, sorry. Tschüss!

Lisa Müller: Tschüss!

Lena Möller: Ja, hallo? Wer ist denn da?

Zusteller: Hier ist die Post. Sind Sie Lena Möller?

Lena Möller: Entschuldigung, ich verstehe Sie nicht.

Zusteller: Frau Möller? Ihr Paket ist da.

Lena Möller: Ach so, das Paket! Einen Moment, bitte.

Clip 1.04

Zusteller: Ja, guten Tag. Hier ist die Post.

Lerner*in: Guten Tag.

Zusteller: Ich habe zwei *(Geräusch)*.

Lerner*in: Entschuldigung, ich verstehe Sie nicht. Was haben Sie?

Zusteller: Ich habe zwei Pakete für Sie.

Lerner*in: Ah, die Pakete. Prima! Moment bitte.

Einheit 3: Arbeiten im Café

Clip 1.05

Frieda: Guten Morgen!

Lorenzo: Hey Frieda. Wie geht's dir?

Frieda: Gut, danke. Und dir?

Lorenzo: Super. Hier ist alles o. k. Arbeitest du heute?

Frieda: Ja, klar.

Lorenzo: Was trinkst du?

Frieda: Hm, Tee ... oder nein, lieber Milchkaffee.

Lorenzo: Sehr gern. Willst du noch Wasser dazu?

Frieda: Ja, und ich nehme zwei Croissants, bitte.

Lorenzo: Wasser, Milchkaffee, zwei Croissants. Kommt sofort.

Frieda: Danke, Lorenzo.

Clip 1.06

Sabine: So. Bitteschön.

Claudia: Wow! Danke, Sabine.

Sabine: Das ist Markus. Das sind Claudia und Georgina.

Markus: Hallo, freut mich.

Claudia + Georgina: Hallo Markus.

Sabine: Möchtet ihr Kaffee oder Tee?

Georgina: Kaffee, bitte.

Claudia: Ja, für mich auch.

Markus: Ich mache das. Kaffee mit Milch und Zucker?

Georgina: Ohne Milch und ohne Zucker, bitte.

Claudia: Für mich auch.

Markus: O. k., Sabine. Für dich mit Zucker und mit Milch, oder?

Sabine: Ja, genau.

Claudia: Ich nehme auch Zucker.

Markus: Also, Kaffee mit Zucker aber ohne Milch?

Claudia: Ja, genau.

Sabine: Für mich bitte mit viel Milch und mit viel Zucker.

Markus: In Ordnung. Drei Kaffee. Für Georgina ohne Milch und ohne Zucker, für Claudia mit Zucker. Und für dich mit viel Milch. Kommt sofort.

Markus: So, Kaffee schwarz, ohne Milch und ohne Zucker.

Georgina: Super, danke.

Markus: Für dich Kaffee mit Zucker.

Claudia: Danke!

Markus: Und hier Kaffee mit viel Milch.

Sabine: Und mit viel Zucker!

Clip 1.07

Lorenzo: Was möchten Sie?

Lerner*in: Milchkaffee und Mineralwasser, bitte.

Lorenzo: Ja, gerne. Kommt sofort.

Lorenzo: Möchten Sie noch etwas?

Lerner*in: Zahlen, bitte.

Lorenzo: Gerne, das macht 5,30 Euro.

Lerner*in: 6 Euro, bitte.

Lorenzo: Danke.

Einheit 4: Lecker essen!

Clip 1.08

Frau: Und? Was nimmst du?

Lerner*in: Ich weiß nicht, und du?

Frau: Ich bestelle ein Steak und Pommes und einen Salat mit Oliven.

Lerner*in: Mmmh lecker.

Frau: Schau mal, die haben Fisch mit Kartoffelsalat.

Lerner*in: Ich mag keinen Fisch. Ich glaube, ich nehme Gemüse.

Frau: Nimmst du Gemüsecurry mit Reis?

Lerner*in: Curry? Ist das scharf?

Frau: Ein bisschen, aber gut.

Lerner*in: Nein, ich esse nicht gerne scharf. Ich nehme lieber Hähnchen mit Reis und Gemüse. Das mag ich.

Plateau 1

Clip 1.09

Lisa: Hi.

Sebastian: Hi Lisa! Wer ist denn das?

Lisa: Das ist Nico.

Nico: Hallo, ich bin Nico.

Sebastian: Hallo Nico. Ich bin Sebastian. Was machst du hier?

Nico: Ich habe ein Problem: Meine Tasche ist weg und mein Handy und mein Pass sind auch weg.

Sebastian: O. k., das ist nicht so gut. Und woher kommst du?

Nico: Ich komme aus Spanien. Ich wohne in Sevilla.

Sebastian: Schön. Und wie alt bist du?

Nico: Ich bin 22 Jahre alt. Und du? Kommst du aus Deutschland?

Sebastian: Ich bin 25 Jahre. Und ja, ich komme aus Deutschland.

Nina: Und ich heiße Nina. Ich komme auch aus Deutschland und bin 23 Jahre alt. Hi!

Lisa: Kann Nico zwei Tage hier wohnen?

Nina: Klar.

Sebastian: Kein Problem!

Nina: Willkommen in der Wagnergasse!

Nico: Dankeschön!

Sebastian: Herzlich willkommen!

Nico: Und es gibt eine Party?

Sebastian: Ja, aber wir haben ein kleines Problem.

Nina: Die Lampe ist kaputt.

Nico: Kann ich?

Sebastian: Klar. Ey, wow! Die Lampe funktioniert wieder.

Nina: Super, Nico! Danke! Möchtest du etwas trinken?

Nico: Trinken?

Lisa: Ja, trinken, ein Getränk!

Sebastian: Oder zwei.

Nico: Oder drei.

Clip 1.10

Nina: So. Was möchtet ihr trinken?

Lisa: Was gibt es denn?

Nina: Wir haben Apfelsaft, Wasser, Bier, Wein, Cola und Limonade.

Sebastian: Also, ich nehme ein Bier.

Nina: Wir haben auch Kaffee und Tee im Angebot ...

Sebastian: Bier, danke.

Nina: Alles klar.

Lisa: Für mich bitte einen Kaffee.

Nina: Mit Milch und Zucker?

Lisa: Ja, mit viel Milch, aber wenig Zucker. Ah warte, ich mache das.

Nina: Was ist mit dir, Nico? Hast du auch Durst? Was möchtest du trinken?

Nico: Cola, bitte.

Nina: Alles klar. Dann nehme ich Limonade. Habt ihr Hunger?

Lisa: Hunger? Hungry?

Nico: Ja.

Nina: Hier sind die Speisekarten!

Sebastian: So, also dann prost!

Alle: Prost!

Sebastian: Wo ist denn Nawin? Ist er nicht hier?

Clip 1.11

Sebastian: Hey, Nawin. Möchtest du etwas essen?

Nawin: Was gibt es denn?

Sebastian: Sushi, Pizza, Salat.

Nawin: O. k.

Lisa: Nico, was möchtest du essen?

Nico: Ich möchte eine Pizza, bitte.

Nina: Hier, das ist die Speisekarte von unserem Lieblingsitaliener.

Nico: Danke.

Sebastian: Nico, das ist Nawin. Nawin, Nico.

Nico: Hallo! Ich bin Nico.

Nina: Leute, die Speisekarte. Was nehmt ihr?

Nawin: Ich möchte eine Pizza mit Thunfisch.

Lisa: Sehr gut. Ich nehme auch eine Pizza mit Salami. Und Nico, möchtest du eine Pizza mit Thunfisch, eine mit Salami oder eine mit Tomate Mozzarella?

Nico: Ich nehme eine Pizza mit Salami, bitte.

Nina: Gut. Und ich nehme wie immer meine Pizza Hawaii ohne Schinken.

Nico: Pizza Hawaii?

Lisa: Das ist eine Pizza mit Ananas und Schinken. Nina liebt Ananas, sie ist aber Vegetarierin, und deshalb nimmt sie die Pizza jedes Mal ohne Schinken.

Sebastian: So, und ich bestelle. Wo ist mein Handy?

Lisa: Hallo.

Botin: Guten Tag, Ihre Bestellung. Zahlen Sie zusammen oder getrennt?

Lisa: Zusammen. Was kostet das?

Botin: Gut, Moment. Die drei Pizzen mit Salami sind 22,50 Euro. Dann haben wir eine Pizza Thunfisch, eine Pizza Hawaii ohne Schinken, 18 Euro. Das macht zusammen 40,50 Euro. Zahlen Sie bar oder mit Karte?

Lisa: ... Ich zahle bar. Hier sind 45 Euro. Das stimmt so.

Botin: Danke! Hier ist die Rechnung. Tschüss.

Lisa: Danke.

Sebastian: So ... Wer bekommt die Hawaii ohne Schinken?

Nina: Ich!

Sebastian: Tonno?

Nawin: Ja!

Sebastian: Salami?

Nico: Salami, ich!

Sebastian: Salami! Und noch eine Salami.

Nico: Dankeschön!

Nawin: Guten Appetit jetzt!

Clip 1.12

Nico: Hi! Ich bin Nico. Ich komme aus Spanien, aus Sevilla und du?

Selma: Ich bin Selma. Ich komme aus Syrien, aus Damaskus.

Nawin: Kommt, gehen wir tanzen!

Selma: Mama? Ja, ich komme. Entschuldigung.

Lisa: Tada!

Nawin: Wow! Was ist das denn?

Lisa: Spezialitäten aus verschiedenen Ländern. Ihr müsst die Fähnchen zuordnen.

Nina: Das ist ja einfach! Also, Köttbullar isst man in Schweden! So.

Nawin: In Frankreich isst man gern Käse.

Sebastian: Hier, gib her. So. Also, Sushi isst man in Japan und in Italien isst man Pizza!

Lisa: Super! Und Nico, was isst man in Spanien?

Nico: In Spanien isst man Gazpacho!

Lisa: Perfekt.

Nico: Und du wohnst in Frankreich?

Nawin: Bald, ja. Ich habe da einen Job.

Nico: Cool.

Nawin: Na ja. Ich mag Deutschland.

Nico: Ich auch.

Einheit 5: Hast du Zeit?

Clip 1.13

Interviewer: Hallo, wir machen eine Umfrage – Handy oder Armbanduhr? Wo lesen Sie die Zeit ab?

Frau 1: Ich habe eine Armbanduhr.

Interviewer: Und wie spät ist es?

Frau 1: Fünf nach vier.

Interviewer: Danke!

Interviewer: Und Sie? Was nehmen Sie, Handy oder Armbanduhr?

Mann 1: Die Armbanduhr! Ich habe auch ein Handy, aber mehr für SMS und zum Telefonieren.

Interviewer: Vielen Dank! Und ihr – Handy oder Armbanduhr?

Interviewer: Wo lest ihr die Zeit ab?

Junger Mann: Auf dem Handy, natürlich!

Junge Frau 1: Ich nehme auch das Handy. Ich habe gar keine Uhr.

Junge Frau 2: Ich habe auch keine Armbanduhr – also: immer das Handy.

Interviewer: Vielen Dank!

Interviewer: Handy oder Armbanduhr? Wo lesen Sie die Zeit ab?

Frau 2: Ich? Ich habe eine Armbanduhr – hier!

Mann 2: Nee, also ich nehme ganz oft das Handy.

Interviewer: Handy und Armbanduhr – Super, danke!

Clip 1.14

Frau: Guten Morgen.

Lerner*in: Guten Morgen, mein Name ist ... Ich hätte gerne einen Termin.

Frau: Ah, einen Moment bitte. Passt es am Mittwoch um 11:45 Uhr?

Lerner*in: Am Vormittag kann ich nicht. Geht es auch am Nachmittag?

Frau: Ja, Frau Dr. Schneider hat um Viertel nach drei noch einen Termin frei.

Lerner*in: Perfekt, das passt. Also Mittwoch um fünfzehn Uhr fünfzehn.

Frau: Genau.
Lerner*in: Danke, tschüss!
Frau: Auf Wiedersehen!

Einheit 6: Meine Stadt

Clip 1.15

Mann: Guten Tag. Kann ich Ihnen helfen?
Lerner*in: Guten Tag. Ja, ich möchte zum Pergamon-museum auf der Museumsinsel.
Mann: Ah, zum Pergamonmuseum! Da können Sie die U-Bahn 2 nehmen und dann den Bus 200.
Lerner*in: Gibt es eine Direktverbindung?
Mann: Moment ... Nein, leider nicht.
Lerner*in: Wann fährt die U-Bahn ab?
Mann: Die U2 fährt um 14:30 Uhr ab.
Lerner*in: Und wo steige ich um?
Mann: ... Sie steigen am Alexanderplatz um.
Lerner*in: Wie lange dauert die Fahrt?
Mann: Genau 35 Minuten.
Lerner*in: Dankeschön!

Einheit 7: Der neue Job

Clip 1.16

Patrizia: Guten Tag. Herr Schulte?
Erik: Guten Tag. Ja, ich bin Erik Schulte.
Patrizia: Herzlich willkommen bei uns. Ich bin Patrizia Henne. Ich arbeite hier als Assistentin.
Erik: Freut mich, Frau Henne.
Patrizia: Sind Sie mit dem Auto hier?
Erik: Nein, ich fahre mit dem Bus.
Patrizia: Sehr gut. Kommen Sie. Ich zeige Ihnen jetzt das Gebäude und Ihr Büro.
Erik: Vielen Dank!

Clip 1.17

Patrizia: Hier sind wir in der Empfangshalle. Hier im Erdgeschoss sind auch die Konferenzräume.
Erik: Ah, und hier ist die Küche?
Patrizia: Ja, genau, die Küche ist auch im Erdgeschoss. Hier gibt es Kaffee und Tee. Es gibt auch eine Kantine.
Erik: Wo ist die Kantine?
Patrizia: In der dritten Etage.
Erik: Gehen Sie dort essen?
Patrizia: Manchmal.
Erik: Ist die Kantine nicht gut?
Patrizia: Och, sie ist o. k. Wir fahren jetzt mit dem Fahrstuhl zu Ihrem Büro.
Erik: Und wo genau ist mein Büro?
Patrizia: In der zweiten Etage. Und hier ist das Büro. Das ist die Nummer 207.

Erik: Danke. Wo sitzen Sie?
Patrizia: Ich sitze im Büro 105, in der ersten Etage rechts. Ach, und die Toiletten sind links.
Erik: Vielen Dank.

Clip 1.18

Patrizia: Kommen Sie. Ich zeige Ihnen jetzt das Gebäude und Ihr Büro.
Lerner*in: Ah, danke.
Patrizia: Hier sind wir in der Empfangshalle. Hier im Erdgeschoss sind auch die Konferenzräume.
Lerner*in: Die Konferenzräume sind im Erdgeschoss. Alles klar.
Patrizia: Wir fahren jetzt mit dem Fahrstuhl zu Ihrem Büro.
Lerner*in: Wo ist mein Büro?
Patrizia: In der zweiten Etage. Und hier, Büro 207.
Lerner*in: Danke. Und wo sitzen Sie?
Patrizia: Ich sitze im Büro 105, in der ersten Etage rechts.
Lerner*in: Vielen Dank!

Einheit 8: Freizeit und Hobbys

Clip 1.19

Larissa: Servus Leute, ich bin Larissa. Heute berichte ich über mein Leben, mein Studium und meine Freizeit in Innsbruck. Ich studiere hier im zweiten Semester Anglistik und Romanistik, also Englisch, Französisch und Italienisch. Innsbruck ist für mich ideal. Die Stadt ist sehr international. Wir haben hier Studierende aus Italien, Deutschland und den USA und aus Japan und China. Man hört viele Sprachen und lernt interessante Dinge über andere Länder. Ich wohne mit zwei Freunden in einer WG. Wir machen viel zusammen. Am Wochenende fahren wir manchmal nach Südtirol. Das ist in Italien. Ist gar nicht weit von hier. Dort gehen wir wandern. Ja, und hier in Innsbruck gibt es eine interessante Club-Szene. Ich gehe oft aus und tanze gerne. Man lernt hier schnell neue Leute kennen. Ich mache gerade einen Hand-lettering-Kurs an der Volkshochschule. Macht Spaß! Das Studium ist wichtig, klar, aber Hobbys auch!

Clip 1.20

Frau: Und wo warst du gestern?
Lerner*in: Ich war mit Freunden im Kino. Und du, wo warst du?
Frau: Ich war beim Kletterkurs. Das mache ich zweimal pro Woche. Ich gehe immer dienstags und freitags.
Lerner*in: Cool, machst du das schon lange?
Frau: Ja, seit zwei Jahren. Es macht viel Spaß. Möchtest du auch mal klettern?

Lerner*in: Ja, gerne. Gute Idee!

Frau: Wollen wir Freitag zusammen gehen?

Lerner*in: Ja, Freitag habe ich Zeit.

Frau: Ja, ich freu mich! Wir treffen uns um 18:00 Uhr.

Plateau 2

Clip 1.21

Tarek: Unsere Öffnungszeiten? Wir haben von Dienstag bis Sonntag von 9 bis 23 Uhr geöffnet. Am Montag haben wir leider geschlossen. Ja, danke! Tschüss!

Max: Magst du noch eine Limonade, Nico?

Nico: Ja, ich nehme noch eine Limonade.

Inge: So! Es ist 12 Uhr. Das Mittagsangebot beginnt jetzt.

Tarek: Ja.

Inge: Was gibt's denn heute?

Tarek: Heute gibt es Rouladen mit Rotkraut und Kartoffeln oder Fisch mit Gemüse oder die türkische Linsensuppe.

Inge: Vielleicht nehme ich die ... den Fisch ... Nein, die Suppe ... Oder warte! Die Rouladen, ich nehme die Rouladen.

Tarek: Sicher?

Max: Bitteschön!

Nico: Dankeschön! Entschuldigung, wie viel Uhr ist es?

Max: Es ist 12 Uhr. Du wartest auf Lisa, oder? Normalerweise ist sie pünktlich.

Tarek: Das Marek. Hier ist Tarek. Hallo Lisa! Nico? Ja, der ist hier. O. k., ich sage es Nico. Bis gleich! Tschüss!

Nico: War das Lisa?

Tarek: Ja. Sie kommt um Viertel vor eins, also um 12:45 Uhr. Ich meine, sie kommt in 45 Minuten.

Nico: O. k., ich verstehe.

Tarek: Ich bin übrigens Tarek.

Nico: Hallo, ich bin Nico.

Max: Oh, Nico, kannst du mir helfen?

Nico: Ja, gerne.

Clip 1.22

Yanis: Max, Tarek. Wie geht's?

Tarek: Hallo Yanis! Uns geht es gut, danke. Wie geht's euch?

Yanis: Sehr gut, danke! Wir hätten gern zweimal das Mittagsmenü mit Fisch.

Max: Sehr gerne. Setzt euch!

Tarek: Getränke wie immer?

Yanis: Wie immer, Tarek.

Nico: Sind das deine Freunde?

Max: Ja, wir spielen oft zusammen Fußball.

Yanis: Apropos, Max. Wann spielen wir mal wieder zusammen Fußball? Diese Woche?

Max: Nein, diese Woche kann ich nicht. Aber nächste Woche geht's. Am Freitag oder Samstag?

Yanis: Samstag kann ich nicht. Da treffe ich Anna nachmittags im Schwimmbad.

Max: Dann treffen wir uns am Freitag. Geht das?

Yanis: Ja, das geht. Ah, nee, Moment! Das geht doch nicht. Robert kann am Freitag nicht.

Max: Ah!

Tarek: Dann sind wir nur sieben, oder? Max, Julius, Linus, Daniel, Yanis, Lasse und ich. Wir brauchen eine achte Person.

Max: Spielst du mit uns Fußball? Hast du Lust?

Nico: Fußball? Ja, wann?

Yanis: Wir treffen uns nächste Woche am Freitag. Um wie viel Uhr, Max? Um eins?

Max: Das ist zu früh. Ich kann erst um zwei.

Yanis: Also nächste Woche Freitag um 14 Uhr!

Nico: Und wo?

Max: Wir treffen uns hier im Restaurant.

Nico: O. k. Ich spiele gerne Fußball.

Max: Super!

Lisa: Oh, Nico. Entschuldigung, ich komme viel zu spät!

Clip 1.23

Lisa: Ich bin viel zu spät! Normalerweise bin ich nicht so unpünktlich.

Tarek: Hallo Lisa!

Lisa: Hallo!

Tarek: Na, wie geht's?

Lisa: Geht so. Der Verkehr ist eine Katastrophe. Und ich war eine halbe Stunde im Stau.

Nico: Stau?

Lisa: Ja, Stau. Das heißt, es sind zu viele Autos auf den Straßen. Es geht alles sehr langsam. ... Nico braucht ein Zimmer.

Nico: Das Hostel?

Lisa: Es sind keine Zimmer mehr frei.

Nico: Keine Zimmer?

Lisa: Nein, alle Zimmer sind reserviert. Keine Chance.

Nico: Oh nein!

Tarek: Wie lange bleibst du denn in Deutschland?

Lisa: Nicos Tasche und sein Pass sind immer noch weg.

Tarek: Das ist wirklich ein Problem.

Inge: Hostel, Papperlapapp! Ich habe doch Platz. Der nette junge Mann kann gern ein paar Tage bei mir wohnen.

Tarek: Inge!

Inge: Komm einfach vorbei. Hier ist meine Adresse.

Nico: Danke, Frau ...

Inge: Inge, mein Lieber! Also, bis morgen dann!

Tarek: Bis morgen!

Lisa: Tschüss!

Nico: Danke Frau Inge, mein Lieber!

Clip 1.24

Max: So! Zwei Schnitzel à la Tarek.

Inge: Dankeschön, Max. Sehr nett.

Max: Lasst es euch schmecken.

Inge: Guten Appetit, Nico.

Nico: Guten Appetit, Inge.

Inge: Ich habe gehört, du spielst Fußball?

Nico: Ja, stimmt.

Max: Bald spielst du mit uns zusammen Fußball. Nächste Woche.

Inge: Was machst du denn noch in deiner Freizeit? Joggst du gerne?

Nico: Nein, ich jogge nicht gern. Aber ich schwimme manchmal. Ich höre viel Musik und fahre viel Fahrrad. Aber am liebsten mache ich … das da.

Max: Angeln? Du angelst gern?

Nico: Angeln, ja. Ich gehe gern angeln.

Inge: Na, das ist ja was! Ihr beiden angelt doch auch!

Max: Wenn wir Zeit haben. Wir gehen auch gern ins Theater und ins Kino, aber am liebsten angeln wir. Komm mal her, ich zeige dir mal ein paar Fotos. Ich suche die Fotos von letztem Jahr. Das war … verrückt. Erst habe ich gar nichts gefangen, wollte schon aufgeben, und dann zieht es und heraus kam ein riesiger Hecht. Irgendwo müssen die Fotos sein.

Nico: Das ist Yara.

Max: Du kennst Yara?

Nico: Das ist meine Tante.

Max: Yara ist deine Tante?

Nico: Ja, meine Tante.

Einheit 9: Zuhause

Clip 2.01

Freund: Mensch, Jannis! Ist das die Wohnung?

Jannis: Ja, genau. Die Wohnung hat zwei Zimmer und wir haben einen Balkon. Komm, ich zeige sie dir mal. Also, das ist sie, die Wohnung in Bonn.

Freund: Ist das das Wohnzimmer?

Jannis: Ja. Es ist sehr hell. Der Schreibtisch steht auch hier. Wir haben kein Arbeitszimmer. Ich arbeite im Wohnzimmer. Hier, das ist das Sofa, echt gemütlich.

Freund: Cool. Ach, und da ist auch der Sessel von Anna.

Jannis: Ja, ich weiß. Er ist zu groß und auch nicht bequem.

Freund: Na ja.

Jannis: Aber egal. Anna mag den Sessel.

Freund: Oh ja. Und die Küche?

Jannis: Tada. Hier ist die Küche. Hier ist Platz für einen Tisch und zwei Stühle. Die sind noch nicht da. Aber die Spüle und den Herd haben wir schon.

Freund: Gefällt mir.

Jannis: Und hier ist unser Schlafzimmer.

Freund: Klein, aber gemütlich. Habt ihr schon alle Möbel?

Jannis: Nein, nicht alle. Wir haben schon ein Bett und einen Schrank, aber wir brauchen noch eine Kommode. Und dann gibt es noch ein Badezimmer mit Waschmaschine. Und wir haben noch einen Balkon.

Anna: Hallo!

Clip 2.02

Anna: Herzlich willkommen in unserer neuen Wohnung. Komm, ich zeige sie dir!

Lerner*in: Ja, gern.

Anna: Also, hier ist unsere Küche. Sie ist groß und gemütlich.

Lerner*in: Wow! Die Küche ist sehr schön und hell.

Anna: Ja, das stimmt.

Lerner*in: Und einen Balkon habt ihr auch?

Anna: Ja, komm mal mit! Hier sitzen wir gerne nach der Arbeit.

Lerner*in: Cool. Habt ihr schon alle Möbel?

Anna: Nein, hier im Schlafzimmer brauchen wir noch eine Kommode.

Lerner*in: Ich mag den Schrank. Er ist so groß und praktisch.

Anna: Und nun zeige ich dir das Wohnzimmer. Hier ist mein Sessel.

Lerner*in: Wow, das Wohnzimmer ist ja toll.

Anna: Ja, finde ich auch!

Einheit 10: Familie Schumann

Clip 2.03

Tina: Hallo! Hier ist wieder eure Tina. In den letzten Wochen habe ich eine kleine Video-Pause gemacht. Die Kinder waren zuhause, und ich habe viel im Betrieb gearbeitet. Ohne Großeltern geht das natürlich nicht! Schon klar. Aber das ist heute nicht mein Thema. Mein Thema heute ist: Tina, also ich. Ihr habt viele Fragen gepostet. Die beantworte ich heute mal. Zum Beispiel fragt Natalie aus Münster: „Hast du schon immer in Oldenburg gelebt?" Also, liebe Natalie, die Antwort ist: Nein. Ich habe früher in Hamburg gewohnt und dort von 2007 bis 2010 meinen Beruf gelernt. Ich bin Bankkauffrau und lebe seit 2013 hier in Oldenburg.
Und Eva aus Münster fragt: „Wann hast du deine erste Wohnung gemietet?" Also, liebe Eva, 2011 hatte ich endlich meine erste Wohnung in Hamburg. Die habe ich natürlich gemietet. Das war nicht billig! Und Jonas aus Stuttgart möchte wissen: „Warum lebst du nicht mehr in Hamburg? Die Stadt ist doch

total cool!" Ja, lieber Jonas, Hamburg ist wirklich super! Aber jeden Tag in der Bank arbeiten? Das war nicht mein Ding! Ich habe eine andere Arbeit gesucht und hatte in Oldenburg Glück! Von 2013 bis 2016 habe ich in einem Designbüro gearbeitet. Das hat mir total Spaß gemacht!

Und hier noch eine Frage von Lisa aus Dresden: „Wann hast du geheiratet?" Ich habe Sebastian 2015 geheiratet. Ein paar Monate später waren wir Eltern und seit 2017 leiten wir zusammen unsere Bäckerei. So, jetzt wisst ihr alles. Und das war's auch schon für heute. Im nächsten Video gebe ich wieder Tipps für den Alltag mit Kindern und Beruf. Macht's gut! Eure Tina.

Clip 2.04

Sabine: Hallo. Na, wie geht's?

Lerner*in: Hi Sabine. Gut, danke. Und dir?

Sabine: Auch gut. Meine Eltern kommen am Wochenende. Ich freue mich schon!

Lerner*in: Ach, wie schön! Kommt deine Schwester auch?

Sabine: Leider nicht, sie hat keine Zeit. Ich sehe sie auch nicht so oft.

Lerner*in: Und dein Bruder? Er wohnt jetzt in Brasilien, oder?

Sabine: Ja, genau. Er hat 2013 eine Brasilianerin geheiratet. Sie haben ein Kind, Bruno. Er ist 4.

Lerner*in: Toll! Und siehst du deinen Neffen manchmal?

Sabine: Ja, wir skypen jede Woche.

Einheit 11: Viel Arbeit

Clip 2.05

Ben: Hey, mein Name ist Ben Sommer. Ich bin 24 und Game-Designer. Wir entwickeln Computerspiele. Im Büro ist alles ziemlich locker. Wir tragen eigentlich alle Jeans und T-Shirts und duzen uns, auch unsere Chefs. Wir sagen auch gleich zu neuen Kolleginnen und Kollegen du, also „Hey, wir haben uns noch nicht kennengelernt – ich bin Ben, und du?" Aber Präsentationen sind formell. Dann sage ich: „Guten Tag, mein Name ist Ben Sommer. Ich bin Game-Designer bei Lira-Entertain in Köln." Das ist sehr formell. Manchmal mache ich auch einen Witz und sage: „Mein Name ist Sommer, wie der Winter" – dann lachen alle, und das hilft.

Clip 2.06

Rebecca: Ich bin Rebecca Simmel. Ich bin 25 und arbeite bei der Süd-Bank. Ich bin Bankkauffrau. Alles ist formell in einer Bank. Wir sagen zu unserer Chefin nicht du. Wir Kolleginnen und Kollegen duzen uns aber. Am Anfang sind wir noch per Sie und sagen ganz formell: „Guten Morgen, Herr Otto". Nach zwei Wochen bieten wir dann oft das Du an: „Sagen wir du? Ich bin Rebecca". Mit den Kundinnen und Kunden ist es aber immer formell, also: „Guten Tag, Herr und Frau Roth. Ich bin Rebecca Simmel, wie kann ich Ihnen helfen?"

Clip 2.07

Rebecca: Hey.

Lerner*in: Hey Rebecca. Du bist doch Bankkauffrau, oder? Ich habe da ein paar Fragen.

Rebecca: Klar, was möchtest du denn wissen?

Lerner*in: Sag mal, wie lange dauert die Ausbildung?

Rebecca: Drei Jahre.

Lerner*in: Und was hast du in der Ausbildung gemacht?

Rebecca: Ich bin zur Berufsschule gegangen und habe auch in der Bank gearbeitet.

Lerner*in: Und was hast du da gemacht?

Rebecca: Ich habe mit Kundinnen und Kunden gesprochen und natürlich viel im Büro am Computer gearbeitet.

Lerner*in: Ach so, und machst du die Arbeit gern?

Rebecca: Ja. Meine Kolleginnen und Kollegen sind auch sehr nett.

Einheit 12: Essen und Trinken

Clip 2.08

Verkäufer: Guten Tag. Was darf es denn sein?

Kundin: Ich hätte gern zwei Gurken und ein Kilo Tomaten.

Verkäufer: Welche Tomaten? Die Tomaten aus Deutschland oder die Tomaten aus Italien?

Kundin: Lieber die Tomaten aus Deutschland. Und was kostet der Salat?

Verkäufer: Welchen Salat meinen Sie?

Kunde: Diesen Salat hier.

Verkäufer: Der kostet 1,50 Euro. Haben Sie noch einen Wunsch?

Kunde: Nein, danke.

Verkäufer: So, zwei Gurken, ein Kilo Tomaten und der Salat …

Kunde: Was macht das?

Verkäufer: Das macht zusammen 7,10 Euro.

Clip 2.09

Verkäufer: Guten Tag. Was darf es sein?

Lerner*in: Ich hätte gern 1 Kilo Äpfel.

Verkäufer: 1 Kilo Äpfel. Darf es noch etwas sein?

Lerner*in: Ja, noch 500 Gramm Tomaten, bitte.

Verkäufer: Diese hier?

Lerner*in: Ja, bitte die Tomaten aus Italien.

Verkäufer: Ah ja, die Tomaten für 2,70 Euro das Kilo. Ist das alles?

Lerner*in: Nein, ich hätte gerne noch Salat.

Verkäufer: Gerne. Wie viel?

Lerner*in: Oh, der ist groß! Dann nehme ich nur einen. Das ist alles, danke.

Verkäufer: O. k. Das macht dann 6,30 Euro.

Plateau 3

Clip 2.10

Inge: Du musst die Schuhe nicht ausziehen. Komm rein! Der Flur ist so kalt.

Selma: Danke. Ist Nico da?

Inge: Ja, sicher. Nico?

Selma: Ich suche nur mein Portemonnaie. Ich glaube, Nico hat es noch.

Inge: Erzähl mal, woher kommst du? Du kommst nicht aus Deutschland, oder?

Selma: Nein, ich komme aus Syrien und lebe seit fast einem Jahr in Deutschland.

Inge: Bist du alleine in Deutschland?

Selma: Nein, ich bin mit meinen Eltern hier.

Inge: Und hast du Geschwister?

Selma: Ja, ich habe zwei ältere Brüder. Die leben in Hamburg.

Inge: Und deine Großeltern?

Selma: Meine Großeltern leben noch in Syrien.

Nico: Das braune Portemonnaie gehört dir, oder?

Selma: Ja, danke.

Clip 2.11

Nico: Max?

Max: Ja?

Nico: Was muss ein Bankkaufmann machen?

Max: Ein Bankkaufmann? Äh.

Nico: Geld zählen?

Max: Ja, manchmal muss ein Bankkaufmann auch Geld zählen. Und ein Bankkaufmann muss Kunden beraten, er muss Finanzen überprüfen und Termine mit Kunden organisieren.

Nico: Ah, o. k.

Max: Es ist viel Büroarbeit.

Nico: Büroarbeit?

Max: Ja, Büroarbeit. Du musst zum Beispiel E-Mails schreiben und Verträge unterschreiben. Und natürlich immer schön freundlich sein!

Tarek: Das müssen wir im Restaurant auch.

Max: Ja, aber nicht immer.

Nico: Und ein Elektriker?

Tarek: Ein Elektriker muss Geräte installieren oder er repariert etwas.

Nico: Das klingt cool.

Tarek: Das ist es auch. Aber Max hat Recht. Hier sind wir die Chefs. Das ist besser. Das mag ich.

Max: Ja. Wir müssen viel arbeiten, aber die Arbeit ist super.

Nico: Cool.

Max: Was ist das denn? Oh nein. Das ist Lisas Mappe. Die braucht sie. Komm!

Clip 2.12

Nico: Hallo, guten Tag. Ich suche Lisa Brunner.

Mitarbeiter: Entschuldigung, wen suchen Sie?

Nico: Lisa Brunner.

Max: Hallo, Max Stöpel mein Name. Wir suchen eine Lisa Brunner. Sie hat hier um 14 Uhr ein Bewerbungsgespräch.

Mitarbeiter: Also, die Bewerbungsgespräche finden normalerweise im Besprechungsraum statt.

Max: Wo ... Ey ... Wo finden wir den Besprechungsraum?

Mitarbeiter: In der dritten Etage. Aber nein, warten Sie! Ich glaube, heute finden die Bewerbungsgespräche in der vierten Etage neben der Kantine statt.

Max: Aha.

Mitarbeiter: Sie nehmen den Aufzug, fahren in die vierte Etage. Da gehen Sie links, dann rechts und wieder links. Der Besprechungsraum ist rechts. Zimmer 431.

Max: 431. Vielen Dank!

Nico: 431, 431 ... wo ist die 431?

Max: Hier lang.

Nico: Nein, da lang. Lisa!

Max: Du hast deine Bewerbungsunterlagen vergessen.

Lisa: Oh mein Gott! Ihr seid meine Retter! Danke, danke, danke, danke!

Max: Du bist so still. Was ist denn?

Nico: Ich will nicht mehr studieren. Nie wieder. Ich hasse es.

Max: Aber?

Nico: Aber meine Eltern wollen das. Mein Vater sagt immer, ich muss studieren.

Max: Bist du deshalb in Deutschland?

Nico: Ich will weg von zu Hause. Weit weg!

Max: Und was willst du hier machen?

Max + Nico: Und?

Lisa: Ich habe den Job!
Max: Ja?

Clip 2.13

Inge: So! Ich glaube, der Kühlschrank ist zu klein für all das. Jetzt, das hier ist das Obst. Die Äpfel, die Orangen und die Birnen kommen auf den Teller. Das Fleisch kommt hier oben hin. Was ist das? Ach, der Käse. So! Jetzt die Sachen für das Frühstück: Die Marmelade, die Butter, der Quark und der Schinken.

Einheit 13: Fit und Gesund

Clip 2.14

Florian: Sport hilft bei so vielen Sachen: Man ist weniger erkältet. Mit Sport kann man abnehmen, er ist super für die Figur und man kann abschalten. Man ist nicht im Stress. Viele Leute wollen mehr Sport machen. Das Problem ist: Sie müssen ihn einplanen und das ist oft nicht ganz einfach mit Job, Familie, Freunden und so. Aber ich habe ein paar Tipps für euch. Sport muss euch Spaß machen. Es gibt so viele Sportarten. Probiert einfach was aus! Fußball spielen, schwimmen, Ballett tanzen? Egal, das Training soll euch Spaß machen. Ja, und plant eure Sporttermine! Packt die Sportsachen am Abend ein und nehmt sie mit zur Arbeit. Trainiert mit anderen! Nehmt eure Freunde mit und macht Termine zum Sport. Auch das Handy kann helfen: Nehmt eine App und zählt die Schritte. 10.000 Schritte am Tag sind super! Also, geht spazieren, wandert oder lauft. Nee, nicht gleich einen Marathon! Na ja, ein Marathon kann schon ein super Ziel sein!

Clip 2.15

Frau: Hallo, wie geht es dir?
Lerner*in: Mir geht's gut. Und dir?
Frau: Na ja, ich hatte letzte Woche einen Unfall.
Lerner*in: Oh nein. Was ist passiert?
Frau: Ich bin beim Laufen hingefallen und dann hat der Arm wehgetan.
Lerner*in: Warst du schon beim Arzt?
Frau: Ja, bei Dr. Schneider. Ich soll den Arm nicht bewegen und keinen Sport machen.
Lerner*in: Das hilft sicher.
Frau: Ja, aber das ist sehr langweilig.
Lerner*in: Wir können gern morgen einen Kaffee trinken, o. k.?
Frau: Oh ja, sehr gern.
Lerner*in: Gute Besserung.

Einheit 14: Voll im Trend

Clip 2.16

Interessierst du dich für Mode?
Frieda: Für Mode? Nee, nicht so richtig.
Erik: Ja, definitiv. Ich finde Mode interessant. Ich gehe gern shoppen, oft mit meiner Schwester oder Freunden. Und ich folge vielen Designern auf Social Media.

Was trägst du gern?
Lorenzo: Ich mag einen Mix aus sportlich und elegant. Und nicht zu langweilig. Ich trage zum Beispiel gerne rote T-Shirts, grüne Hemden oder blaue Pullover und nicht nur Schwarz oder Grau.
Patrizia: Bei der Arbeit bin ich gern elegant. Ich mag schicke Kleider oder auch Hosenanzüge. In der Freizeit trage ich auch gern schicke Röcke oder Hosen mit Blusen. Und ich liebe elegante schwarze Schuhe. Ich mag keine Turnschuhe.

Was ist aktuell im Trend?
Lorenzo: Viele Farben. Aktuell ist die Mode sehr bunt. Mir gefällt das gut.
Erik: Für Männer sind sportliche Anzüge total im Trend. Kombiniert mit Turnschuhen, das ist cool und professionell. Das gefällt mir super.
Frieda: Hm, keine Ahnung. Interessiert mich auch nicht. Trends sind mir egal.
Patrizia: Übergrößen sind gerade im Trend: Alles ist zu groß. Alles ist in XXL. Das gefällt mir nicht so gut. Warum muss alles so groß sein? Diesen Trend mag ich nicht.

Clip 2.17

Jannis: Ich gehe heute zu einer Geburtstagsparty. Was soll ich anziehen? Kannst du mir helfen?
Lerner*in: Ja klar. Was ziehst du an? Zeig mal!
Jannis: Ja. Einen Moment.
Lerner*in: Nein, das ist zu groß.
Jannis: O. k., ich habe noch ein T-Shirt. Das ist cool.
Lerner*in: Also Jannis, das ist viel zu klein. Das ist nicht deine Größe.
Jannis: O. k., ich habe noch eins.
Lerner*in: Hm. Das Hemd ist o. k., aber sehr bunt. Das ist nicht so schön. Hast du noch ein Hemd?
Jannis: Ja, ein Hemd von Opa. Warte mal.
Lerner*in: Wow, Jannis! Das ist super!
Jannis: Echt, bist du sicher?

Einheit 15: Sommerfeste

Clip 2.18

Ben: Na, warst du dieses Wochenende auch beim Stadtfest?

Lerner*in: Stadtfest? Welches Stadtfest?

Ben: Hast du das nicht gesehen? Die ganze Stadt war dekoriert.

Lerner*in: Ach, das! Nein, ich habe am Wochenende meine Familie besucht. Wie war es denn?

Ben: Super! Es gab viele Konzerte und total leckeres Essen.

Lerner*in: Nicht schlecht! Nächstes Jahr gehen wir zusammen, ok?

Ben: Na klar, sehr gerne.

Einheit 16: Ab in den Urlaub!

Clip 2.19

Tina: Hallo, wie geht's?

Lerner*in: Gut, danke. Ihr wart doch im Urlaub. Wie war es denn?

Tina: Einfach nur super! Viel Sonne, viel Sport und viel Natur.

Lerner*in: Wo wart ihr? In Österreich, oder?

Tina: Wir waren auf einem Bauernhof. Dieses Jahr haben die Kinder das Reiseziel gewählt. Sie sind morgens immer früh aufgestanden. Sie haben mit dem Bauern die Pferde und die Kühe gefüttert, Eier gesucht und den Katzen Wasser gegeben.

Lerner*in: Wie war das Wetter?

Tina: Das Wetter war super! Wir hatten zwischen 20 und 25 Grad und viel Sonne!

Lerner*in: Toll! Seid ihr auch gewandert?

Tina: Ja, klar. Und wir sind jeden Tag geschwommen. Wir hatten einen See in der Nähe.

Lerner*in: Und wie war das Essen?

Tina: Ein Traum! Die Bäuerin hat jeden Tag Brot gebacken. Wir haben Gemüse und Obst aus dem Garten gegessen. Es war alles sehr lecker.

Lerner*in: Hast du auch Fotos gemacht?

Tina: Na klar, ganz viele. Ich habe sie hier auf dem Handy. Guck mal, hier sind sie.

Plateau 4

Clip 2.20

Selma: So. Das Hemd ist toll.

Nico: Ja, das gefällt mir.

Selma: Die Jacke auch?

Nico: Super.

Selma: Nein, die ist besser. Wie süß! Wie findest du die Farbe? Für mich! Wie findest du das Hemd?

Nico: Wie viel kostet das?

Selma: ... 25 Euro. Ist das o. k.?

Nico: Ja, das ist o. k.

Selma: Super! Das steht dir gut!

Nico: Ja, das passt auch. Wie findest du den Pullover?

Selma: Schön. Probier mal das andere Hemd an. Welche Größe ist das?

Nico: Ich weiß nicht.

Selma: L. Probier mal M an. Das ist zu groß. Ja, die Jacke steht dir sehr gut. Das finde ich schön. So! Bitteschön.

Verkäuferin: Vielen Dank!

Selma: Eigentlich wollte ich gar nichts kaufen.

Nico: Aber die Jacke, die Jacke steht dir sehr gut.

Selma: Das hat Spaß gemacht. Gib mal deine Hand! Nein.

Clip 2.21

Max: Toll! Waren die Fußbälle teuer?

Tarek: Nein, die waren super billig. Ein Ball hat 4,99 Euro gekostet, weniger als die Getränke.

Max: Hey Nico. Bist du bereit?

Nico: Na ja, ich habe keine Fußballschuhe mit, aber es geht schon.

Max: Welche Schuhgröße hast du?

Nico: Äh?

Tarek: Warte! Warte!

Max: Hey, nicht schlecht. Du bist ja viel zu gut für uns.

Tarek: Probier die mal. Eins, zwei.

Nico: Die Schuhe passen. Vielen Dank!

Max: Perfekt! Ich finde es super, dass du mitkommst.

Tarek: Es geht los.

Max: O. k. Wir müssen besser und schneller spielen. Du lachst. Wir machen gleich weiter mit Sprints.

Tarek: Ja, Max, wir wissen Bescheid. Du bist der Schnellste. Ja, ja, ich muss mich trotzdem erst mal ausruhen.

Max: Ausruhen? Gute Sportler machen dreimal pro Woche Training.

Tarek: Yanis! Iss nicht so viele Süßigkeiten! Iss lieber mehr Obst!

Yanis: Es ist kein Obst da!

Tarek: Wer sollte Obst kaufen?

Max: Yanis!

Yanis: Oh, stimmt. Ich wollte Äpfel, Bananen und Birnen kaufen, aber ich habe es vergessen. Aber Fleisch und Gemüse vom Grill sind doch auch gesund. Und dazu so ein leckerer Kartoffelsalat.

Tarek: Hm, ja. Kartoffelsalat macht auch gar nicht dick.

Yanis: Ab morgen essen wir gesund!

Nico: Ah!

Clip 2.22

Lisa: Vorsicht. Ja. Gut.

Inge: Ach herrje. Was ist denn mit dir passiert?

Nico: Es ist nichts, nur ein kleiner Unfall.

Inge: So sieht es aber nicht aus. Hallo Lisa!

Lisa: Hallo. Wie geht es Ihnen?

Inge: Mir geht es gut. Aber Nico …

Lisa: Dr. Gruber hat Nico Schmerztabletten und eine Salbe verschrieben. Wir waren mit dem Rezept schon bei der Apotheke. Nico, du darfst dein Bein nicht bewegen, o. k.? Nimm die Tabletten dreimal täglich. Und die Salbe sollst du abends vor dem Schlafen- gehen benutzen. O. k.?

Nico: O. k.

Inge: Das machen wir. Soll er die Tabletten morgens, mittags und abends vor oder nach dem Essen nehmen?

Lisa: Nach dem Essen. Danke für Ihre Hilfe. Ich muss jetzt gehen. Aber wir sehen uns nachher, o. k.?

Nico: Ja, gerne!

Inge: Ich komme mit und besorge uns etwas zu essen.

Nico: Darf ich mitkommen?

Inge + Lisa: Du musst dich ausruhen!

Lisa: Tschüss!

Nico: Tschüss!

Clip 2.23

Nico: Ich hätte gern einen eigenen Laden.

Tarek: Ja, ich habe auch immer von meinem eigenen Laden geträumt, von meinem eigenen Restaurant. Und jetzt habe ich eins. Du musst nur immer fleißig und hart arbeiten, dann funktioniert das auch.

Nico: Warum ist dein Fahrrad hier?

Tarek: … Es ist kaputt.

Nico: Kaputt?

Tarek: Ja, die Bremse hinten funktioniert nicht.

Nico: Einen Moment. So. Fertig.

Tarek: Nico! Krass!

Yara: Wie fährst du denn? Und dann auch noch hupen! Lern doch mal richtig Auto fahren! Nico?

Nico: Yara.

Yara: Was machst du hier?

Die alphabetische Wortliste enthält den Wortschatz der Einheiten. Zahlen, grammatische Begriffe sowie Namen von Personen, Städten und Ländern sind nicht in der Liste enthalten. Wörter, die nicht zum Zertifikatswortschatz gehören, sind kursiv ausgezeichnet.

Die Zahlen geben an, wo die Wörter das erste Mal vorkommen – 10/1b bedeutet zum Beispiel Seite 10, Aufgabe 1b.

Die . oder ein _ unter Buchstaben des Worts zeigen den Wortakzent:
a̧ = ein kurzer Vokal; a̲ = ein langer Vokal.

Bei den Verben ist immer der Infinitiv aufgenommen. Bei Nomen finden Sie immer den Artikel und die Pluralform.
(Sg.) = Dieses Wort gibt es (meistens) nur im Singular.
(Pl.) = Dieses Wort gibt es (meistens) nur im Plural.

A

	ab	84/1a
	abbiegen, er biegt ab, er ist abgebogen	86/1a
das	Abc, die Abcs	12/1a
der	Abend, die Abende	74/1a
	abends	181/5c
	aber	28
	abfahren, er fährt ab, er ist abgefahren	72/2a
	abholen, er holt ab, er hat abgeholt	73/5d
der/die	Absender/in, Absender / die Absenderinnen	28
	absolut	83
die	Adresse, die Adressen	28
die	Agentur, die Agenturen	95
die	Ahnung, die Ahnungen	13/1a
	aktiv	179
die	Aktivität, die Aktivitäten	202/1b
der	Aktivurlaub, die Aktivurlaube	214
	aktuell	195/4a
	alle	108/1a
	allein(e)	216/1a
	alles	55/4b
der	Alltag (Sg.)	149
	als	41
	also	85/4a
	alt	107
die	Altenpflege (Sg.)	150/2a
der/die	Altenpfleger/in, die Altenpfleger / die Altenpflegerinnen	149
das	Alter (Sg.)	137
	altmodisch	193/5a
die	Altstadt, die Altstädte	107
	am besten	202
	am liebsten	164/1
	an	13/1a
die	Ananas, die Ananasse	56/1a
	anderer, anderes, andere	53
der/die	Anfänger/in, die Anfänger / die Anfängerinnen	182/1b
	angeben, er gibt an, er hat angegeben	160
das	Angebot, die Angebote	107

der/die	Angestellte, die Angestellten	138/1a
	ankommen, er kommt an, er ist angekommen	85/3
	anprobieren, er probiert an, er hat anprobiert	194/1c
die	Anrede, die Anreden	219/2a
	anrufen, er ruft an, er hat angerufen	73/5d
	anschauen, er schaut an, er hat angeschaut	150/2a
die	Antwort, die Antworten	30/2b
	antworten, er antwortet, er hat geantwortet	15/1a
	anziehen (sich), er zieht (sich) an, er hat (sich) angezogen	149
der	Anzug, die Anzüge	190
der	Apfel, die Äpfel	162/1
der	Apfelsaft, die Apfelsäfte	43/5a
die	Apotheke, die Apotheken	180/LaKu
die	App, die Apps	150/1
der	April (Sg.)	97/4a
die	Arbeit, die Arbeiten	28
	arbeiten, er arbeitet, er hat gearbeitet	41
der	Arbeitsort, die Arbeitsorte	148
der	Arbeitsplatz, die Arbeitsplätze	41
der	Arbeitstag, die Arbeitstage	95
das	Arbeitszimmer, die Arbeitszimmer	124
der/die	Architekt/in, die Architekten / die Architektinnen	151/3b
der	Arm, die Arme	178
die	Armbanduhr, die Armbanduhren	70
der	Ärmel, die Ärmel	194/1a
der/die	Arzt/Ärztin, die Ärzte / die Ärztinnen	149
die	Arztkosten (Pl.)	180/LaKu
	asiatisch	207/1a
der/die	Assistent/in, die Assistenten / die Assistentinnen	95
die	Atmosphäre, die Atmosphären	41
	attraktiv	107
	auch	18/1a
	auf	13/1a
	Auf Wiederhören!	72/1b

Auf Wiedersehen!	68/3
die Aufgabe, die Aufgaben	95
aufschreiben, er schreibt auf, er hat aufgeschrieben	152/1a
aufstehen, er steht auf, er ist aufgestanden	75/3b
auftragen, er trägt auf, er hat aufgetragen	181/5c
aufwachen, er wacht auf, er ist aufgewacht	180/3a
der Aufzug, die Aufzüge	82
das Auge, die Augen	215
der August (Sg.)	202
aus	10
die Ausbildung, die Ausbildungen	148
ausfallen, er fällt aus, er ist ausgefallen	72/1b
der Ausgang, die Ausgänge	96/3
ausgehen, er geht aus, er ist ausgegangen	108/1a
das Ausland (Sg.)	107
ausmachen, er macht aus, er hat ausgemacht	182/1b
ausprobieren, er probiert aus, er hat ausprobiert	150/1
ausruhen (sich), er ruht sich aus, er hat sich ausgeruht	181/7
die Aussage, die Aussagen	46/2
ausschlafen, er schläft aus, er hat ausgeschlafen	73/5a
aussehen, er sieht aus, er hat ausgesehen	52
der/die Aussteller/in, die Aussteller/ die Ausstellerinnen	179
die Ausstellung, die Ausstellungen	216/1a
aussteigen, er steigt aus, er ist ausgestiegen	90/8a
aussuchen, er sucht aus, er hat ausgesucht	160
ausziehen (sich), er zieht (sich) aus, er hat (sich) ausgezogen	149
das Auto, die Autos	73/5d
das Autohaus, die Autohäuser	151/3b
der/die Automobilkaufmann/-frau, die Automobilkaufleute	148

B

backen, er bäckt, er hat gebacken	75/3b
der/die Bäcker/Bäckerin, die Bäcker/die Bäckerinnen	154/3b
die Bäckerei, die Bäckereien	138/1a
der Backshop, die Backshops	138/1a
das Badezimmer, die Badezimmer	124
das Baguette, die Baguettes	54/1a
die Bahn, die Bahnen	216/1a
der Bahnhof, die Bahnhöfe	138/1a
die Balance (Sg.)	178
der Balkon, die Balkons/die Balkone	124
das Ballett (Sg.)	183/6b
die Ballettstange, die Ballettstangen	178
der Ballspielverein, die Ballspielvereine	32/1a
die Banane, die Bananen	162/1
die Band, die Bands [bænd]	44/1a
das Band, die Bänder	178
die Bandnudel, die Bandnudeln	164/2a
die Bank, die Banken	190
der/die Bankkaufmann/Bankkauffrau, die Bankkaufmänner/die Bankkauffrauen	139/3a
die Bar, die Bars	44/1a
der Bauch, die Bäuche	178
bauen, er baut, er hat gebaut	138/1a
der Bauernhof, die Bauernhöfe	214
der Baum, die Bäume	178
die Baustelle, die Baustellen	150/2a
beantworten, er beantwortet, er hat beantwortet	97/4b
beenden, er beendet, er hat beendet	150/2a
beginnen, er beginnt, er hat begonnen	203
begrüßen, er begrüßt, er hat begrüßt	95
die Begrüßung, die Begrüßungen	17
bei	32/1a
beige	192/1a
das Bein, die Beine	178
das Beispiel, die Beispiele	57/6
bekommen, er bekommt, er hat bekommen	164/1
beliebt	214
benutzen, er benutzt, er hat benutzt	215
beobachten, er beobachtet, er hat beobachtet	150/2a
beraten, er berät, er hat beraten	152/1a
der/die Berater/in, die Berater/die Beraterinnen	190
der Berg, die Berge	107
die Bergbahn, die Bergbahnen	107
berichten, er berichtet, er hat berichtet	83
der Beruf, die Berufe	138/1a
beruflich	148
die Berufsfachschule, die Berufsfachschulen	149
die Berufsschule, die Berufsschulen	150/2a
berühmt	202
besichtigen, er besichtigt, er hat besichtigt	217/2
besonders	182/1b
besser (als)	148
bestellen, er bestellt, er hat bestellt	42/1c
besuchen, er besucht, er hat besucht	83

der **Dialog**, *die Dialoge*	15/1a
dick	181/5c
der **Dienstag**, *die Dienstage*	73/5a
der **Dienstagnachmittag**,	74/2b
die Dienstagnachmittage	
dieser, dieses, diese	162/3a
das **Ding**, *die Dinge*	150/2a
direkt	202
die **Direktverbindung**,	85/3
die Direktverbindungen	
die **Distanz**, *die Distanzen*	70
doch	52
das **Dokument**, *die Dokumente*	97/4b
donnern, es donnert,	206/3
es hat gedonnert	
der **Donnerstag**, *die Donnerstage*	73/5a
das **Dorf**, *die Dörfer*	32/1a
dort	82
die **Dose**, *die Dosen*	160
draußen	124
dreimal	181/5c
der **Dresscode**, *die Dresscodes*	190
drinnen	214
dunkel	128/1a
durch	70
dürfen, *er darf, er durfte*	162/3
duschen, *er duscht, er hat geduscht*	149

E

die **E-Card**, *die E-Cards*	180/LaKu
echt	57/6
egal	75/5a
eher	207/1a
das **Ei**, *die Eier*	70
eigentlich	149
einfach	41
der **Eingang**, *die Eingänge*	86/1a
einkaufen, *er kauft ein, er hat eingekauft*	70
einladen, *er lädt ein, er hat eingeladen*	75/5a
einmal	52
einpacken, *er packt ein,*	183/5a
er hat eingepackt	
das **Eis** *(Sg.)*	42/2c
das **Eisen** *(Sg.)*	150/2a
das **Eishockey** *(Sg.)*	179
der/die **Eishockeyspieler/in**, *die Eishockeyspieler /*	179
die Eishockeyspielerinnen	
das **Eisklettern** *(Sg.)*	107
eislaufen, er läuft eis, er ist eisgelaufen	108/1a
der **Eistee**, *die Eistees*	41
elastisch	178
elegant	129/1a

die **Eltern** *(Pl.)*	136
die **E-Mail**, *die E-Mails*	95
der/die **Empfänger/in**, *die Empfänger /*	28
die Empfängerinnen	
die **Empfangshalle**, *die Empfangshallen*	95
das **Ende**, *die Enden*	84/1a
endlich	52
die **Energie**, *die Energien*	182/1b
das **Englisch** *(Sg.)*	17
englisch	207/1a
der/die **Enkel/in**, *die Enkel / die Enkelinnen*	137
das **Enkelkind**, *die Enkelkinder*	137
entschuldigen (sich), *er entschuldigt*	96/1b
sich, er hat sich entschuldigt	
die **Entschuldigung**, *die Entschuldigungen*	13/2a
entspannen (sich), er entspannt (sich),	124
er hat (sich) entspannt	
die **Entspannung**, *die Entspannungen*	182/1b
der/die **Entwickler/in**, *die Entwickler /*	97/5a
die Entwicklerinnen	
das **Erdbeerfest**, *die Erdbeerfeste*	203
die **Erdbeermarmelade**,	161
die Erdbeermarmeladen	
das **Erdgeschoss**, *die Erdgeschosse*	96/3
die **Erdnuss**, *die Erdnüsse*	160
der **E-Reader**, *die E-Reader*	215
der **Erfolg**, *die Erfolge*	150/2a
das **Erfolgsrezept**, *die Erfolgsrezepte*	138, 1a
ergänzen, *er ergänzt, er hat ergänzt*	15/1a
das **Erinnerungsfoto**, *die Erinnerungsfotos*	219/1a
die **Erkältung**	182/1b
erklären, *er erklärt, er hat erklärt*	97/4b
die **Ernährung**, *die Ernährungen*	182/1b
der **E-Roller**, *die E-Roller*	84/2b
die **Erste-Hilfe-Tasche**, *die Erste-Hilfe-Taschen*	214
der/die **Erwachsene**, *die Erwachsenen*	202
erwarten, er erwartet, er hat erwartet	203
erzählen, *er erzählt, er hat erzählt*	207/1a
der **Espresso**, *die Espressos*	40
essen, *er isst, er hat gegessen*	52
das **Essen**, *die Essen*	52
die **Etage**, *die Etagen*	96/1a
etwas	164/2a
das **Europa** *(Sg.)*	206/1a
der/die **Experte/Expertin**, *die Experten /*	214
die Expertinnen	

F

fahren, *er fährt, er ist gefahren*	75/3b
der **Fahrplan**, *die Fahrpläne*	71
das **Fahrrad**, *die Fahrräder*	82
der **Fahrstuhl**, *die Fahrstühle*	96/3

H

die	*Klingel, die Klingeln*	28
das	Knie, die Knie	179
der/die	Koch/in, die Köche / die Köchinnen	164/1
	kochen, er kocht, er hat gekocht	70
der	*Kochkurs, die Kochkurse*	164/1
der	Koffer, die Koffer	215/5
der/die	Kollege/in, die Kollegen / die Kolleginnen	97/5c
die	*Kombination, die Kombinationen*	107
	kombinieren, er kombiniert, er hat kombiniert	108/1a
	kommen, er kommt, er ist gekommen	17
der	*Kommentar, die Kommentare*	53
die	*Kommode, die Kommoden*	126/1a
	komplett	12/1a
die	*Konferenz, die Konferenzen*	97/4b
der	*Konferenzraum, die Konferenzräume*	95
	können, er kann, er konnte	13/1a
der	*Kontakt, die Kontakte*	108/1a
	kontra	53
	kontrollieren, er kontrolliert, er hat kontrolliert	178
die	*Konzentration (Sg.)*	178
das	Konzert, die Konzerte	44/1a
die	*Koordination (Sg.)*	178
der	Kopf, die Köpfe	179
der	*Kopfhörer, die Kopfhörer*	41
der	*Kopfsalat, die Kopfsalate*	163/5c
die	Kopfschmerzen (Pl.)	181/7b
	kopieren, er kopiert, er hat kopiert	97/4b
der	*Kopierraum, die Kopierräume*	95
der	*Körper, die Körper*	182/1b
der/die	Kosmetiker/in, die Kosmetiker / die Kosmetikerinnen	150/2a
der	*Kosmetiksalon, die Kosmetiksalons*	150/2a
	kosten, es kostet, es hat gekostet	162/3a
das	Krankenhaus, die Krankenhäuser	151/3b
die	Krankenversicherung, die Krankenversicherungen	180/LaKu
	krankschreiben, er schreibt krank, er hat krankgeschrieben	181/5a
die	*Krawatte, die Krawatten*	190
die	Küche, die Küchen	94
der	Kuchen, die Kuchen	54/2
die	*Küchenuhr, die Küchenuhren*	126/3a
die	*Kuh, die Kühe*	214
	kühl	205/1b
der	Kühlschrank, die Kühlschränke	126/1a
der	Kuli, die Kulis	14/4a
die	Kultur, die Kulturen	53
der	*Kulturverein, die Kulturvereine*	203

der/die	Kunde/Kundin, die Kunden / die Kundinnen	152/1a
die	*Kuppel, die Kuppeln*	82
der	Kurs, die Kurse	17
	kurz	72/3a
der	*Kurz-Ski, die Kurz-Ski*	108/1a

L

	lachen, er lacht, er hat gelacht	138/1a
die	Lampe, die Lampen	98/1a
das	Land, die Länder	17
	lang(e)	70
	langsam	13/3
	langweilig	150/2a
der	*Laptop, die Laptops*	14/4a
der	*Latte Macchiato, die Latte Macchiatos*	40
	laufen, er läuft, er ist gelaufen	178
der/die	Läufer/in, die Läufer/die Läuferinnen	178
	laut	15/1a
	leben, er lebt, er hat gelebt	17
das	Leben, die Leben	53
das	Lebensmittel, die Lebensmittel	160
	lecker	41
der	*Lederschuh, die Lederschuhe*	190
	ledig	137
	legen, er legt, er hat gelegt	67/6
der/die	Lehrer/in, die Lehrer/die Lehrerinnen	33/3a
das	Lehrerzimmer, die Lehrerzimmer	96/3
	leicht	128/1a
	leider	57/6
	leidtun, es tut leid, es hat leidgetan	72/1b
	leise	182/2b
	leiten, er leitet, er hat geleitet	138/1a
	lernen, er lernt, er hat gelernt	17
	lesen, er liest, er hat gelesen	13/3
der	*Leserbrief, die Leserbriefe*	148
	letzter, letztes, letzte	207/1a
die	Leute (Pl.)	41
	liebe ..., lieber ... (Name)	219/2a
	lieben, er liebt, er hat geliebt	57/6
	lieber	42/1d
das	*Lieblingsbuch, die Lieblingsbücher*	215
die	*Lieblingsfarbe, die Lieblingsfarben*	191
das	*Lieblingskleidungsstück, die Lieblingskleidungsstücke*	195/4a
das	*Lieblingsoutfit, die Lieblingsoutfits*	191
der	*Lieblingsurlaub, die Lieblingsurlaube*	216/1a
	liegen, er liegt, er hat gelegen	99/2a
	lila	192/1a
die	*Limette, die Limetten*	162/1
die	*Limonade, die Limonaden*	43/5a
die	Linie, die Linien	72/2a

	links	86/1a
der	Liter, die Liter	161
die	Lunge, die Lungen	178
die	Lust (Sg.)	44/1a

M

	machen, er macht, er hat gemacht	14/4b
das	Magazin, die Magazine	98/1a
der	Mai (Sg.)	202
	mal	55/4b
	malen, er malt, er hat gemalt	107
die	Mama, die Mamas	141/1a
	manche	116/5a
	manchmal	84/2b
die	Mandarine, die Mandarinen	162/1
der	Mann, die Männer	70
die	Mannschaft, die Mannschaften	32/1a
der	Mantel, die Mäntel	192/2
der	Marathon, die Marathons	70
das	Marketing (Sg.)	41
	markieren, er markiert, er hat markiert	15/1a
der	Markt, die Märkte	202
der	Marktstand, die Marktstände	162/1
die	Marmelade, die Marmeladen	161
der	März (Sg.)	84/1a
	massieren, er massiert, er hat massiert	152/1a
der/die	Maurer/in, die Maurer/	150/2a
	die Maurerinnen	
die	Maus, die Mäuse	98/1a
der/die	Mechatroniker/in, die Mechatroniker/	148
	die Mechatronikerinnen	
das	Medikament, die Medikamente	149
das	Meer, die Meere	214
	mehr	97/4a
	meinen, er meint, er hat gemeint	148
die	Meinung, die Meinungen	207/1a
	meist	204/2a
	meisten	66/5
	meistens	203
die	Mensa, die Mensas/Mensen	106
der	Mensch, die Menschen	32/2c
die	Messe, die Messen	179
	mieten, er mietet, er hat gemietet	139/3a
die	Milch (Sg.)	10
der	Milchkaffee, die Milchkaffees	45/4b
das	Milchprodukt, die Milchprodukte	160
die	Million, die Millionen	160
das	Mineralwasser, die Mineralwasser	42/1d
die	Mini-Tomate, Mini-Tomaten	162/1
die	Minute, die Minuten	70
	Mist!	204/1b
das	Mistwetter (Sg.)	207/1a

	mit	12/4a
der/die	Mitarbeiter/in, die Mitarbeiter/	95
	die Mitarbeiterinnen	
	mitbringen, er bringt mit,	75/5a
	er hat mitgebracht	
	mitkommen, er kommt mit,	216/1a
	er ist mitgekommen	
	mitmachen, er macht mit,	149
	er hat mitgemacht	
	mitnehmen, er nimmt mit,	183/5a
	er hat mitgenommen	
der	Mittag, die Mittage	74/1a
das	Mittagessen, die Mittagessen	119/2b
	mittags	170/13
die	Mittagspause, die Mittagspausen	152/1c
das	Mitteleuropa (Sg.)	205/4
der	Mittwoch, die Mittwoche	73/5a
das	Möbel, die Möbel	127/4a
	mobil	129/1a
	möchten, er möchte, er mochte (Prät.)	42/1b
die	Mode, die Moden	195/4a
der/die	Moderator/in, die Moderatoren/	108/1a
	die Moderatorinnen	
	modern	83
	mögen, er mag, er mochte (Prät.)	28
die	Möhre, die Möhren	162/1
der	Moment, die Momente	12/3a
der	Monat, die Monate	70
der	Montag, die Montage	73/5a
	morgen	44/2
der	Morgen, die Morgen	74/1a
der	Motor, die Motoren	156/9b
das	Motorrad, die Motorräder	84/2b
das	Motto, die Mottos	203
	müde	182/1b
das	Museum, die Museen	10
die	Musik (Sg.)	11
	müssen, er muss, er musste (Prät.)	160
die	Mutter, die Mütter	140/1a
die	Muttersprache, die Muttersprachen	17
die	Mutti, die Muttis	141/1a

N

	nach	72/3a
	nach Hause	160
der/die	Nachbar/in, die Nachbarn/	124
	die Nachbarinnen	
der	Nachmittag, die Nachmittage	74/1a
der	Nachname, die Nachnamen	30/1b
	nachsehen, er sieht nach,	85/4a
	er hat nachgesehen	
	nächster, nächstes, nächste	181/7b

	nachts	204/2b
die	Nacht, die Nächte	74/1a
die	Nachtschicht, die Nachtschichten	150/2a
der	Name, die Namen	12/4a
die	Nase, die Nasen	182/1b
	nass	108/1a
die	Nation, die Nationen	203
der/die	Nationalspieler, die Nationalspieler / die Nationalspielerinnen	32/1a
die	Natur (Sg.)	10
	naturell	161
	natürlich	202
der	Naturpark, die Naturparks	216/1a
	neben	99/2a
der	Neffe, die Neffen	136
	negativ	207/1a
	nehmen, er nimmt, er hat genommen	42/1b
	nein,	18/1a
	nennen, er nennt, er hat genannt	141/1b
	nerven, er nervt, er hat genervt	53
	nett	124
	neu	95
	neutral	207/1a
	nicht	13/2a
die	Nichte, die Nichten	136
	nichts	160
das	Nichts-Sagen (Sg.)	207/1a
	nie	82
der/die	Niederländer/in, die Niederländer / die Niederländerinnen	216/1a
das	Niederländisch (Sg.)	18/2a
	niemals	207/1a
	noch	52
	nördlich	202/2
	normal	108/1a
das	Norwegisch (Sg.)	18/2a
die	Notiz, die Notizen	215
der	Notizblock, die Notizblöcke	98/1a
das	Notizbuch, die Notizbücher	215
der	November (Sg.)	206/2
die	Nudel, die Nudeln	160
die	Nummer, die Nummern	254/1.24
	nur	32/1a
	nutzen, er nutzt, er hat genutzt	70

O

	o. k.	72/1b
das	Obst (Sg.)	160
	oder	28
	oft	32/1a
	ohne	42/2a
der	Oktober (Sg.)	84/1a

die	Olive, die Oliven	54/1a
die	Oma, die Omas	141/1a
der	Onkel, die Onkel	136
der	Online-Supermarkt, die Online-Supermärkte	160
der	Opa, die Opas	141/1a
das	Opernhaus, die Opernhäuser	10
die	Orange, die Orangen	162/1
	orange	192/1a
der	Orangensaft, die Orangensäfte	41
	ordnen, er ordnet, er hat geordnet	13/3
der	Ordner, die Ordner	98/1a
die	Organisation (in dieser Bedeutung: Sg.)	97/4a
	organisieren, er organisiert, er hat organisiert	95
die	Orientierung, die Orientierungen	86/1
der	Ort, die Orte	203
das	Österreich (Sg.)	20/2
	östlich	202/2
das	Outfit, die Outfits	190

P

	paar	180/3a
	packen, er packt, er hat gepackt	215/5
die	Packung, die Packungen	161
das	Paket, die Pakete	28
das	Panorama, die Panoramas	82
der	Papa, die Papas	141/1a
der	Papi, die Papis	141/1a
der	Papierkorb, die Papierkörbe	98/1a
die	Paprika, die Paprikas	161
die	Parade, die Paraden	203
der	Park, die Parks	41
der/die	Partner/in, die Partner / die Partnerinnen	30/2b
die	Party, die Partys	125
der	Pass, die Pässe	64/1a
	passen, es passt, es hat gepasst	46/1
	passieren es passiert, es ist passiert	180/3a
die	Pasta (Sg.)	75/5a
der/die	Patient/in, die Patienten / die Patientinnen	151/3b
die	Pause, die Pausen	14/4b
	perfekt	44/1a
die	Person, die Personen	148
die	Personenanzahl (Sg.)	160
der	Pfeffer, die Pfeffer	164/2a
das	Pferd, die Pferde	214
die	Pflanze, die Pflanzen	98/1a
der/die	Physiotherapeut/in, die Physiotherapeuten / die Physiotherapeutinnen	152/1a

der	Pilz, die Pilze	162/1
die	Pizza, die Pizzas / die Pizzen	56/1a
das	Plakat, die Plakate	14/4a
der	Plan, die Pläne	216/1a
	planen, er plant, er hat geplant	151/3b
das	Planungsbüro, die Planungsbüros	151/3b
der	Platz (Sg.)	215
der	Platz, die Plätze	216/1c
	Platz nehmen, er nimmt Platz, er hat Platz genommen	180/2
der	Podcast, die Podcasts	97/4a
die	Politik, die Politiken	207/1a
das	Polnisch (Sg.)	84/1a
die	Pommes (Frites) (Pl.)	54/1a
das	Portemonnaie, die Portemonnaies	43/4a
das	Portugiesisch (Sg.)	17
	positiv	207/1a
	posten, er postet, er hat gepostet	53
die	Postkarte, die Postkarten	30/2a
die	Postleitzahl, die Postleitzahlen	30/1b
das	Praktikum, die Praktika	150/2a
	praktisch	215
die	Präsentation, die Präsentationen	97/4b
	präsentieren, er präsentiert, er hat präsentiert	179
dies	Praxis, die Praxen	152/1d
	prima	74/2b
	privat	74/2b
	pro	53
	probieren, er probiert, er hat probiert	57/6
das	Problem, die Probleme	28
das	Produkt, die Produkte	203
der/die	Professor/in, die Professoren / die Professorinnen	107
der	Profi, die Profis	182/1b
der	Profi-Fußball (Sg.)	32/1a
die	Profimannschaft, die Profimannschaften	32/1a
das	Programm, die Programme	108/1a
der/die	Programmierer/in, die Programmierer / die Programmiererinnen	95
das	Projekt, die Projekte	97/4b
der/die	Projektmanager/in, die Projektmanager / die Projektmanagerinnen	191
der	Pullover, die Pullover	190
	pünktlich	82
das	Puppentheater, die Puppentheater	202
	putzen, er putzt, er hat geputzt	164/2a

Q

das	Quiz, die Quiz	70

R

das	Rad, die Räder	84/1a
der	Radiergummi, die Radiergummis	14/5
das	Radio, die Radios	108/1a
der	Radtour, die Radtouren	214
der	Raum, die Räume	94/2b
die	Rechnung, die Rechnungen	45/4a
	rechts	85/4b
die	Redaktion, die Redaktionen	148
	reden, er redet, er hat geredet	124
das	Regal, die Regale	98/1a
die	Regel, die Regeln	190
der	Regen, die Regen	206/2
das	Regenwetter (Sg.)	206/3
die	Regenzeit, die Regenzeiten	206/1a
die	Region, die Region	32/2c
	regional	202
	regnen, es regnet, es hat geregnet	204/1b
der	Reis (Sg.)	54/1a
die	Reise, die Reisen	216/1a
der	Reiseführer, die Reiseführer	218/2b
der/die	Reiseführer/in, die Reiseführer / die Reiseführerinnen	82
	reisen, er reist, er ist gereist	215
die	Reisnudel, die Reisnudeln	57/6
	renoviert	124
	reparieren, er repariert, er hat repariert	148
die	Reservierung, die Reservierungen	84/1a
das	Restaurant, die Restaurants	41
das	Rezept, die Rezepte	57/6
	richtig	183/5a
die	Richtung, die Richtungen	86/1a
das	Rind, die Rinder	54/1a
der	Rock, die Röcke	191
	rodeln, er rodelt, er ist gerodelt	108/1a
	rosa	192/1a
das	Rösti (Sg.)	57/5a
	rot	192/1a
das	Rot (Sg.)	192/1b
die	Route, die Routen	215
der	Rücken, die Rücken	178
der	Rucksack, die Rucksäcke	215
die	Rucksacktour, die Rucksacktouren	216/1a
der	Rucksackurlaub, die Rucksackurlaube	215
	rufen, er ruft, er hat gerufen	180/2
	rühren, er rührt, er hat gerührt	164/2a
das	Rumänisch (Sg.)	205/3a
das	Russisch (Sg.)	18/2a

S

der	Saft, die Säfte	42/1d
	sagen, er sagt, er hat gesagt	28

die Sahne, die Sahnen	164/2a
die Salami, die Salamis	160
der Salat, die Salate	54/1a
die Salbe, die Salben	181/5c
der Sale, die Sales	194/1c
das Salz, die Salze	164/2a
sammeln, er sammelt, er hat gesammelt	15/1b
der Samstag, die Samstage	73/5a
die Sandale, die Sandalen	190
der Satz, die Sätze	207/1a
die Sauna, die Saunas/Saunen	182/1b
die S-Bahn, die S-Bahnen	72/1b
scharf	54/2
der Schichtdienst (Sg.)	150/2a
schick	190
schicken, er schickt, er hat geschickt	44/1a
der Schinken, die Schinken	56/1b
der Schirm, die Schirme	204/1b
schlafen, er schläft, er hat geschlafen	70
der Schlafsack, die Schlafsäcke	214
das Schlafzimmer, die Schlafzimmer	126/2a
schlecht	180/3a
schleppen, er schleppt, er hat geschleppt	160
schließen, er schließt, er hat geschlossen	215
schlimm	180/3a
der Schluss (Sg.)	202
der Schlüssel, die Schlüssel	87/1b
schmecken, er schmeckt, er hat geschmeckt	202
der Schmerz, die Schmerzen	181/5c
der Schnee (Sg.)	108/1a
schneiden, er schneidet, er hat geschnitten	164/2a
schneien, es hat geschneit	210/5b
schnell	12/1b
das Schnitzel, die Schnitzel	54/1a
der Schnupfen, die Schnupfen	182/1b
die Schokolade die Schokoladen	10
schon	108/1a
schön	86/2a
der Schrank, die Schränke	126/1a
schreiben, er schreibt, er hat geschrieben	12/4a
der Schreibtisch, die Schreibtische	124
der Schritt, die Schritte	180/3a
der Schuh, die Schuhe	190
die Schule, die Schulen	214
der/die Schüler/in, die Schüler / die Schülerinnen	152/1a
die Schulter, die Schultern	178
schwarz	42/2b
das Schwein, die Schweine	54/1a
das Schweinefleisch (Sg.)	54/3
die Schweiz (Sg.)	10
schwer	128/1a
die Schwester, die Schwestern	136
die Schwimmbrille, die Schwimmbrillen	215
schwimmen, er schwimmt, er ist geschwommen	179
sechsmal	181/7b
der See, die Seen	203
sehen, er sieht, er hat gesehen	82
die Sehenswürdigkeit, die Sehenswürdigkeiten	82
sehr	45/6b
sein, er ist, er war	11/3
seit	32/1a
die Seite, die Seiten	218/4
das Sekretariat, die Sekretariate	96/3
die Sekunde, die Sekunden	71
das Selfie, die Selfies	82
das Semester, die Semester	108/1a
die Semesterferien (Pl.)	206/1a
das Seminar, die Seminare	110/2b
der/die Senior/in, die Senioren / die Seniorinnen	149
das Seniorenheim, die Seniorenheime	149
der September (Sg.)	106
der Sessel, die Sessel	124
setzen, er setzt, er hat gesetzt	215
shoppen, er shoppt, er hat geshoppt	160
die Shorts (Pl.)	190
die Show-Küche, die Show-Küchen	164/1
sicher	195/3a
siegen, er siegt, er hat gesiegt	70
der/die Sieger/in, die Sieger / die Siegerinnen	70
die Situation, die Situationen	207/1a
sitzen, er sitzt, er hat gesessen	215
das Skateboard, die Skateboards	180/3a
der Ski, die Ski	106
Ski fahren, er fährt Ski, er ist Ski gefahren	106
slacken, er slackt, er hat geslackt	178
die Slackline, die Slacklines	178
der Smalltalk, die Smalltalks	207/1a
der Snack, die Snacks	161
das Snowboard, die Snowboards	109/3a
snowboarden, er snowboardet, er ist/hat gesnowboardet	107
so	28
das Sofa, die Sofas	124
der Sohn, die Söhne	136
sollen, er soll, er sollte	181/5a
der Sommer, die Sommer	17
die Sommerferien (Pl.)	203

das Sommerfest, die Sommerfeste	202
die Sonne, die Sonnen	204/2b
die Sonnenbrille, die Sonnenbrillen	218/2b
sonnig	204/2b
der Sonntag, die Sonntage	70
die Sorge, die Sorgen	178
sorry	29
der Sound, die Sounds	215
das Souvenir, die Souvenirs	215
die Spaghetti, die Spaghetti	70
das Spanisch (Sg.)	17
der Spargel, die Spargel	202
der/die Spargelkönig/in, die Spargelkönige / die Spargelköniginnen	202
die Spargelsaison, die Spargelsaisons	202
der Spaß (Sg.)	178
spät	73/4
später	50
die Spätschicht, die Spätschichten	150/2a
spazieren gehen, er geht spazieren, er ist spazieren gegangen	182/1b
die Speisekarte, die Speisekarten	54/1a
die Spezialität, die Spezialitäten	57/5a
das Spiel, die Spiele	66/1
spielen, er spielt, er hat gespielt	20/2
der/die Spieler/in, die Spieler / die Spielerinnen	32/1a
spontan	216/1a
der Sport (Sg.)	11
das Sportangebot, die Sportangebote	108/1a
die Sportart, die Sportarten	183/5a
der Sportkurs, die Sportkurse	183/5a
der/die Sportler/in, die Sportler / die Sportlerinnen	178
sportlich	191
das Sportprogramm, die Sportprogramme	108/1a
die Sportsachen (Pl.)	183/5a
die Sportsalbe, die Sportsalben	181/7b
der/die Sportstudent/in, die Sportstudenten / die Sportstudentinnen	107
der/die Sportstudierende, die Sportstudierenden	107
der Sporttermin, die Sporttermine	183/5a
der Sportverein, die Sportvereine	207/2a
die Sportverletzung, die Sportverletzungen	179
die Sprache, die Sprachen	17
sprechen, er spricht, er hat gesprochen	13/3
die Spüle, die Spülen	126/1a
die Stadt, die Städte	19/5a
der Stadtpark, die Stadtparks	85/4a
das Stadtzentrum, Stadtzentren	107
der Start, die Starts	84/1a
das Start-up die Start-ups	190
stattfinden, es findet statt, es hat stattgefunden	70

das Steak, die Steaks	54/1a
stehen, er steht, er hat gestanden	99/2a
der Stein, die Steine	150/2a
der Steinpilz, die Steinpilze	164/2a
der Stiefel, die Stiefel	193/4a
der Stift, die Stifte	98/1a
stimmen, es stimmt, es hat gestimmt	55/4b
stören, er stört, er hat gestört	215
der Strand, die Strände	215
die Straße, die Straßen	30/1b
die Straßenkarte, die Straßenkarten	214
das Streetfood, die Streetfoods	57/6
der Streit, die Streite	207/1a
der Stress (Sg.)	28
stressig	140/1e
das Stück, die Stücke	160
studieren, er studiert, er hat studiert	41
der/die Student/in, die Studenten / die Studentinnen	107
der/die Studierende, die Studierenden	17
das Studium (Sg.)	107
der Stuhl, die Stühle	14/4a
die Stunde, die Stunden	70
der Sturm, die Stürme	206/2
suchen, er sucht, er hat gesucht	160
südlich	202/2
südwestlich	202
super	44/1a
der Supermarkt, die Supermärkte	86/2a
die Suppe, die Suppen	55/4b
das Sushi, die Sushis	52
süß	54/2

T

das Tablet, die Tablets	98/1a
die Tablette, die Tabletten	181/5c
die Tafel, die Tafeln	13/1a
der Tag, die Tage	70
das Tamil (Sg.)	205/3a
die Tante, die Tanten	136
der Tanz, die Tänze	203
tanzen (gehen), er geht tanzen, er ist tanzen gegangen	106
der Tanzkurs, die Tanzkurse	106
die Tasche, die Taschen	14/4a
das Taschenmesser, die Taschenmesser	10
die Tastatur, die Tastaturen	98/1a
die Technik, die Techniken	11
der Tee, die Tees	40
teilen, er teilt, er hat geteilt	125
der/die Teilnehmer/in, die Teilnehmer / die Teilnehmerinnen	203

das Telefon (Tel.), die Telefone	98/1a
telefonieren, er telefoniert, er hat telefoniert	12/3a
die Telefonkonferenz, die Telefonkonferenzen	73/5d
das Tempo, die Tempi	28
das Tennis (Sg.)	107
der Teppich, die Teppiche	124
der Termin, die Termine	72/1b
das Terminal, die Terminals	219/1b
der Test, die Tests	75/3b
teuer	128/1a
der Text, die Texte	13/3
der Textmarker, die Textmarker	14/4a
das Thai (Sg.)	17
das Theater, die Theater	85/4c
die Theater-Bühne, die Theater-Bühnen	203
das Thema, die Themen	53
das Ticket, die Tickets	218/2b
das Tier, die Tiere	52
das Tiny House, die Tiny Houses	129/1a
der Tipp, die Tipps	83
der Tisch, die Tische	14/4a
die Tischdekoration, die Tischdekorationen	164/1
die Tochter, die Töchter	124
das Tofu (Sg.)	54/1a
die Toilette, die Toiletten	96/1b
toll	41
die Tomate, die Tomaten	54/1a
die Tomatensuppe, die Tomatensuppen	54/1a
der/die Torwart/Torwartin, die Torwarte/ die Torwartinnen	32/1a
total	52
die Tour, die Touren	82
die Tourismusbranche, die Tourismusbranchen	214
der/die Tourist/in, die Touristen / die Touristinnen	82
tragen, er trägt, er hat getragen	178
der/die Trainer/in, die Trainer / die Trainerinnen	32/1a
trainieren, er trainiert, er hat trainiert	108/1a
das Training (Sg.)	32/1a
die Trainingsmöglichkeit, die Trainingsmöglichkeiten	179
der Transport, die Transporte	10
der Traum, die Träume	216/1a
treffen (sich), er trifft (sich), er hat (sich) getroffen	82
das Treffen, die Treffen	148
der Treffpunkt, die Treffpunkte	83
der Trend, die Trends	129/1c
der Trendsport (Sg.)	178
der Trick, die Tricks	178

trinken, er trinkt, er hat getrunken	42/1b
die Trockenzeit, die Trockenzeiten	206/1a
tschüss	29
das T-Shirt, die T-Shirts	178
tun, er tut, er hat getan	95
die Tür, die Türen	14/4a
türkis	192/1a
das Türkisch (Sg.)	20/2
der Turnschuh, die Turnschuhe	191
typisch	32/1a

U

die U-Bahn, die U-Bahnen	82/2a
üben, er übt, er hat geübt	178
über	70
überall	41
überlegen, er überlegt, er hat überlegt	150/2a
übernachten, er übernachtet, er hat übernachtet	216/1a
die Übung, die Übungen	152/1a
die Uhr, die Uhren	14/4a
um	72/1b
umsteigen, er steigt um, er ist umgestiegen	85/3
und	12/3a
der Unfall, die Unfälle	180/3a
unhöflich	207/1a
die Universität, die Universitäten	82
unmöglich	193/5a
unter	99/2a
untersuchen, er untersucht, er hat untersucht	151/3b
unterwegs	82
der/die Urenkel/in, die Urenkel / die Urenkelinnen	137
der Urlaub, die Urlaube	207/1a
der USB-Stick, die USB-Sticks	87/1b

V

der Vater, die Väter	137
der/die Vegetarier/in, die Vegetarier/ die Vegetarierinnen	204/1b
vegetarisch	52
das Verb, die Verben	13/1a
vergessen, er vergisst, er hat vergessen	207/1b
vergleichen, er vergleicht, er hat verglichen	194/1c
verheiratet	137
verkaufen, er verkauft, er hat verkauft	148
der/die Verkäufer/in, die Verkäufer / die Verkäuferinnen	163/4b
der Verkehr (Sg.)	271/1.23

das **Verkehrsmittel**, die Verkehrsmittel	84/2a
die **Verletzung**, die Verletzungen	179
verschicken, er verschickt, er hat verschickt	150/2a
der/die **Versicherte**, die Versicherten	180/LaKu
die **Versichertenkarte**, die Versichertenkarten	180/LaKu
die **Verstauchung**, die Verstauchungen	181/5c
verstehen, er versteht, er hat verstanden	13/2a
viel	17
Vielen Dank!	57/6
vielleicht	55/4b
das **Viertel**, die Viertel	72/3a
viertel	162/1
das **Vietnamesisch** (Sg.)	18/2a
das **Vitamin**, die Vitamine	182/1b
die **Volkshochschule**, die Volkshochschulen	107
das **Volleyball** (Sg.)	217/2
das **Vollkornbrot**, die Vollkornbrote	160
von	43/4a
vor	72/3a
vorbereiten, er bereitet vor, er hat vorbereitet	97/4b
der **Vormittag**, die Vormittage	74/1a
der **Vorname**, die Vornamen	19/5a
die **Vorspeise**, die Vorspeisen	54/1a
der **Vorteil**, die Vorteile	160

W

wählen, er wählt, er hat gewählt	138/1a
der **Wald**, die Wälder	214
die **Wand**, die Wände	99/2a
wandern (gehen) er geht wandern, er ist wandern gegangen	107
wann	52
warm	108/1a
warten, er wartet, er hat gewartet	180/2
das **Wartezimmer**, die Wartezimmer	180/2
warum	41
was	11/4
waschen, er wäscht, er hat gewaschen	149
das **Wasser** (Sg.)	41
weggehen, er geht weg, er ist weggegangen	75/3b
weglegen, er legt weg, er hat weggelegt	183/5a
wehtun, es tut weh, es hat wehgetan	180/3a
der **Wein**, die Weine	75/5a
das **Weinfest**, die Weinfeste	203
die **Weintraube**, die Weintrauben	162/1

weiß, er weiß, er hat gewusst	178
das **Weißbrot**, die Weißbrote	163/5a
die **Weißwurst**, die Weißwürste	161
weit	86/2a
weiterfahren, er fährt weiter, er ist weitergefahren	85/4a
weiterreisen, er reist weiter, er ist weitergereist	216/1a
welcher, welches, welche	18/1a
das **Weltmusikfest**, die Weltmusikfeste	203
wenig	28
wer	17
werden, er wird, er ist geworden	204/1b
werfen, er wirft, er hat geworfen	178
die **Werkstatt**, die Werkstätten	148
westlich	202/2
das **Wetter** (Sg.)	203
wichtig	95
wie	12/4a
wie viel Uhr	71/1
wie viel (Menge)	166/3b
wieder	93/1
wiederholen, er wiederholt, er hat wiederholt	13/1a
wiederkommen, er kommt wieder, er ist wiedergekommen	181/7b
willkommen	33/3a
der **Winter**, die Winter	107
der **Wintersport** (Sg.)	10
der **Wintersportfan**, die Wintersportfans	108/1a
wissen, er weiß, er hat gewusst	55/1a
wo	11/4
die **Woche**, die Wochen	32/1a
das **Wochenende**, die Wochenenden	73/5d
woher	17
wohin	216/1a
wohnen, er wohnt, er hat gewohnt	17
die **Wohngemeinschaft/WG**, die Wohngemeinschaften / die WGs	125
der **Wohnort**, die Wohnorte	21/7
die **Wohnung**, die Wohnungen	124
das **Wohnzimmer**, die Wohnzimmer	124
die **Wolke**, die Wolken	204/2b
wollen, er will, er wollte	178
das **Wort**, die Wörter	13/3
das **Wörterbuch**, die Wörterbücher	192/1a
der **Wunsch**, die Wünsche	162/3a
wünschen, er wünscht, er hat gewünscht	163/4b
die **Wurst**, die Würste	160
das **Würstchen**, die Würstchen	204/1b

Y

das	Yoga (Sg.)	106

Z

die	Zahl, die Zahlen	31/1
	zahlen, er zahlt, er hat gezahlt	45/4b
	zählen, er zählt, er hat gezählt	183/5a
	zeigen, er zeigt, er hat gezeigt	95
die	Zeit, die Zeiten	28
die	Zeitung, die Zeitungen	127/5b
das	*Zelt, die Zelte*	204/1b
	zelten, er zeltet, er hat gezeltet	214
der	*Zeltplatz, die Zeltplätze*	214
der	Zentimeter, die Zentimeter	178
das	Zentrum, Zentren	108/1a
die	*Ziege, die Ziegen*	214
das	Ziel, die Ziele	178
	ziemlich	108/1a
das	Zimmer, die Zimmer	124
der	Zoo, die Zoos	82
	zu	75/3b
	zu Fuß	82
	zu Hause	110/2b
die	*Zucchini, die Zucchinis*	162/1
der	Zucker, die Zucker	42/2a
	zuerst	164/2c
der	Zug, die Züge	82
	zuhören, er hört zu, er hat zugehört	207/1a
	zum Beispiel	57/6
	zum Glück!	57/6
	zum Schluss	164/2c
das	*Zumba (Sg.)*	179
	zuordnen, er ordnet zu, er hat zugeordnet	13/2b
	zurück	45/4b
	zusammen	108/1a
der/die	*Zuschauer/in, die Zuschauer / die Zuschauerinnen*	178
der	*Zusteller, die Zusteller / die Zustellerinnen*	28
die	Zutat, die Zutaten	160
die	Zwiebel, die Zwiebeln	162/1
	zwischen	99/2a

Bildquellen

Cover: Copyright/Rosendahl, Daniel Meyer; **U2:** Cornelsen/Carlos Borrell Eiköter; **U3:** Cornelsen/Dieter Seidensticker; **U4:** Cornelsen/Rosendahl Berlin, Agentur für Markendesign; **S.5** (Fimstill 1 und 2): Cornelsen/I LIKE VISUALS, Berlin; (Filmstill 3): © DW.com/nico; (Badge Apple-Store): Apple Inc. - IP & Licensing; (Bage Google App-Store): Google Ireland Ltd.; **S.6** (Start): Cornelsen/I LIKE VISUALS, Berlin; (1): Shutterstock.com/LaMiaFotografia; (2): Shutterstock.com/akf ffm; (3): Cornelsen/Daniel Meyer; **S.7** (4): stock.adobe.com/Guerilla; (5): Shutterstock.com/ Santi Rodriguez; (6): Cornelsen/Daniel Meyer; (7): Shutterstock.com/G-Stock Studio; (8): Shutterstock.com/Val Thoermer; **S.8** (9): Shutterstock.com/Photographee.eu; (10): Shutterstock.com/fizkes; (11): Shutterstock.com/Robert Kneschke; (12): Cornelsen/I LIKE VISUALS, Berlin; (13): Shutterstock.com/Jacob Lund; **S.9** (14): stock.adobe.com/DisobeyArt; (15): stock.adobe.com/allessuper_1979; (16): Shutterstock.com/Billion Photos; **S.10/11** (Hintergrund): Shutterstock.com/Evgeny Karandaev; **S.10** (Alster): Shutterstock.com/Bildagentur Zoonar GmbH; (Damen im Dirndl): Shutterstock.com/Kzenon; (Deutsches Museum): Bridgeman Images// SZ Photo/Alessandra Schellnegger; (Elbphilharmonie): Shutterstock.com/sunfun; (Englischer Garten): mauritius images/alamy stock photo/Blueberg; (Hamburger Hafen): stock.adobe.com/powell83; (Icons): Shutterstock.com/Ali Graphics Resources; (Icons): Shutterstock.com/ksenvitaln; (Matterhorn): Shutterstock.com/Vaclav Volrab; (Mozart-Kugel): StockFood/Brachat, Oliver; (Mozart-Statue): Shutterstock.com/YMZK-Photo; (Münchener Opernhaus): stock.adobe.com/Zechal; (Salzburg): Shutterstock.com/Rastislav Sedlak SK; (Schokolade/Milch): Shutterstock.com/Alexander Chaikin; (Taschenmesser): Shutterstock.com/Billion Photos; (Wintersport): Shutterstock.com/gorillaimages; **S.11** (Zahnrad-Icons): Shutterstock.com/ davooda; (Barren-Icons): Shutterstock.com/Noch; (Gitarren-Icons): Shutterstock.com/zcreamz11; (Ball-Icons): Shutterstock.com/zcreamz11; **S.12** (Mitte links): Shutterstock.com/Dean Drobot; (Mitte rechts): Shutterstock.com/sirtravelalot; **S.13** (oben): Cornelsen/Thomas Schulz; **S.14** (unten): Shutterstock.com/Mega Pixel; **S.16** (Icons): Shutterstock.com/Dikas Space; (oben links): Shutterstock.com/LaMiaFotografia; (oben rechts): Shutterstock.com/franz12; (unten): Cornelsen/I LIKE VISUALS, Berlin; **S.17** (Filmstills oben): Cornelsen/I LIKE VISUALS, Berlin; (Screenshot unten): Cornelsen/Inhouse; **S.18** (Agnieszka): Shutterstock.com/WAYHOME studio; (Andrea): Shutterstock.com/Cookie Studio; (Louis): Shutterstock.com/WAYHOME studio; (Magnus): Shutterstock.com/Cookie Studio; (oben): Shutterstock.com/Dean Drobot; (Thijs): Shutterstock.com/Cookie Studio; (Verena): Shutterstock.com/WAYHOME studio; (Flagge Dänemark): Shutterstock.com/dikobraziy; (Flagge Frankreich): Shutterstock.com/dikobraziy; (Flagge Niederlande): Shutterstock.com/dikobraziy; (Flagge Polen): Shutterstock.com/dikobraziy; (Flagge Schweiz): Shutterstock.com/dikobraziy; (Flagge Tschechien): Shutterstock.com/dikobraziy; **S.19** (Marco): Cornelsen/I LIKE VISUALS, Berlin; (Mariana): Cornelsen/I LIKE VISUALS, Berlin; (Karim): stock.adobe.com/Djomas; (Dorli): Shutterstock.com/WAYHOME studio; (Enrico): Shutterstock.com/Rido; (Karte Schweiz): Shutterstock.com/dikobraziy; **S.20** (Mitte): Shutterstock.com/Tyler Olson; (unten Würfel): Shutterstock.com/EngineerGoesCreative; **S.22** (alle Filmstills): Cornelsen/I LIKE VISUALS, Berlin; **S.23** (Flagge Frankreich): Shutterstock.com/dikobraziy; (Flagge Luxemburg): Shutterstock.com/dikobraziy; (Flagge Schweiz): Shutterstock.com/dikobraziy; (Flagge Thailand): shutterstock.com/admin_design; (Flagge Brasilien): shutterstock.com/admin_design; (Flagge Tschechien): shutterstock.com/admin_design; (Flagge Polen): Shutterstock.com/dikobraziy; (Flagge Niederlande): Shutterstock.com/dikobraziy; (Flagge Neuseeland): shutterstock.com/admin_design; (Flagge Iran): Shutterstock.com/Vladimir Sviracevic; **S.25** (Mitte): Shutterstock.com/William Perugini; (oben): wortwolken.com/Cornelsen; **S.26** (Mitte): Shutterstock.com/sirtravelalot; **S.28** (Hund): Shutterstock.com/Happy monkey; (Icons): Shutterstock.com/Ali Graphics Resources; (Paketschein): © DHL Paket 2019; (Postbote im Hintergrund): Cornelsen/I LIKE VISUALS, Berlin; **S.30** (Briefkasten): stock.adobe.com/Bernd Jürgens/Bernd; (Briefumschlag): Cornelsen/Inhouse; (Paketband): Shutterstock.com/alphaspirit; (Postkarte): Shutterstock.com/Callahan; **S.31** (Flagge UK): Shutterstock.com/dikobraziy; (Flagge Türkei): Shutterstock.com/dikobraziy; (Flagge Frankreich): Shutterstock.com/dikobraziy; (Flagge Deutschland): Shutterstock.com/dikobraziy; (unten rechts): Shutterstock.com/Roman Samborskyi; **S.32** (Lucien Favre): Imago Sportfotodienst GmbH/Thomas Bielefeld; (Lukasz Piszczek): imago images/Team 2; (Mahmoud Dahoud): Imago Sportfotodienst GmbH/ Mika Volkmann; (Marco Reuss): dpa Picture-Alliance/Fotostand; (Paco Alcaccer): dpa Picture-Alliance/Jens Niering; (Roman Bürki): imago images/Team 2; **S.32** (Klingelschilder): Shutterstock.com/Johannes Roovers; **S.33** (unten): Shutterstock.com/Monkey Business Images; **S.34** (Filmstills): Cornelsen/I LIKE VISUALS, Berlin; **S.35** (1): Shutterstock.com/smileimage9; (2): Shutterstock.com/Rido; (3): stock.adobe.com/Bernd Jürgens/Bernd; (4): Shutterstock.com/slava17; (5): Cornelsen/Inhouse; (6): Shutterstock.com/Rido; (Paketschein): © DHL Paket 2019; **S.37** (oben rechts): Shutterstock.com/Dmytro Zinkevych; **S.38** (Mitte): Shutterstock.com/Djomas; **S.30:** Cornelsen/Daniel Meyer; **S.31** (Brille): Shutterstock.com/Kaissa; (Eistee): Shutterstock.com/Nitr; (Emoji): Shutterstock.com/olessya.g; (Kaffee-Icon): Shutterstock.com/Noch; (Kopfhörer): Shutterstock.com/Petrovic Igor; (Laptop-Icon): Shutterstock.com/zcreamz11; (Orangensaft): Shutterstock.com/baibaz; (Wasser): Shutterstock.com/Mariyana M; (Mann): Cornelsen/I LIKE VISUALS, Berlin; (Frau): Cornelsen/I LIKE VISUALS, Berlin; **S.32** (Filmstills Aufgabe 1 und 2): Cornelsen/I LIKE VISUALS, Berlin; (Löffel mit viel Zucker): Shutterstock.com/Picsfive; (Löffel mit wenig Zucker): Shutterstock.com/Picsfive; (Löffel): Shutterstock.com/onair; **S.33** (Apfelsaft): Shutterstock.com/Seregam; (Apfelsaft-Flasche): Shutterstock.com/gresei; (Espresso): Shutterstock.com/krolya25; (Kaffee): Shutterstock.com/topseller; (oben links): Cornelsen/I LIKE VISUALS, Berlin; (oben Mitte): Cornelsen/I LIKE VISUALS, Berlin; (oben rechts): Cornelsen/I LIKE VISUALS, Berlin; **S.35** (Aufgabe 4b Filmstills): Cornelsen/I LIKE VISUALS, Berlin; (Fuchs-Emoji): Shutterstock.com/josep perianes jorba; (Hand-Emoji): Shutterstock.com/Cosmic_Design; oben: Cornelsen /Inhouse; **S.36** (Mitte): Shutterstock.com/RossHelen; (oben links): Cornelsen/I LIKE VISUALS, Berlin; (oben rechts): Cornelsen/I LIKE VISUALS, Berlin; **S.37** (oben links): Shutterstock.com/Mangostar; (oben rechts): Shutterstock.com/stockfour; (unten): Cornelsen/I LIKE VISUALS, Berlin; **S.38** (Cola): Shutterstock.com/Borka Kiss; (Daumen-Emoji): Shutterstock.com/Giamportone; (Eistee): Shutterstock.com/Andrei Mayatnik; (Latte Macchiato): Shutterstock.com/stockcreations; (Mitte; Mineralwasser und Kaffee): Shutterstock.com/Lorelyn Medina; (oben; Kaffee): Shutterstock.com/stockcreations; (oben; Mineralwasser): Shutterstock.com/YDG; (Orangensaft): Shutterstock.com/Bowling_y; **S.39** (1): Shutterstock.com/OrangeVector; (2): Shutterstock.com/FotomanufakturZ; (3): Shutterstock.com/Blue Lemon Photo; (4): Shutterstock.com/Markus Mainka; (5): Shutterstock.com/TerraceStudio; (6): Shutterstock.com/Goran Bogicevic; (7): Shutterstock.com/topseller; (8): Shutterstock.com/Akugasahagy; (oben): Shutterstock.com/Dean Drobot; **S.50** (Daumen-Emoji): Shutterstock.com/Giamportone; (Kronen-Emoji): Shutterstock.com/Yuliia Moiseeva; (Mitte): Shutterstock.com/wavebreakmedia; (oben): Shutterstock.com/SG SHOT; (Zwinker-Emoji): Shutterstock.com/olessya.g; (Zwinker-Emoji): Shutterstock.com/olessya.g; **S.52** (Doppelseite/Hintergrund): stock.adobe.com/Guerilla; (Kaffee-Tasse): Shutterstock.com/Denny Hartanto; (Reisebea): stock.adobe.com/Guerilla; (Smiley): Shutterstock.com/olessya.g; **S.53** (Eiscreme-Icon): Shutterstock.com/Noch; **S.54** (Curry): Shutterstock.com/Christin Klose, (Currywurst): Shutterstock.com/KarepaStock; (Fisch-Gericht): Shutterstock.com/a9photo; (Hähnchen-Gericht): Shutterstock.com/hlphoto; (Hamburger): Shutterstock.com/Elena Shashkina; (Kuchen): Shutterstock.com/Sann von Mai; (Salat): Shutterstock.com/Valery121283; (Schnitzel): stock.adobe.com/ExQuisine; (Steak): Shutterstock.com/PhotoEd; (Tomatensuppe): Shutterstock.com/Mark McElroy; (Zungen-Emoji): Shutterstock.com/Dmytro Onopko; **S.55** (Fisch-Emoji): Shutterstock.com/goodluz; **S.56** (Mitte): Shutterstock.com/DronG; **S.57** (A): Shutterstock.com/fotoping; (B): Shutterstock.com/hlphoto; (C): Shutterstock.com/Fanfo; (Mitte): Shutterstock.com/KYTan; (unten rechts): Shutterstock.com/AJR_photo; **S.58** (Unten): Shutterstock.com/Anatoly Tiplyashin; **S.59** (Mitte): Cornelsen/I LIKE VISUALS, Berlin; **S.60** (Mitte): Shutterstock.com/Macrovector; **S.61** (oben): stock.adobe.com/EdNurg; (unten): Shutterstock.com/stockcreations; **S.62** (Emma): Shutterstock.com/Pressmaster; (Karla): Shutterstock.com/lenetstan; (Ramen): Shutterstock.com/Anna_Pustynnikova; (Seetangsalat): Shutterstock.com/Tina0000; (Sushi): Shutterstock.com/Katerinina; (Timo): Shutterstock.com/Jack Frog; **S.64** (alle Filmstills): © DW.com/nico; **S.65** (Aufgabe 3; Bild 1- 3): © (DW.com/nico); (DW-Logo): DW Deutsch lernen. Kostenlos Deutsch lernen mit der DW. Nutzen Sie Texte, Audios, Videos und interaktive Übungen auf dw.com/deutschlernen; (Nawin): © DW.com/nico; (Pizza-Karton): Shutterstock.com/Enmaler; (Selma): © DW.com/nico; **S.66** (2): Shutterstock.com/MaDedee; (3): Shutterstock.com/4zevar; (4): Shutterstock.com/StockImageFactory.com; (Kaffee-Tasse): Shutterstock.com/Denny Hartanto; (Mitte): Shutterstock.com/antoniodiaz; **S.68:** Shutterstock.com/AnnieBrusnika; **S.69** (Ferkel): Shutterstock.com/Olia Kirnos; (Klekse): Shutterstock.com/Undrey; **S.70** (Armbanduhr): Shutterstock.com/L Mirror; (Handy): Shutterstock.com/Alexey Boldin; (Marathon-Bild): ©SCC EVENTS/camera4; **S.71** (oben): Shutterstock.com/Ali Graphics Resources; **S.73** (Terminkalender): Shutterstock.com/mattasbestos; (Uhren): stock.adobe.com/panimoni; **S.74** (unten): stock.adobe.com/moodboard; **S.75** (Alice): Shutterstock.com/Cookie Studio; (Murat): Shutterstock.com/WMaireche; (Pizza-Emoji): Shutterstock.com/Aratehortua; (Rotwein-Emoji): Shutterstock.com/orbitoclast; (Tulpen-Emoji): Shutterstock.com; **S.76** (a): Shutterstock.com/Mangostar; (b): Shutterstock.com/d13; (c): Shutterstock.com/PPC Photography Cologne; **S.77** (Uhr ganz rechts): Shutterstock.com/Syda Productions; **S.79** (Paket-Icon): Shutterstock.com/Ali Graphics Resources; **S.80** (oben rechts): Cornelsen/I LIKE VISUALS, Berlin; (unten links): Shutterstock.com/Ashwin; (unten rechts): Shutterstock.com/stockyimages; **S.82** (Gruppenselfie): Cornelsen/Daniel Meyer; (Icons): Shutterstock.com/PiconsMe; S.83 (Glaskuppel Reichstag): Deutscher Bundestag/Axel Hartmann; (Potsdamer Platz): Shutterstock.com/frank_peters; (Weltzeituhr): Shutterstock.com/ Santi Rodriguez; (Museumsinsel): Shutterstock.com/canadastock; (Fernsehturm): Shutterstock.com/canadastock; (Checkpoint Charlie): Shutterstock.com/D.Bond; **S.84** (A): Shutterstock.com/canadastock; (B): Shutterstock.com/lunamarina; **S.84** (C): Shutterstock.com/Ziye; (D): Deutsche Bahn AG / Volker Emersleben; (Fahrradfahrer): Shutterstock.com/Andrew Rybalko; **S.85** (oben Mitte): Cornelsen/Daniel Meyer; **S.86** (rechts): © OpenStreetMap-Mitwirkende (CC BY-SA) /openstreetmap.org; **S.87** (Brille): Shutterstock.com/nokkaew; (Bücherstapel): Shutterstock/studiovin; (Schlüsselbund): Shutterstock.com/BonD80; (Smartphone): Shutterstock.com/MaDedee; (USB-Stick): Shutterstock.com/Anton Starikov; **S.88** (1): Cornelsen/Daniel Meyer; (2): Cornelsen/Daniel Meyer; (3): Deutscher Bundestag/Stephan Erfurt; (4): Cornelsen/Daniel Meyer; (Berliner Dom): Shutterstock.com/D.Bond; (Daumen-Emoji): Cornelsen/Kirsten Höcker; **S.89** (1): Shutterstock.com/nikiteev_konstantin; (2): Shutterstock.com/Katsiaryna Pleshakova; (3): Shutterstock.com/nikiteev_konstantin; (4): Shutterstock.com/Katsiaryna Pleshakova; (5): Shutterstock.com/nikiteev_konstantin; (6): Shutterstock.com/Katsiaryna Pleshakova; **S.90** (Männchen-Icon): Shutterstock.com/Powerful Design; (oben links): Cornelsen/I LIKE VISUALS, Berlin; **S.92** (Brille): Shutterstock.com/nokkaew; (Bücherstapel): Shutterstock/studiovin; (Schlüsselbund): Shutterstock.com/BonD80; (Smartphone): Shutterstock.com/MaDedee; **S.94** (Bibliothek): Shutterstock.com/Monkey Business Images; (Doppelseite Hintergrund): Shutterstock.com/G-Stock

Studio; (Küche): stock.adobe.com/Kzenon; **S.95** (Empfangshalle): Shutterstock.com/Monkey Business Images; (Erik Schulte): Cornelsen/I LIKE VISUALS, Berlin; (Kantine): Shutterstock.com/szefei; (Konferenzraum): Shutterstock.com/G-Stock Studio; (Kopierraum): Shutterstock.com/A_stockphoto; (Laptop-Icon): Shutterstock.com/zcreamz11; (Patrizia Henna): Cornelsen/I LIKE VISUALS, Berlin; **S.97** (1): Shutterstock.com/g-stockstudio; (2): Shutterstock.com/Monkey Business Images; (3): Shutterstock.com/nullplus; (Matias Gomez): Shutterstock.com/Marjan Apostolovic; (Pinnwannd): Shutterstock.com/donatas1205, **S.98:** Cornelsen/Daniel Meyer, (Wandbild)Rose Smith-Dammé; **S.99** (1): Shutterstock.com/Devenorr; (2): Shutterstock.com/LightField Studios; (3): Shutterstock.com/Photographee.eu; (4): Shutterstock.com/DenisNata; (Mitte rechts): Cornelsen/Daniel Meyer; **S.100** (a): Shutterstock.com/Steven Belanger; (b): Shutterstock.com/herjua; (c): Shutterstock.com/wavebreakmedia; (d): Shutterstock.com/Anatoliy Karlyuk; (e): Shutterstock.com/sedat seven; (f): Shutterstock.com/ImageFlow; (g): Shutterstock.com/Monkey Business Images; (h): Shutterstock.com/Sashkin; (i): Shutterstock.com/Yentafern; **S.101** (oben): Cornelsen/I LIKE VISUALS, Berlin; **S.103** (1): Shutterstock.com/JHENG YAO; (2): Shutterstock.com/Antoha713; (3): Shutterstock.com/valzan; (4): Shutterstock.com/Photographee.eu; (5): Shutterstock.com/Studio KIWI; (6): Shutterstock.com/chainarong06; (A): Shutterstock.com/Matej Kastelic; (B): Shutterstock.com/Daniel M Ernst; (C): Shutterstock.com/bokan; **S.104** (unten): Shutterstock.com/Photographee.eu; **S.106** (Fußball spielen): Shutterstock.com/matimix; (Gitarre spielen): Shutterstock.com/Dean Drobot; (Handlettering): Shutterstock.com/Dalibor Co; (klettern): Shutterstock.com/Poprotskiy Alexey; (Skifahren): Shutterstock.com/Val Thoermer; (tanzen): Shutterstock.com/Africa Studio; (Yoga machen): Shutterstock.com/Photographee.eu; **S.107** (Altstadt von Innsbruck): Shutterstock.com/xbrchx; (Baum-Icon): Shutterstock.com/Babka; (Gittarre-Icon): Shutterstock.com/zcreamz11; (Hungerburgbahn): Shutterstock.com/S-F; (Panorama): stock.adobe.com/saiko3p; (Studenten): Shutterstock.com/Gorodenkoff; **S.108** (Felix): stock.adobe.com/WavebreakmediaMicro; (Figln): Shutterstock.com/Bilanol; (Paul): Shutterstock.com/Stokkete; (Tamara): Shutterstock.com/nd3000; (Larissa): Cornelsen/I LIKE VISUALS, Berlin; **S.109** (unten): Shutterstock.com/Dean Drobot; **S.110** (unten): stock.adobe.com/Seventyfour; **S.111** (oben): Cornelsen/Inhouse; **S.113** (Mitte): Shutterstock.com/Stock-Asso; **S.114** (oben rechts): Shutterstock.com/George Rudy; **S.115** (Mitte): Shutterstock.com/Proxima Studio; **S.116** (Mitte): Shutterstock.com/Rastislav Sedlak SK; (oben): Cornelsen/I LIKE VISUALS, Berlin; **S.118** (Fisch mit Gemüse): Shutterstock.com/gkrphoto; (links): © DW.com/nico; (Linsensuppe): Shutterstock.com/Irina Bg; (oben rechts): © DW.com/nico; (Roulade): Shutterstock.com/juefraphoto; (unten): © DW.com/nico; **S.119** (Angeln): Shutterstock.com/ALEX_UGALEK; (Fahrrad fahren): Shutterstock.com/Daxiao Productions; (Filmstills im Filmstreifen unten): © DW.com/nico; (Filmstreifen): Shutterstock.com/Simbert Brause; (Fußball spielen): Shutterstock.com/ESB Professional; (Grill-Icon): Shutterstock.com/Artco; (Logo): DW Deutsch lernen. Kostenlos Deutsch lernen mit der DW. Nutzen Sie Texte, Audios, Videos und interaktive Übungen auf dw.com/deutschlernen; (tanzen): Shutterstock.com/Stefania Rossitto; **S.122** (oben): Shutterstock.com/pimlena; (unten): Shutterstock.com/HRYN TETIANA; **S.123** (oben): stock.adobe.com/yanaboyko; (unten): Shutterstock.com/Cincinart; **S.124** (Familie oben): Shutterstock.com/fizkes; (Pärchen unten): Cornelsen/I LIKE VISUALS, Berlin; (Wohnzimmer oben): Shutterstock.com/Photographee.eu; (Wohnzimmer unten): Cornelsen/I LIKE VISUALS, Berlin; **S.125** (Icons): Shutterstock.com/Vadim Almiev; (Mitte): stock.adobe.com/contrastwerkstatt; (Wohnzimmer oben): Shutterstock.com/Photographee.eu; (Wohnzimmer unten): Shutterstock.com/Dr Project; **S.126** (oben links): stock.adobe.com/Christian Hillebrand/Christian; (unten rechts): Shutterstock.com/Baloncici; **S.128** (alte Lampe): Shutterstock.com/Steinar; (Doppelbett): Shutterstock.com/Dima Moroz; (dunkler Schrank): Shutterstock.com/onsuda; (Einzelbett): Shutterstock.com/Ljupco Smokovski; (großer Tisch): Shutterstock.com/donatas1205; (heller Schrank): Shutterstock.com/onsuda; (kleiner Tisch): Shutterstock.com/kibri_ho; (Mann mit Sessel): Shutterstock.com/New Africa; (Mann mit Sofa): Shutterstock.com/Ljupco Smokovski; (moderne Lampe): Shutterstock.com/ANTHONY PAZ; **S.129** (oben): Shutterstock.com/Lowphoto; (unten): stock.adobe.com/ppa5; **S.130** (C): Shutterstock.com/fizkes; (H): stock.adobe.com/contrastwerkstatt; (J): Cornelsen/I LIKE VISUALS, Berlin; **S.132** (Mitte): Cornelsen/I LIKE VISUALS, Berlin; **S.133** (oben links): Shutterstock.com/Elvetica; (oben rechts): Shutterstock.com/Elvetica; **S.134** (graue Avatare): Shutterstock.com/Shannon Marie Ferguson; (Mitte links): Shutterstock.com/New Africa; (Sterne): Shutterstock.com/Sergii Baibak; **S.136:** Shutterstock.com/Anna Violet; **S.137** (Icons): Shutterstock.com/zcreamz11; (Mitte): Shutterstock.com/RossHelen; **S.138** (Bäckerei): Shutterstock.com/ShutterDivision; (Hintergrund): Shutterstock.com/Picsfive; **S.139** (Tina): Cornelsen/I LIKE VISUALS, Berlin; **S.140** (Helga): stock.adobe.com/contrastwerkstatt; **S.141** (1): Shutterstock.com/fizkes; (2): Shutterstock.com/Iakov Filimonov; (3): Shutterstock.com/Monkey Business Images; **S.143** (oben): Shutterstock.com/Monkey Business Images; (unten): Shutterstock.com/Jacob Lund; **S.144** (unten): Shutterstock.com/Nejron Photo; **S.145** (oben links): Shutterstock.com/stockfour; (oben rechts): Shutterstock.com/imging; **S.146** (a): Shutterstock.com/nd3000; (b): Shutterstock.com/oneinchpunch; (c): Shutterstock.com/Liderina; (d): Shutterstock.com/Iakov Filimonov; (e): Shutterstock.com/carballo; (unten): Cornelsen/I LIKE VISUALS, Berlin; **S.148** (Automobilkaufmann): Shutterstock.com/Africa Studio; (Icons): Shutterstock.com/zcreamz11; (Mechatronikerin): Shutterstock.com/Ikonoklast Fotografie; (Mitte): stock.adobe.com/Jacob Lund/Jacob; **S.149** (Hintergrund): Shutterstock.com/Robert Kneschke; (Zettel-Icon): Shutterstock.com/zcreamz11; **S.150** (oben): Shutterstock.com/maradon 333; (unten): Shutterstock.com/Kzenon; **S.152** (links): Shutterstock.com/Africa Studio; (rechts): Shutterstock.com/Africa Studio; **S.154** (1): Shutterstock.com/Africa Studio; (2): Shutterstock.com/LightField Studios; (3): Shutterstock.com/Dmitry Kalinovsky; (4): Shutterstock.com/wavebreakmedia; (5): Shutterstock.com/ReeAod; (6): Shutterstock.com/New Africa; **S.156** (1): Shutterstock.com/Bannafarsai_Stock; (2): Shutterstock.com/Monkey Business Images; (3): Shutterstock.com/Monkey Business Images; (4): Shutterstock.com/New Africa; (5): Shutterstock.com/Branislav Nenin; (6): Shutterstock.com/Syda Productions; **S.158** (oben): Shutterstock.com/LDprod; (unten): Cornelsen/I LIKE VISUALS, Berlin; **S.160/161** (Doppelseite Panorama oben): Shutterstock.com/Rawpixel.com; **S.160** (Äpfel): Shutterstock.com/Africa Studio; (Butter): stock.adobe.com/Klaus Hoffmann/orinocoArt; (Erdnüsse): stock.adobe.com/M. Schuppich/M.; (Salami): stock.adobe.com/fabiomax; (Schokolade): stock.adobe.com/TETIANA; (Vollkornbrot): Shutterstock.com/Seroff; **S.161** (Blatt-Icon): Shutterstock.com/Babka; (Icons fürMonitor, Messer und Gabel): Shutterstock.com/zcreamz11; (Käse): stock.adobe.com/photocrew; (Marmelade): stock.adobe.com/Uros Petrovic/Uros; (Mineralwasser): Shutterstock.com/studiogi; (Paprika): stock.adobe.com/karandaev; (Spaghetti): Shutterstock.com/tsyklon; (Weißwurst): stock.adobe.com/photocrew; **S.162** (Einkaufszettel): Cornelsen/Shutterstock.com/Kanate; (Einkaufszettel): Cornelsen/Shutterstock.com/Kanate; (oben): Cornelsen/I LIKE VISUALS, Berlin; **S.163** (Mitte links): Shutterstock.com/Food Impressions; (Mitte rechts): Shutterstock.com/Boonchuay1970; **S.164** (oben links): Shutterstock.com/Jacob Lund; (oben rechts): Shutterstock.com/Uber Images; (Pilz): Shutterstock.com/bonchan; **S.165** (Bigoa): stock.adobe.com/robert6666; (Gado-gado): StockFood/FC/Benjamins, Sven; (Samosa): Shutterstock.com/Faraz Hyder Jafri; **S.166** (Mitte): Cornelsen/I LIKE VISUALS, Berlin; **S.167** (oben): Shutterstock.com/P Maxwell Photography; (unten): Shutterstock.com/Jasminko Ibrakovic; **S.168** (Gabel): Shutterstock.com/Artco; (Mitte): Shutterstock.com/Flamingo Images; (oben): Shutterstock.com/Jacob Lund; (Uhren-Icon): Shutterstock.com/Tzubasa; **S.169** (oben): stock.adobe.com/highwaystarz; **S.170** (links): stock.adobe.com/conorcrowe; (rechts): stock.adobe.com/jotily; **S.172** (Filmstills oben rechts): © DW.com/nico; **S.173** (Logo): DW Deutsch lernen. Kostenlos Deutsch lernen mit der DW. Nutzen Sie Texte, Audios, Videos und interaktive Übungen auf dw.com/deutschlernen; (Mappe): stock.adobe.com/Silkstock; **S.175** (1): Shutterstock.com/Minerva Studio; (2): Shutterstock.com/Ariwasabi; (3): Shutterstock.com/ntm; (4): Shutterstock.com/Jacob Lund; (5): Shutterstock.com/Bobex-73; (6): Shutterstock.com/Africa Studio; **S.178** (Mitte): Shutterstock.com/Peeratouch Vatcharapanon; (oben): Shutterstock.com/Jacob Lund; (unten): Shutterstock.com/Satyrenko; **S.179** (Mitte links): Shutterstock.com/Lucky Business; (Mitte rechts): Shutterstock.com/r. classen; (oben): Shutterstock.com/Master1305; (Trophäen-Icon): Shutterstock.com/Palsur; **S.180** (Krankenversicherungskarte): BARMER; (Rezeptschein): Kassenärztliche Bundesvereinigung; **S.182** (1): Shutterstock.com/Production Perig; (2): stock.adobe.com/contrastwerkstatt; **S.183** (Mitte): Cornelsen/I LIKE VISUALS, Berlin; **S.184** (oben): Shutterstock.com/marpan; **S.185** (Mitte): Cornelsen/I LIKE VISUALS, Berlin; **S.186** (oben): Shutterstock.com/Photographee.eu; (unten): Shutterstock.com/Ganna Glushakova; **S.187** (Mitte): Shutterstock.com/triocean; (oben): Shutterstock.com/Dmytro Zinkevych; (unten): Shutterstock.com/Prostock-studio; **S.188** (Mitte): Shutterstock.com/Stock-Asso; **S.190** (Anzug): Shutterstock.com/posteriori; (Hemd): Shutterstock.com/posteriori; (Hemd-Icon): Shutterstock.com/matsabe; (Herr im Anzug): Shutterstock.com/sakkmesterke; (Krawatte): Shutterstock.com/Artem Avetisyan; (Lederschuhe): Shutterstock.com/Elnur; (Pullover): Shutterstock.com/sagir; (Sandalen): Shutterstock.com/gowithstock; (Shorts): Shutterstock.com/gogoiso; **S.191** (Blazer): Shutterstock.com/Artem Chernyavskiy; (Bluse): Shutterstock.com/Karkas; (Dame in der Mitte): Shutterstock.com/Dean Drobot; (Hosenanzug): stock.adobe.com/zakaz; (Jeans): Shutterstock.com/Kapitula Olga; (Kleid): Shutterstock.com/Tarzhanova; (Rock): Shutterstock.com/Maffi; (T-Shirt): stock.adobe.com/Evrymmnt; (Turnschuhe): Shutterstock.com/Hong Vo; **S.192** (unten links): stock.adobe.com/Drobot Dean/Drobot; (unten rechts): Shutterstock.com/sakkmesterke; **S.193** (unten): stock.adobe.com/DisobeyArt; **S.194** (unten): Shutterstock.com/Loza-koza; **S.195** (Erik): Cornelsen/I LIKE VISUALS, Berlin; (Frieda): Cornelsen/I LIKE VISUALS, Berlin; (Lorenzo): Cornelsen/I LIKE VISUALS, Berlin; (Patrizia): Cornelsen/I LIKE VISUALS, Berlin; **S.196** (1): stock.adobe.com/Magdalena; (2): stock.adobe.com/olgaarkhipenko; (3): stock.adobe.com/Dzha; (4): stock.adobe.com/AK-DigiArt; (5): stock.adobe.com/Kayros Studio; (6): stock.adobe.com/mstudio; (7): stock.adobe.com/topntp; (8): stock.adobe.com/Pixel-Shot; (9): stock.adobe.com/Ruslan Kudrin/Ruslan; (10): stock.adobe.com/mstudio; (11): stock.adobe.com/olgaarkhipenko; (12): stock.adobe.com/bigjom; (Mira): Shutterstock.com/Africa Studio; (Patrick): Shutterstock.com/Stuart Jenner; **S.197** (Glühlampen-Icon): Shutterstock.com/Titov Nikolai; (Mitte): Shutterstock.com/Pavel L Photo and Video; (oben): Shutterstock.com/Skorik Ekaterina; **S.198** (1): Shutterstock.com/Nesolenaya Alexandra; (2): Shutterstock.com/learesphoto; (3): Shutterstock.com/Vlad Teodor; **S.199** (a): Cornelsen/I LIKE VISUALS, Berlin; (b): Cornelsen/I Like Visuals, Berlin; (c): Cornelsen/I Like Visuals, Berlin; (d): Cornelsen/I Like Visuals, Berlin; **S.200** (Filmstills): Cornelsen/I LIKE VISUALS, Berlin; **S.202/203** (Doppelseite Hintergrund): Shutterstock.com/Pla2na; **S.202** (Deutschlandkarte): Shutterstock.com/KuKanDo; (Fasching-Icon): Shutterstock.com/Happy Art; (Kompass): stock.adobe.com/Olga; (Rummel): stock.adobe.com/allessuper_1979; (Spargelkönigin): dpa Picture-Alliance/dpa-Zentralbild/Bernd Settnik; **S.203** (Fahnen-Icon): Shutterstock.com/Happy Art; (Parade der Kulturen): Imago Stock & People GmbH/Christian Spicker/imago images; (Rhein in Flammen): Shutterstock.com/KH-Pictures; **S.204** (Himmel-Hintergrund): Shutterstock.com/chairoij; (Wetter-Icons auf Smartphone): Shutterstock.com/M.Stasy; (Wetter-Icons auf Smartphone): Shutterstock.com/M.Stasy; (Wetter-Icons auf Smartphone): Shutterstock.com/M.Stasy; **S.205** (oben links): dpa Picture-Alliance; (oben rechts): stock.adobe.com/piai; (Mitte): Cornelsen/Christoph Grundmann; **S.206** (oben links): Shutterstock.com/Gustavo Frazao;

(oben Mitte): stock.adobe.com/kharhan; (oben rechts): Shutterstock.com/Anze Furlan; **S. 207** (Mitte): Shutterstock.com/Monkey Business Images; **S. 208** (Mitte): Cornelsen/I LIKE VISUALS, Berlin; **S. 209** (Himmel-Hintergrund): Shutterstock.com/chairoij; (unten, Europakarte): stock.adobe.com/Perth; (Wetter-Icons auf Smartphone): Shutterstock.com/M.Stasy; (Wetter-Icons auf Smartphone): Shutterstock.com/M.Stasy; (Wetter-Icons auf Smartphone): Shutterstock.com/M.Stasy; (Wetter-Icons auf Smartphone): Shutterstock.com/M.Stasy; **S. 210** (1): Shutterstock.com/Juergen Faelchle; (2): Shutterstock.com/Belozorova Elena; (3): Shutterstock.com/Kireeva Veronika; (4): Shutterstock.com/Patryk Kosmider; (5): Shutterstock.com/Krivosheev Vitaly; (6): Shutterstock.com/Sunny Forest; (unten, Wetter-Icons): Shutterstock.com/M.Stasy; (unten, Wetter-Icons): Shutterstock.com/M.Stasy; (unten, Wetter-Icons): Shutterstock.com/M.Stasy; **S. 212:** Shutterstock.com/WAYHOME studio; **S. 214** (Bauernhof): Shutterstock.com/LightField Studios; (Campingplatz): stock.adobe.com/Enrico Ferraresi/Enrico; (Erste-Hilfe-Tasche): Shutterstock.com/Vladislav Lyutov; (Schlafsack): Shutterstock/Mark Herreid; (Smiley): Shutterstock.com/olessya.g; (Straßenkarte): Shutterstock.com/HomeStudio; (Wandergruppe): Shutterstock.com/Monkey Business Images; **S. 215** (E-Reader): Shutterstock.com/Tatiana Popova; (Koffer-Icon): Shutterstock.com/Dikas Space; (Kopfhörer): Shutterstock.com/dantess; (Notizbuch): Shutterstock.com/NbStockWonderland; (Peter): Shutterstock.com/Ljupco Smokovski; (Portemonaie): Shutterstock.com/cocoo; (Schwimmbrille): Shutterstock.com/Martina_L; (Theresa): Shutterstock.com/Billion Photos; **S. 216** (links): Shutterstock.com/Carsten Ortlieb; (rechts): stock.adobe.com/bernardbodo; **S. 218** (oben): Shutterstock.com/Ahmed bsr; **S. 219** (Postkarte): Shutterstock.com/Wiktoria Matynia; **S. 220** (A): Shutterstock.com/GaudiLab; (B): Shutterstock.com/Parilov; (C): Shutterstock.com/Soloviova Liudmyla; (D): Shutterstock.com/Ikoimages; (E): stock.adobe.com/Iakov Filimonov/JackF; (F): Shutterstock.com/Sergey Novikov; (unten): stock.adobe.com/sebra; **S. 221** (Notizbuch): Shutterstock.com/iunewind; (Sonne-Icon): Shutterstock.com/Cube29; **S. 222** (Mitte): Cornelsen/I LIKE VISUALS, Berlin; **S. 223** (1): Shutterstock.com/Helga Madajova; (2): Shutterstock.com/TMArt; (3): Shutterstock.com/Corinne Asbell; (4): Shutterstock.com/SOPhoto18; (5): Shutterstock.com/alanisko; (6): Shutterstock.com/Alex Martyn; **S. 224** (a): Shutterstock.com/fizkes; (b): Shutterstock.com/Aleksandrov Ilia; (c): Shutterstock.com/Syda Productions; (d): Shutterstock.com/fizkes; (e): Shutterstock.com/Olena Yakobchuk; (Bauernhof): Shutterstock.com/Piotr Wawrzyniuk; (Eimer mit Händen): Shutterstock.com/Miriam Doerr Martin Frommherz; (Kind im Kohlbeet): Shutterstock.com/Velychko; (Kind mit Hund): Shutterstock.com/Elena Chevalier; (Kinder am See): Shutterstock.com/Brocreative; (Teig kneten): Shutterstock.com/Photo_Vikcherry; (Wanderer): Shutterstock.com/JGA; **S. 226** (Gummibären): Shutterstock.com/Gerisima; **S. 226** (oben): © DW.com/nico; (oben): © DW.com/nico; **S. 227** (Blumen-Icon): Shutterstock.com/Cube29; (Brief-Icon): Shutterstock.com/ksenvitaln; (DW-Logo): DW Deutsch lernen. Kostenlos Deutsch lernen mit der DW. Nutzen Sie Texte, Audios, Videos und interaktive Übungen auf dw.com/deutschlernen; (Katzen-Icon): Shutterstock.com/Sudowoodo; (Kühlschrank-Icon): Shutterstock.com/valeriya kozoriz; (Nico): © DW.com/nico; (Telefon-Icon): Shutterstock.com/Tzubasa; (unten): © DW.com/nico; (Zeitungsicon): Shutterstock.com/icon Stocker; **S. 228** (1): Shutterstock.com/marina_eno1; (2): Shutterstock.com/Veles Studio; (3): Shutterstock.com/fizkes; (Baum-Icon): Shutterstock.com/Vector House; (Hunde-Icon): Shutterstock.com/Arizzona Design; (Schlangen-Icon): Shutterstock.com/Cosmic_Design; **S. 230** (Hintergrund): Shutterstock.com/Matt Gibson; **S. 231** (Weltkarte): Shutterstock.com/SusanBrand; **S. 233** (E-Mail-Fenster): Shutterstock.com/designmaestro; **S. 235** (oben rechts): Shutterstock.com/Christian Draghici; (Waffeln): Shutterstock.com/evrymmnt; **S. 237** (1): stock.adobe.com/piai; (2): Shutterstock.com/Michal Zylinski; (3): Shutterstock.com/nokkaew; (4): Shutterstock.com/Hack_bsh; (5): Shutterstock.com/279photo Studio; (6): Shutterstock.com/Skylines; (7): © OpenStreetMap-Mitwirkende (CC BY-SA) /openstreetmap.org; (8): stock.adobe.com/Björn Wylezich/Bjoern Wylezich/Björn; (9): Shutterstock.com/Tom Gowanlock; (11): Shutterstock.com/Mariyana M; (12): Shutterstock.com/Mitrija; **S. 240** (Mitte): stock.adobe.com/saiko3p; (oben): Cornelsen/Daniel Meyer; **S. 241** (Hund): Shutterstock.com/kukuruxa; (Paket): Shutterstock.com/Christopher Elwell; (Straße): Shutterstock.com/Edgar G Biehle; **S. 242:** Shutterstock.com/Fesus Robert; Shutterstock.com/Sonsedska Yuliia; (oben): Shutterstock.com/Marin04ka; (unten): Shutterstock.com/279photo Studio; **S. 246** (1): Shutterstock.com/Amarita; (2): Shutterstock.com/Olga Nikiforova; (3): Shutterstock.com/Maren Winter; (4): Shutterstock.com/PHILIPIMAGE; (links): Shutterstock.com/Timolina; **S. 247** (rechts): Shutterstock.com/Slawomir Fajer

Textquellen

S. 34: © Persen Verlag – AAP Lehrerfachverlage GmbH; **S. 123:** Gomringer, Eugen – (kein Titel auf S. 120 [Theorie der konkreten Poesie: Texte und Manifeste 1954–1997 Wien: Ed. Splitter. 1997.]); **S. 177:** Ernst Jandl, Werke in 6 Bänden (Neuausgabe), hrsg. von Klaus Siblewski © 2016 Luchterhand Literaturverlag, München, in der Verlagsgruppe Random House GmbH; **S. 231:** Edmund Wild, „66-mal selber dichten“; **S. 254:** Cornelsen/Samuel Reißen; **S. 265:** Volksweise (19. Jh.)

Deutschland, Österreich, Schweiz